bnm*

Œuvres II (1975-1989)

JACQUES BRAULT

BRAULT

Œuvres II (1975-1989)

Édition préparée, présentée et annotée
par FRANÇOIS DUMONT

Poèmes des quatre côtés
Trois fois passera *précédé de* Jour et nuit
Moments fragiles
Agonie
La Poussière du chemin

Les Presses de l'Université de Montréal

Catalogage avant publication de Bibliothèque et Archives nationales du Québec et Bibliothèque et Archives Canada

Titre : Œuvres / Jacques Brault ; réédition par François Dumont.
Autres titres : Œuvre
Noms : Brault, Jacques, 1933-2022, auteur. | Dumont, François, 1956- éditeur intellectuel.
Collections : Bibliothèque du Nouveau monde.
Description : Mention de collection : BNM | Comprend des références bibliographiques. | Sommaire : II.
1975-1989.
Identifiants : Canadiana (livre imprimé) 20230054501 | Canadiana (livre numérique) 2023005451X |
ISBN 9782760648357 (vol. 2) | ISBN 9782760648364 (PDF : vol. 2)
Classification : LCC PS8503.R3 A11 2023 | CDD C843/.54—dc23

Mise en pages : Folio infographie

Dépôt légal : 4ᵉ trimestre 2023
Bibliothèque et Archives nationales du Québec
© Les Presses de l'Université de Montréal, 2023

Les Presses de l'Université de Montréal remercient de leur soutien financier le Conseil des arts du Canada, le
Fonds du livre du Canada et la Société de développement des entreprises culturelles du Québec (SODEC).

IMPRIMÉ AU CANADA

POÈMES
DES QUATRE CÔTÉS

Avec cinq encres de l'auteur

Dans mon pays le printemps
vient du nord au sud

Pablo Neruda

Nuit en moi, nuit au dehors
Elles risquent leurs étoiles
Les mêlant sans le savoir.

Jules Supervielle

NONTRADUIRE I

le lointain fait signe
au lointain

O.V. de Milosz

Par un de ces *dimanches bannis de l'infini*, je reçois des quatre côtés un appel (d'où vient-il?) indéchiffrable. Et je resonge malgré moi à cette vieillerie toute étonnante : les mots nous choisissent autant que nous les choisissons, surtout ceux d'une langue étrangère, chose fragile et précieuse, confiante et fallacieuse, ouverte et fermée à la fois. Je ne sais plus où donner de mon corps ; une angoisse heureuse m'invite à sortir dans les rues désertes et me fige sur place, me tasse en moi-même. On dirait d'un amour qui vous tombe dessus comme une menace et une rassurance. Et soudain étant ici je suis ailleurs. Mais c'est un bon filtre qu'une tête étrangère en pays étranger ; elle ne retient que l'essentiel — le nécessaire de chaque jour. Ainsi le voyageur dans un pays dont il ignore la langue va sans délai au profond et à l'élémentaire, il réclame de ces mots insolites de lui dire le pain, l'eau, le sommeil, le temps, la joie, la peur, le lieu, le désir et (pourquoi pas?) l'indifférence. Une telle expérience de l'étrangeté simplifie les relations du monde et du langage. L'autre et le même se deviennent habitables. Et je comprends soudain que perdre son nom équivaut à perdre son ombre, témoin obscur de lumière ; que se réduire à son nom, c'est se réduire à une ombre (à être hors de soi).

Finalement, je ne suis pas sorti, je ne suis pas rentré en moi ; sur le seuil invisible d'un entre-deux, me niant et m'affirmant, j'écoutais ces voix lointaines toutes proches. Et je me disais qu'il serait bon de traduire, enfin d'essayer.

Alors j'ai connu que traduire est impossible, que traduire est inévitable. De ce choc, comme une étincelle égarée entre l'empêchement et la nécessité, naquit la nontraduction. Une évidence perplexe. Et une réussite promise à l'échec — écriture sans écriture.

Se décentrer. Ne pas annexer l'autre, devenir son hôte. Comment ? et à quel prix ? En se taisant, en se portant à la rencontre d'une parole tenue pour étrangère et par un étranger. Se taire. Que d'abord s'établisse le rapport entre des existences hétérogènes. Le heurt. L'incrédulité. La confiance, peu à peu, ombrera la méfiance ; le clair-obscur des voyelles et des consonnes accusera les contrastes d'une langue à la fois perdue et trouvée. Langue suspendue entre deux certitudes maintenant problématiques, langue qui reconnaît alors sa difficulté d'être. Et donc sa raison d'être. Une langue qui se refuse à pareille épreuve est d'ores et déjà condamnée. Morte. Je suis d'un pays où les relations humaines se caractérisent par la chaleur, vive et brève — comme notre été. Dès qu'il s'agit de distancer son horizon, de s'enfoncer dans des arrière-pays ou des avant-pays, le froid regagne son emprise, la crispation s'empare du corps, le langage devient «susceptible». Nous n'aimons ni traduire ni être traduits. Et nous n'avons pas toujours et pas tout à fait tort. Les clefs de la traduction appartiennent aux puissants. S'il n'y a pas de langue mondiale, il y a des langues colonisatrices. Nous l'éprouvons durement, chaque jour. Mais cette épreuve aurait dû, devrait nous aiguiser l'appétit de création. Nontraduire, ce n'est ni prendre, ni laisser prendre, c'est composer, marchander, négocier. À défaut de vivre, je préfère survivre à sousvivre.

Nontraduire ; se décentrer. Le cœur sur la main et la main au cœur. Fin d'après-midi. J'ai travaillé de mon mieux ; je retourne chez moi. La porte, ce matin, s'était ouverte à un seul ; elle se fermera sur un autre — seul. Mais je ne désespère pas qu'un jour de générosité sans contrôle et de tendresse totale ces deux «seul» ne feront qu'un en la douceur de vraiment vivre, laquelle consiste d'abord à ne pas mourir. Nous ne nous traduirons plus l'un et l'autre, en une image du même, image toujours brouillée, tremblante d'à-peu-près, et qui finit par exténuer le propre de chacun. Nous serons recentrés ailleurs-ici, comme ce texte sous mes yeux, familièrement étrange, nous serons unis par contradiction, nontraduits.

NORD

*the petrified rumble
of a world going blind*

John Haines

Ce serait à la fin
d'un mauvais hiver
le sel de neige tournant au noir
quelques moineaux piaillant
dans les ruines
d'un château d'eau dynamité

te voici au bout de la rue
ombre venue voir une ombre
ton dernier soir
              qui tombe
                    ici

La toundra de tout son corps
tièdement palpite sous un soleil herbeux
d'automne   elle exhume
une odeur de bleuets en bouillie
et de fumée du fusil

sur les lacs brouillés
ses yeux   un miroir de glace
durcit   où des gelures
luisent   tripes poilues
de lumière sanguinolente

grassement des riens d'hommes rient
avec leurs semblants de femmes
un à un les feux de camp frissonnent
et s'enfouissent sous le vent

gorgée de sang   avec un claquement
de sabots   sec
la pesante toundra lentement
se roule et coule
dans l'obscur

Au cœur du glacier
                               une lampe verte
l'âme de l'eau dormante
nous prennent par la main

plus profond et plus profond
                                       s'ouvre
une lumineuse noirceur
pareille aux ailes du corbeau

comme si un vent lourd
courait à travers toutes les maisons
où jamais nous n'avons vécu

le froid se rue
                          dans ces apparences
nos couvertures s'envolent
aux confins de l'obscurité
nous seuls et nus
nous voici éveillés
                         pour toujours

Si le hibou revient en ces parages
par l'immense tristesse
d'un hiver sans relief
au crépuscule
suintant de son île dans la rivière
et s'il ne fait pas trop froid

j'attendrai
la lune levante
sur la route qui s'approfondit vers l'ombre
puis j'ouvrirai mes ailes et planerai
à sa rencontre

nous ne parlerons pas
encapuchonnés de gel
nous prendrons notre essor
au-dessus des champs d'aulnes
nos yeux guettant des restes de nuit

nous nous assoirons
dans l'ombrage des épinettes
nous becquetterons les os
des souris insouciantes
en quête d'un dernier morceau d'été

pendant que la lune lente dérivera
du côté de l'Asie
que la rivière grommellera
dans son lit luisant

quand le matin étirera
ses membres mortifiés
nous nous séparerons sans bruit

comblés de chaleur
alors qu'un monde froidi se réveillera
étoilé de larmes blanches

Ce n'est rien   rien qu'un matin d'avril
un paquet de plumes un pic de montagne
dessous son manteau de blessures
                              la glace
allume un royaume de chandelles

le ventre du moustique rutile
une forte eau noire jaillit de terre
comme le sang brûlé
crève le vieux cercueil du soleil

J'ai oublié de vous nommer

    les rivières qui sans cesse s'épuisent
    au secret d'un autre silence
    l'aigle cloué au sommet de la neige
    et la salamandre fumante
    surgie des cendres volcaniques

    également les femmes de la lune
    avec leurs yeux verts   bridés
    dont les présages m'ont réduit aux larmes

j'attendais sur un coin de la terre
d'être ému par le vent
il était neuf heures un soir d'été

    et le soleil se levait

Parfois j'envie ceux-là
qui sourdent en foule
grands papillons or-et-noir
devant les pieds fous
de l'été
         — brefs   intenses
comme des éclats de soleil
ils sont inoubliés   célébrés
longtemps après que la nuit a vacillé
contre nos ruines de patience

mais je crois aussi en celui
qui dans la mort de l'hiver
perce un tunnel à travers l'humide
le visqueux de l'obscur
flairant la terre meuble des vieux jardins

il creuse   inaperçu   mais
profond en lui se creuse un rêve
qu'un jour la surface
se brise et s'effrite
que le gel craquelle sous un vent tiède

ici une touffe de fourrure brune
se dresse soudain   vernie de boue
battant des paupières sous le ciel timide
alors qu'un soleil bas-levé lentement sèche
ses étranges   ses insolites
ailes de taupe

Viens
       hibou des hivers
              descends
esprit de silence

tes yeux glauques
ouvrent la grisaille
un monde sort de son suaire

fantôme émerveillé

dériveur de nuit nordique
tu dévores les lueurs
qui rongent dans le sombre

gardien de blancheur
             viens

oui viens veneur de maléfices

NONTRADUIRE 2

L'eau est un corps brûlé

Balzac

La pluie bafouille à la fenêtre. Novembre aux doigts, au cœur un gris-froid ; et le vacillement de l'heure : légère nausée. La lampe éclaire à peine mes gribouillis sur la table. Lequel des deux résiste à l'autre, le texte ou moi ? Je me lève. J'ouvre la fenêtre. On me crache à la figure. Et je regarde en face mon angoisse. Surtout, ne pas imiter, je le sais bien, ne pas faire semblable (semblant), ne pas apprivoiser cette langue étrangère qui retentit en ma langue comme des cris d'animaux sauvages, comme une liberté à l'état nu. Je frissonne, la poitrine trempée, j'ai envie d'être au chaud, seul. Mais ça parle à mon oreille, ça n'arrête pas de parler. Et d'ailleurs, l'imitation ne peut être que mauvaise pour l'œuvre imitée, elle traite ce texte comme un prétexte, enfin, elle est mauvaise pour l'imitateur, elle lui fait oublier — ou méconnaître — la nécessaire transmutation dans sa propre langue : il se reconnaît trop lui-même, et trop vite, et trop tard. Il perd son double, il perd le meilleur de lui-même — l'autre qui de jour et de nuit se fait son hôte, l'accueille et le révèle à son inconnaissance. Donc, traduire, oui, mais sans traduire. Je ferme la fenêtre. La pluie sur moi séchera lentement. Comme un corps étranger qui me couvrant d'une peau nouvelle va m'apprendre à lui donner une âme nouvelle. Tout se joue en surface ; à la surface des mots et de l'instant. Je reviens à mes papiers : un texte à côté d'un texte. Les supprimer tous deux pour faire place au seul texte qui en appelle à la surprise de parler sans sujet. Nontraduire.

Les gravures de Rembrandt (et celles de Goya) m'ont détourné de la traduction. Un midi d'été ; une chaleur moite se ventouse aux murs. Je somnole presque. Et pourtant. Un rien en moi résiste à la torpeur. Le problème de *l'original* me tient sur la brèche. Non, je n'accepte pas de *reproduire* en traduisant. Pas plus que Rembrandt et Goya n'ont reproduit sur la plaque de cuivre une étude ou une esquisse. Encore le fameux «modèle» platonicien, encore la chère «cause exemplaire» d'Aristote ! On n'en finira jamais avec ces pré-jugés. Toute traduction transforme l'original, elle y renvoie sans cesse. D'où la «honte» de traduire... la peur maladive de trahir. Mais la morsure de l'acide, la brutalité du burin, la nervosité de la pointe sèche, l'incision du couteau, l'arrachement de la gouge, toutes ces attaques de la matière gravée ne traduisent pas, oh non! une image préalablement tracée ou lavée, elles ouvrent, à partir d'une suggestion formelle-matérielle, d'un dessin-dessein, un nouveau chemin pictural. Ainsi, tournant le dos à la plus tenace méprise de l'idéalisme philosophique (et existentiel), je n'accorde pas à l'original un caractère de fixité. Tout discours (tout texte) est littéraire dans la mesure où il n'est pas complètement rongé par l'entropie (par l'univocité), dans la mesure où sa probabilité de sens demeure multiple, non close, non définitive. Pareil texte appelle précisément la « trahison ». Nontraduire, c'est fidélité qui aspire à l'infidélité. Un texte nontraduit reste trouble (troublé/troublant), il n'arrive pas à départager sa dépendance et son indépendance. Son projet (orienté vers la lecture) se rattache à son trajet (d'écriture); son origine oriente ses choix. Mais ceux-ci, à leur tour, l'éloignent de son commencement. Un sens-fils cherche à tuer le sens-père pour enfin laisser être la relation père-fils comme tierce réalité, la *seule* désormais viable.

EST

the sinuous absence
of a snake in the grass

Gwendolyn MacEwen

Je n'ai jamais écrit d'après douleur   jamais
et puis j'ai vu le navire-nuit   navire-étoile
nos années de convoitise en son creux quitter ce monde
et tout son carburant était de larmes

je n'ai jamais écrit d'après ici   jamais
et puis j'ai posé ma tête
au creux de ta chair
j'ai entendu des villes à naître qui parlaient
des générations qui parlaient   qui faisaient signe
de chez elles   qui appelaient par les mondes
creux   et par les cornes d'os

peut-être le navire-nuit   navire-étoile
nous ramènera-t-il et jamais
plus ne partira
je n'ai jamais écrit d'après ici   jamais

Verdie de sommeil ta peau respire la nuit
j'entends que tu remues des mondes en ton rêve obscurci
les draps comme feuilles d'une saison dépouillée
s'envolent du seul singulier qui repose entre nous

ton respir est brisure où je ne peux pénétrer
comme une saison plus reculée que l'hiver
verdie de sommeil respire ta peau respire
j'entends que tu remues des mondes en ton rêve obscurci

une espèce de grande roue tourne en nous
et nous diaphanise comme des mythes
                    et nous verdit de sommeil

Quand le toucher est le moindre désir nous nageons
comme poisson   notre semence est nuit liquide
l'immense des mers notre ultime élément profond
et l'amour est la fin du sommeil et de la veille

quand le désir est le moindre toucher   je plie
comme celle dont la courbe est ciel au-dessus de terre
et l'amour dessous moi   loin et loin
fait de ma chair une semence d'étoiles

Je dis que tous les mondes tous les temps sont un
                et toutes les amours
car nous étions tous là   au rassemblement des eaux
quand nos heures à vivre s'empilèrent vague sur vague
quand nos âges frayèrent
                  loin ah si loin
avec les sept hippocampes effrayés
                  de notre vue clairvoyante

  les rumeurs souterraines de ce temps nous divisent
  monde contre monde   et tu m'affirmes
  que c'est la cinquième terre où maintenant
  nous nous trouvons assourdis
                mais écoute   je veux
  marcher en cercle comme le feu du soleil
  (ne demande pas pourquoi
                    prends ma main)

de certains jours et de certaines années
nous ne nous rappellerons rien   le temps
est écume bruyante sous les sabots des chevaux
nos nombreuses vies s'agrippent à leurs crinières d'ombre
nous voilà partis   en quoi   comme tous ces rois
                figés dans les journaux

une fois sortie de cette terre
j'ai commencé à chanter tout bas
et autre chose je ne peux entamer
et autre chant je ne peux entonner
(car je l'ai dit   nous étions là
au rassemblement des eaux)

tous les mondes tous les âges sont un
                              et toutes les amours
mais tu dis que ces cartes portent d'autres géographies
que ce paysage est méconnaissable   grêlé de vieillesse

(ange d'arcane   écoute bien
c'est seulement que ces mers sont de sang
et ce continent le torse d'un dieu
plus dur que socle de lave)

vite prends ma main
                    ne dis rien
(sinon l'autre au même revient
sinon les mots se meurent de mutisme)
allons   vite au trou creusé pour nous
                              allons en terre

Tu n'as pas de citoyens   et tu as cent rues
ton nom ô sainte cité de mon sommeil
m'échappe   car
tu es plus loin que loin

les rois ont une fois escaladé tes murs moussus
et tout ton peuple a dîné de rêves
tandis que les soldats
fondaient tes milliers d'anneaux

les caravanes t'ont abandonnée   tu es devenue
la capitale de la nuit sauvage
et nombre de hiboux
sur les murs brisés ont oublié ton nom

je ne descendrai plus tes rues étroites
en sommeil   car toute chose ici
me rappelle que
tu es la même   la même
                          chimère

Je suis venue   faiseur d'ombre
pour posséder seulement l'obscur de toi

mes jambes ceinturent ta noirceur   et serrent
comme flammes du jour enserrent la nuit
elles cernent les ombres certaines que tu étales
sur ma peau et sur les fibres de mes nerfs noircis

sans ces ombres je serais dissoute
dans l'air   vague unique de ruineuse lumière
et la nuit par nombreuses bouches se fermerait
sur ma courbe stérile   sans fin

faiseur d'ombre   porte-moi partout
dans les espaces sombres
                              (ton visage est mon dernier abîme)
car je ne suis venue oui que pour posséder l'obscur
de toi   seulement l'obscur

J'oublie la terre que nous avons traversée
j'oublie tes grands yeux sombres et tes pas perdus dans l'ombre
tes mots je les oublie   ta voix lointaine aussi
tes doigts captifs de gros anneaux
tes mains qui arrachent un fruit aux arbres mauvais
j'oublie cet absolu rien

je ne peux me rappeler à quel point j'ai oublié
vastes feuilles qui dégouttent en un jardin de pluie
sans cesse de petites bêtes nous cernent   elles
se souviennent de nous   même si nous les avons oubliées
entre un arbre et un autre nous perdons des mondes
et des serpents se lovent

j'oublie   surtout j'oublie les quatre terres
où nous sommes passés pour atteindre ce lieu
l'une était chaude et l'une était froide   et ton visage
ne me dit rien des deux autres   rien du tout
j'oublie tes énormes anneaux-prisons
j'oublie ces néants

j'oublie   expertement j'oublie la cinquième terre
nous l'habitions hier nous l'habitons aujourd'hui
pourtant je me rappelle la sixième et la septième
que nous n'avons pas vues   avec une aveuglante clarté
regarde comme nos bras luisent dans cette pluie grise

mais j'oublie encore   j'oublie
                                de ne plus que dormir

Je ne sais pourquoi   éperdus
aux jardins fleuris de flammes
nous avons cueilli lunes et galaxies

je ne sais pourquoi les continents de nuit sombraient
et les jardins sauvages disparurent dans un vaste vide

amour nous souffrions d'amour comme la nuit
souffre de ses soleils éclatés

à la fin cette lointaine ténèbre
nous fit signe de notre lumière

et nous nous acharnions à récrire
sur l'à-jamais le chiffre des mots familiers

et nous pourchassions les soleils fuyards

je ne sais pourquoi   crépitant
les sentiers de nuit ardaient
plus bas amour plus bas que mort

NONTRADUIRE 3

Sa délivrance. Ma délivrance

André Spire

Dans l'histoire de la poésie occidentale, tous les styles ont été translinguistiques. Affirmation péremptoire, généralité abstraite... «Vous avez autre chose à déclarer?», demande le douanier-critique, et le théoricien du nationalisme littéraire : «des preuves, vous avez des preuves?» Non, je ne vais rien prouver, encore que du côté de la lyrique courtoise, du romantisme, du surréalisme, on trouverait... À quoi bon? Je ne me suis fait qu'à moi-même cette remarque vagante, pour mieux démarquer la nontraduction de l'idéologie traductionnelle. Je flotte dans une inter-langue, des mots-buées voilent mon regard ; un texte, ni d'un autre, ni de moi, se dessine en forme de chiasme. Je m'y pends. Je m'y perds ; je m'y trouve. Et je me dis que je n'ai rien à dire. Un inter-texte, voilà ce que dévoile la nontraduction. Et dans ce «différent» les différences s'accusent autrement qu'à l'accoutumée. Shakespeare m'apparaît moins anglais (ou élizabéthain) que shakespearien ; et Dante, moins florentin ou médiéval que dantesque. Le sol verbal recouvre le sol natal ; il ne le remplace pas, certes, mais il lui donne, comme à l'arbre tout en racines, feuillaison et floraison, il lui enfante une signification, il le met au monde trans-historique. La poésie est une payse dépaysée. Voyageuse, l'errance ne l'effraie pas. Par les plaines chauves elle approche d'une maison étrangère — autre temps, autre lieu — elle frappe, elle entre. Accueillie, elle se trouve dans sa maison. Rejetée ou éconduite, elle poursuit sa marche à tâtons et, la nuit venue, elle bivouaque dans sa mémoire. Elle espère l'étranger qui, lui tendant la main, lui redonne des mains. Oui, Donne est plus proche de Quevedo que de Wordsworth et Claudel est frère d'Eschyle plus que de Péguy. Ce texte que je m'apprête à signer n'est pas mien. Car je ne l'ai pas «traduit», trafiqué d'une langue à une autre ; il me parle et je le parle ; nous n'échangeons pas des bons procédés, nous écoutons naître entre nous une langue, nôtre pour un instant, inscrite dans un texte in-différent. Après tout, peut-être que c'est ça, simplement, écrire? Ces propos m'ont fatigué. Je vais dormir. Au réveil je taillerai un crayon tout neuf, embaumant le bois, la colle et le graphite, j'étalerai sur la table une grande feuille blanche et lisse. Face à la fenêtre du matin je laisserai courir et même gambader crayon sur papier (ou papier sous crayon) — qui sait en quelle langue?

Lecteur d'une traduction, je veux rester ignorant du texte traduit, afin que par cette ignorance ma lecture devienne active, chercheuse, me rapproche, en me représentant l'intervalle qui m'en sépare, d'un texte autre que le texte lu et que le texte deviné, d'un texte encore à écrire par cela même que ma lecture ne le trouve ni dans sa propre langue ni dans la langue étrangère (dite d'origine). La nontraduction, sur cette voie, se perd et perd le lecteur ; elle signale l'inachèvement du texte et se signale comme inachevée. Présence d'une absence, la langue nontraductrice ex-prime moins qu'elle n'im-prime un mouvement de départ, vers une inlassable réénonciation. Je me souviens tout à coup qu'il y a dix ans j'ai prêté à rire, prétendant que nous parlions par manque de silence — par manquements au silence. Ma balourdise frôlait une vérité toute simple, humble et souvent humiliée : si nous étions réellement capables de silence, nous partagerions la même langue, nous ne peinerions plus à la tâche grotesque de traduire — de remettre à demain la grâce d'être. Cette certitude d'avoir eu raison ne me donne qu'un plaisir mélancolique. L'acte de nontraduction relève encore de la traduction, hélas, ne serait-ce que pour s'en débarrasser. Et nos silences, en maintes circonstances, continuent à n'être que des manques de paroles, de sons, de bruits. Ils rassurent et ils effraient. Ils donnent à entendre qu'ils ne subsistent que par ce qu'ils masquent. Bref, ils invitent à traduire...

OUEST

the arid blizzard
in the water the white suffocation

Margaret Atwood

Axiome :

        tu es océan
tes pau-
pières s'incurvent sur chaos

mes mains   là
où elles te touchent
                parsèment
de petites îles habitées...

bientôt tu seras
terre entièrement
            : une contrée
connue   un pays

Moi je te cherche
dans cette chambre

moi je te cherche
dans ton corps

moi je crois que tu es là
quelque part

dans la sauvagerie de la chair
à travers les étendues glacées
de l'esprit   nous nous donnons la chasse

moi j'ai toujours peur
de te trouver
mort dans la neige

quand te trouvera-t-on

ces poursuites
n'en finissent pas

dans le fouillis l'un de l'autre
nous nous chassons nous-mêmes

moi je veux que
tu sois
un lieu pour moi
où chercher

moi je veux que tu sois
là
pour être
trouvé

De nouveau je m'affale
poussée du coude par une douceur
ce bois flottant   ton corps
je m'emmêle sur toi comme une
algue accrochée
à une branche submergée

sommeilleuse suis comme une mare
qui grandit   se ferme autour de moi
poussant ses vrilles à travers les bruns
sédiments de l'obscurité
où nous   transmués   sommes
partie de ce chaud pourrissement
de chair végétale
ce tranquille frai de racines

délivrés sommes
des lucidités du jour
quand tu es chose que je peux
entourer d'un trait   avec des yeux
formes découpées
dans l'air   l'élément
où nous
devons calculer selon
les pesanteurs

mais ici je me brouille
en toi   notre souffle s'enfonce
dans les verts millénaires
et   traînassant   dans notre sang
tous les ancêtres
sont de chaudes bêtes pré-amphibiennes

la terre
bouge   voici l'instant
d'avant la convergence   quand
ces marées se retirent   et nous
nous voyons l'un l'autre à travers
nos écailles durcissantes au réveil

échoués   étonnés
dans un monde qui se dessèche

nous nous débattons   l'air est
mal à l'aise dans nos poumons nouveaux
avec un soleil qui évapore sans merci les rivages du matin

Ici la rivière
se clôt sur brindilles   herbes sèches
bois mort   a fait

une figée longue nécrologie
des choses qui croissent
une fois   choses maintenant
dures autant qu'elles sont

     glace/homme   vieille
     illusion pourtant
     réelle comme froide   tu
     pétrifies tout reflet

     je me vois tourner
     au rigide en ton triste
     miroir où je regarde :

une plate es-
quisse   pâle et bleue
ovale vacuité

encerclée par ton
rêve d'hiver   faméliques
brochetons   brochets
ces famines

et au centre de mon
visage tombé ton rêve
d'été : verte

violence   l'attente
d'un croc
bloqué dans la glace

Voici ma résurrection

je vois oui je vois
oui je ne peux voir

la terre est un blizzard dans mes yeux

j'entends ici
le froissis de la neige

anges à l'écoute au-dessus de moi
chardons brillants de grésil
s'assemblent

qui attendent le moment
de me hisser
sur les colonnades
du soleil   ville vieillie

ou vivantes tours

non élevées encore
dont les dormantes pierres gisent fermant
leur feu sacré sur moi

      mais le pays bouge sous le givre
      et ceux-là qui sont devenus les voix
      de pierre du pays
      bougent aussi et disent

      dieu n'est pas
      la voix dans le tourbillon

      dieu est le tourbillon

      au jugement
      dernier   nous serons tous des arbres

Ce soleil de lilas
                me pénètre
comme un hameçon
l'œil du poisson

encore un printemps   puis-je permettre
qu'il darde ses aiguilles
dans la terre brunie dans ma tête vieillie
toutes deux si bien obscurcies

revenir de mort
me devenait si facile
je ne demande plus pourquoi
je commence d'oublier comment

et voici que la pelouse se liquéfie
le dur hiver s'affaisse en plis mous
des feuilles à mes pieds se réveillent
et regardent   se souvenant   les branches lisses

j'ai mal de cette vie nouvelle
revenir de mort n'est plus possible
aide-moi je t'en prie toi qui ruisselles
et ris sous le soleil-lilas
toi patient pêcheur de sursis

NONTRADUIRE 4

le sang sèche vite
en entrant dans l'histoire

Jean Ferrat

Ces *eaux de l'abîme où je m'éprenais de moi-même* (Quevedo), je m'en suis approché souvent, avec la tentation presque inconsciente de m'immerger dans une image, bien vite ridée, vieille pomme, bientôt fermée, tombe tranquille. Et tombe la nuit. Je veille. Je cherche autour du texte, autour de la mare endormie. Ne pas faire comme si ; plutôt me perdre dans cet œil glauque-noir. Ne pas apprivoiser le silence sauvage du texte, laisser être en ma propre langue une langue étrangère qui débride ma liberté. Le ciel aveugle au-dessus des toits penche puis se ravise. Le texte sous mon regard se refuse au prétexte. Cette nuit n'est pas complice de ma nuit. J'apprends mon étrangeté. Par transmutation d'une nuit en une autre nuit, je me laisse traduire, déporter dans un texte que je croyais emporter en moi. Maintenant je parle pour ne pas parler ; ma signature m'échappe — je nontraduis. Avec la première verdeur de l'aube s'éveille ma nuit : un peu plus de lumière, un peu moins de certitude. Encore un jour. Et l'étonnement de vivre. Un texte, là, émerge de je ne sais plus qui. Il ne me ressemble pas. Il ne ressemble à personne. Il a peut-être échappé au pire de la traduction : s'imiter soi-même. Le plein jour tout à l'heure dénoncera les restes d'ombre complaisante. Plus d'abîme ; une rue plate et droite ; y courir le risque de marcher hors de moi — devant moi.

Peaux noires, blanches, jaunes, rouges, brunes, et peaux grises, à demi effacées, et peaux lucides, à peine apparues, quelle différence sous les larmes et sous les rires ? C'est comme les langues ; elles partagent la même soif que rien ne peut étancher hormis la saveur d'une pluie libre de tomber sur chacune au même moment. Comment et pourquoi traduire — décalquer — ces vérités banales ? La liberté, où que l'on soit, où que l'on aille, ne change pas de couleur ; sortant, parfois, pas souvent, de prison, elle affiche partout la même pâleur. Nontraduire, entre autres choses, c'est consentir à ce fait : nos différences ne s'accusent que si nous supprimons nos inégalités. Nous sommes tous de la même eau, nous ne sommes pas tous, pas encore, du même sang. « Even is cold my soul » — répondre : « J'ai froid jusqu'à l'âme » est mensonge (traduction « belle » ou non). Je choisis de nontraduire : « Mon âme est froide en son âme ». L'animisme exagéré rend le son-sens du « jusque » (« even »). Le texte second ne se contente pas de *reproduire* le texte premier. Deux textes s'affrontent ici pour se déporter vers un inter-texte. Où ? Au lecteur d'y aller voir.

À la fin, si la nontraduction parvenait à réaliser (non pas à résoudre) la contradiction d'être, le même et l'autre ne formeraient qu'un seul. *Je* ne serait plus un autre. Ni appropriation, ni désappropriation, le tiers exclu des deux textes émergerait de son exclusion et par la force des choses signifiantes exclurait même les termes de son inter-langue. Ce texte non écrit, non parlé, voilà ce que vise la nontraduction. Non pas établissement par une métaphysique hors de l'histoire, non, jamais. Ne rien oublier. La mémoire est pourvoyeuse d'avenir. Sans elle, toujours les bêtises d'hier encombrent le présent. Je rêve ; et je sais ce que signifie mon rêve. Des voix de loin et de proche me gardent en éveil. Ceux qui furent d'Auschwitz et d'Hiroshima, de Varsovie et du Biafra, ceux qui sont de Sibérie et de Mai Loc, d'Amazonie et d'Harlem, ceux qui seront d'ici et de là-bas comme de nulle part, les crucifiés au non-sens, les salariés de violence, les incapables même de désespoir, murmurent une vieille histoire de révolution, des mots usés jusqu'à la corde tant nous les avons traduits.

SUD

but the very song of (as mountains
feel and lovers) singing is silence

E.E. Cummings

Maintenant je m'étends (avec partout autour)   moi
(le large pâle profond bruit
de pluie   et de toujours et de nulle part)   et

quelle bonne accueillante plusobscurité

maintenant je m'étends (dans ce plus perdu
plus que musique) pour sentir que soleil est
(vie et jour sont graciés) seulement prêté   puisque
nuit est donnée (nuit et mort et pluie

sont données   et donnée si bellement est la neige)

maintenant je m'étends pour rêver de   (rien
moi ou tout autre   ou toi
peut commencer de commencer d'imaginer)

quelque chose que personne ne peut jalouser
maintenant je m'étends pour rêver un brin-temps

Maintenant l'air est bouche éclose à l'air : nulle béatitude
sur terre   divisée   ne charme nos songeries
mes yeux par miracle dessillés

voient la droiture et l'horizontale de l'espace

les montagnes maintenant montagnes
                                    et le ciel monte au ciel
et cette liberté vive ravive notre sang
comme si entier suprême cet univers unique

indubitable nous avions (et nous seuls) fabriqué

— oui   ou bien comme si nos âmes   évadées
de l'enchantement vert de l'été bientôt n'osaient
une magie plus grave   :   ce blanc sommeil où
toute richesse pauvresse nous passerons
(avec joie puisqu'amants nous sommes) immortels
et le courage d'accueillir le plus profond rêve du Temps

Vrille
      lumière
            c'est un vœu d'en-haut

questionneuse
          immortalité
               tu brilles
pour ceux qui n'en croient pas leurs yeux

aventureuse fuie   énorme néant
tu affirmes le doute   et lustrale
précises l'immédiat   plus et encore
plus parfaitement le plus aéré
silence perçant mystère d'un crépuscule de peau

terrienne et rêveuse chair blanche toute première flamme
lune étonnée   comme au (miracle
de ton innocence réfutée)   malhabile quelque
lâcheté basse t'appelait   monde évanoui

enseigne-moi   (moi disparu) le vif
introuvable secret du commencer

Nonsoleil flou   une
froideur dans
un manque de ciel
feu visqueux

miens sont tiens
sont oiseaux   tous nôtres
et un   s'en est
allé   des leurs

feuille-fantôme   une
furtive rampe   là
ici   ou   sur
nonterre

Un homme
de grandeur
est parti

vaste comme vérité

qui était lui   et
portait oui
            (les montagnes
            savent
            le secret)
sa vie

comme une herbe porte
            (ici
            avec seule
            douceur de soleil
            en elle   ici avec un
            million de billions
            manières de flammes et
            d'un sansnom
            silence)
un ciel

Amour est bien plus fort qu'oublie
bien plus frêle que souvienne
plus rare que la vague n'est vagante
plus fréquent que faillir

il est le plus fou et lunaire
et moindre il nonsera
que toute la mer   seule
plus abîmée que la mer

amour est moins toujours avoir
moins jamais que vivre
moins plus grand que le moindre commence
moins plus petit que pardonne

il est le plus sain et solaire
et plus il ne peut mourir
que tout le ciel   seul
plus haut que le ciel

Je porte ton âme avec moi (je la porte dans
mon âme) jamais ne me fais défaut (où que
j'aille tu vas   très chère   et tout ce qui vient
de moi seul vient de toi   mon amour)

                                        je ne crains pas
le destin (c'est toi mon destin   ma très douce)

                                        je ne convoite
aucun monde (c'est toi ce monde   toute belle toute vraie)
et c'est toi ce qu'une lune a toujours murmuré
et tout ce qu'un soleil chantera   c'est toi

voici le plus profond secret que ne partage personne
(voici la racine de la racine et le bourgeon du bourgeon
et le ciel du ciel   un arbre feuillé de vie   qui monte
plus haut qu'esprit n'espère et que corps ne se cache)
et voici la merveille qui désassemble les étoiles

je porte ton âme (je la porte dans mon âme)
                                        dans ce qui m'emporte

Peut-être que *ça* n'est pas pour toujours
                 — et je dis tout bas je dis

que si tes lèvres tant et tant goûtées devaient se souder
à celles d'un autre   si tes doigts s'incrustaient dans
sa poitrine   comme en la mienne naguère
si sur un autre visage dévalait ta chevelure bleutée
en tel silence que je connais encore   ou si
                        (par dernière douleur)
se crispaient tes mots muets   cherchant le plein-dire
se tenant désarmés devant une mémoire aux abois

si *ça* devait être ainsi
             — je dis si *ça* devait être

toi au cœur de mon cœur   ne fais qu'un signe   à peine
que je puisse aller à lui   et prendre ses mains
                     (comme les tiennes)
et lui murmurer   accueille ce bonheur (le mien) tout entier

alors détournant mon regard   j'entendrai l'oiseau-terreur
étrangler
        son chant
            au loin
                dans un pays
                    perdu

S'il y a des cieux ma mère

      en aura un tout à elle

ce ne sera pas un ciel mauve de pensées

ni un ciel fragile de muguets mais

ce sera un ciel de roses rougenoires

mon père (penché comme une rose

ouvert comme une rose)

se tiendra près de ma mère

(se balançant sur elle

avec une ombre de silence)

avec des yeux qui sont vrais pétales et qui voient

tout avec visage de poète vrai qui

est une fleur et un visage avec

des mains

qui chuchotent

voici ma bien-aimée

     (soudain sous le soleil

il saluera très bas)

ma racine et ma rosée

(et tout le jardin s'inclinera)

Ces enfants qui chantent dans la pierre   chantent
silence de pierre   ces petits et petites
roulés dans les fleurs-enfants
de la pierre ouvrent le chant

à jamais silencieusement petits et petites
ces enfants sont des pétales
leur chanson est fleur
du toujours

leurs fleurs de pierre
chantent silencieusement
une chanson plus silencieuse
que le silence   à jamais

ces toujours-enfants
qui chantent   enguirlandés de fleurs
qui chantent enfants
de pierre   avec des yeux
en fleurs
savent si
un arbre écoute
ses feuilles comme fleurs

à jamais ces toujours-enfants qui chantent à jamais
une chanson filée
de silencieux comme pierres   silence
d'un chant sous terre

Bêtes sauvages tiennent paroles humaines
pierres chantent à l'unisson d'oiseaux
silence des étoiles épèle un nom de planète
par sentiers de pluie ou de grêle s'amène le néant

      lève-toi mon â m e
      prends corps   t
             n
          o
   et   m

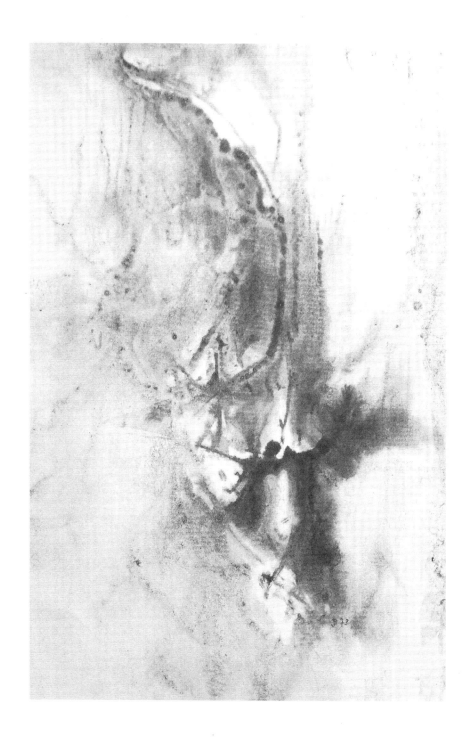

CONTRENOTE

Souvienne-vous de celuy à qui,
comme on demandait à quoy faire
il se peinait si fort en un art qui
ne pouvait venir à la cognaissance
de guère de gens. « J'en ay assez
de peu, repondit-il. J'en ay assez
d'un. J'en ay assez de pas un ».

Montaigne

D'où viennent les nontraductions groupées en ce recueil? À l'usage de ceux qui croient encore à la notion de texte « original », je répondrai d'abord par des références (comme dans les thèses et les demandes d'emploi). John Haines: *Winter News,* (Wesleyan University Press, Middletown, 1966); *The Stone Harp* (Wesleyan University Press, Middletown, 1971); *Twenty Poems* (Unicorn Press, Santa Barbara, 1971). Gwendolyn MacEwen: *Breakfast for Barbarians* (Ryerson, Toronto, 1966); *The Shadow-Maker,* (Macmillan, Toronto, 1969). Margaret Atwood: *The Circle Game* (House of Anansi, Toronto, 1966); *The Animals in that Country* (Oxford University Press, Toronto, 1968); *The Journal of Susanna Moodie* (Oxford University Press, Toronto, 1970); *Power Politics* (House of Anansi, Toronto, 1971). E.E. Cummings: *IXI* (Harcourt, Brace, New York, 1954); *95 Poems* (Harcourt, Brace, New York, 1958); *100 Selected Poems* (Grove Press, New York, 1959); *73 Poems* (Harcourt, Brace, New York, 1963). Pourquoi raconterais-je ensuite que j'ai longuement vécu dans l'intimité, dans l'étrangeté, de ces quatre univers entourant mon univers, pourquoi, sinon pour signaler que rien, absolument rien, ne me prédestinait à ce voyage, à cet accueil? Haines, avec son laconisme et sa mesure, ne me séduit guère. De l'Alaska, où il vécut pendant de nombreuses années, je ne connais que des photos et des films; mais l'hiver, le silence et la solitude, je les connais, comme plusieurs, et encore mieux l'effroi subtil qui perce à coups d'aiguilles froides la plus solide espérance au premier vrai matin d'avril. MacEwen, nourrie d'orientalisme et de magie mythique, me déconcerte aussi par ses rythmes en spirale; qu'elle renouvelle, consciemment ou pas, la tradition de la poésie métaphysique (de Donne à Yeats), voilà ce qui m'a piégé: parfois, dans notre monde haï-aimé, j'entends chanter la promesse présente d'un autre monde, et bêtement je marche, par les rues, entre les automobiles, à cet appel sans voix. Atwood, je l'ai rencontrée, un jour, nous avons bavardé, puis elle est disparue dans un taxi où son chapeau immense a failli se ratatiner; il me restait ses poèmes, incisifs et insolites, partagés entre la peur, une peur ironique, et la sensualité, une sensualité frileuse, il me restait aussi le goût de la suivre à distance, de voir à l'aveuglette où allait cette apparence. Cummings, vieil ami, me parle depuis si longtemps, je serais en peine d'expliquer la fascination qu'il exerce sur moi, non, vraiment, je ne pourrais pas justifier en quoi cette poésie très rhétoricienne m'a ouvert comme une blessure et me rouvre sans cesse au bonheur du plus pur lyrisme. Des quatre côtés me sont venues des propositions de textes à nontraduire. Il s'agissait d'aller plus loin qu'ici. Mais où?

Où vont ces textes, sinon au recueillement? Le mystère commun à ces quatre clartés a fini par me reconduire ici. Maintenant, je peux me recueillir en mon pays; le centre ne fuit pas vers toutes sortes d'alibis, il ne se ferme pas sur une identité peureuse et nostalgique, il va et vient comme un sens qui ne craint plus de se mêler aux contresens. Mais le dur travail n'est pas terminé. Nontraduire, c'est jouer à qui-perd-gagne. Dans plusieurs cas j'ai forcément échoué; *The Red Bird* (MacEwen) et *Winter Sleepers* (Atwood) me résistent toujours — ou bien est-ce moi qui me refuse? *If everything happens* (Cummings), chanson d'éternité quotidienne, montre, à l'analyse, une complexité technique aussi déconcertante que la *Donna mi prega* de Cavalcanti; ce genre de texte, au contraire de ce qui se passe chez les rhétoriqueurs, ne dévoile ni n'impose à première vue son système de structures. Entrée interdite; je longe les murs, le dos rond, et je me désole de patience; un de ces soirs, peut-être, alors que je serai sur le point d'abandonner, on m'ouvrira toutes grandes les portes; et, devenu autre, j'entrerai en moi. Je me console de peu? Non pas. Me trottent dans l'esprit, dans les veines, dans les doigts, ces «intraductions»: *and don a doers doom* (Cummings) et *or under many a star at night* (Whitman); ici, je ne me désole pas, je songe aux impossibles devenus improbables dans les efforts de Samuel Beckett pour se traduire lui-même. Il existe des limites infranchissables à la nontraduction. On ne sait plus où on va. Le texte sur sa lancée marche et court, erre à sa perte et à sa découverte. Mieux vaut laisser faire.

Les choses parfois se font d'elles-mêmes. S'écarter de la signification littérale pour se rapprocher de la «signifiance» poétique donne lieu aussi bien à d'heureuses surprises qu'à des cocasseries. J'en fournirai deux exemples.

Ladislas Gara, dans son anthologie de la poésie hongroise (Éd. du Seuil), considère la strophe «si française» de Verlaine:

Les sanglots longs
Des violons
De l'automne
Blessent mon cœur
D'une langueur
Monotone

Une traduction «fidèle» en langue étrangère donnerait cet équivalent:

Les longues plaintes
Automnales
Des violons
Me frappent le cœur
D'une monotone
Mélancolie

Et Gara commente: «Est-il pire infidélité que l'infidélité au charme (ici rompu)?» Arpód Tóth, subtil poète hongrois, traduit:

Ôsz húrja zsong,
jajong, búsong
a tájon
s ont monoton
bút konokon
és fájón

On devine qu'en hongrois nous avons affaire à une véritable nontraduction où le violon et le cœur blessé n'apparaissent pas explicitement, et c'est un gain sur la fadeur, mais où les sonorités d'une sourde douleur et l'allongement syllabique tiennent une place importante comme chez Verlaine.

Serge Fauchereau raconte: «Dans un article (...), j'avais donné une traduction, un peu hâtive, des derniers vers de *Passage 32* de Robert Duncan. Quelques temps après, j'eus la surprise de recevoir une lettre aimablement ironique de l'auteur, m'expliquant que j'avais *traduit en français un passage qui était lui-même de l'«Isis» de Nerval...*» On peut s'amuser de cet incident. Il donne à voir plus loin que son nez. Dans sa «citation», Duncan gauchit volontairement le texte de Nerval. «Le texte, pour finir, est moins une traduction de Nerval qu'un texte de Duncan», remarque Fauchereau. C'est pourquoi ce dernier, à son tour, traduisant Duncan, altère le texte de Nerval au bénéfice du poème. Cela est dans l'esprit de la nontraduction. Et rejoint, par un chemin moins mystifiant, le résultat auquel aboutissent les traductions «fictives» de Borgès. Ces écarts qui parfois tendent à la rupture ne peuvent être confondus avec le cas d'un Pierre Louÿs qui invente littéralement sa version française des *Chansons de Bilitis* (prétendument tirée du grec) ou avec le fameux canular de la *Chasse Spirituelle* (apocryphe attribué à Rimbaud) dont s'émut, vers 1950, la faune villageoise de Saint-Germain-des-Prés.

Pour ce qui concerne mes nontraductions, je me suis permis des libertés et livré à des licences. Les gauchissements, pour le vocabulaire, la syntaxe, le rythme, l'image, ne manquent pas. Ni les ratures, les additions, les extrapolations. Trois poèmes n'existent pas en langue originale : je les ai composés à partir de matériaux fort disparates et puisés dans plusieurs poèmes. Ils constituent, pour être précis, des collages-citations. Et je ne m'en excuse pas, ni ne m'en glorifie. Tels quels, ils me semblent justes, et correspondre au désir, plus ou moins obscur, de nontraduire. Je crois en effet que la poésie langagière se nourrit fondamentalement de citations (tirées du quotidien, des proverbes, des comptines, des lieux communs, etc.) parfois dérisoirement retournées cul en l'air comme chez Lautréamont, histoire de décrasser la poésie des «vieilleries poétiques», parfois conservées dans leur état originel, pour se purger, par platitude prosaïque, de cette enflure arriviste : l'originalité (qui atteste... un droit de premier occupant).

Les traducteurs chevronnés m'en voudront sans doute de tant de légèreté comme de tant d'assurance. Le mot lui-même de «nontraduction» ne légitime rien. Ni la peine que je me suis donnée peut-être en vain. Je persiste toutefois dans ma conviction que traduire purement et simplement (dans la lecture comme dans l'écriture) ne résout pas le maître-problème du *passage* d'une langue à une autre langue et qu'il ne dissipe pas la croyance fumeuse en la hiérarchie des valeurs selon la chronologie : l'«original» n'est pas *de soi* supérieur à toutes ses traductions, l'antériorité est historique, non métaphysique, et ce qui vient après n'est pas non plus *de ce seul fait* supérieur à ce qui vient avant (Cézanne est-il «dépassé»? — par qui? Est-il indépassable? — pourquoi?).

La nontraduction, de grâce, qu'on ne la regarde pas comme une théorie ou un système. Elle n'est qu'une pratique ouverte à son auto-critique. Elle cherche, elle doute, elle trouve, elle perd. Elle part d'un texte, elle arrive à un texte. Elle reste en état d'alerte. Le texte vraiment nontraduit, il ne lui appartient pas de le produire. Il se trouve quelque part, *dans le passage,* dans l'inter-textes. Le lecteur, seul, peut produire, par une lecture à la fois naïve et critique, aveugle et regardante, ce texte nontraduit, absent de toutes les traductions et qui signale sa présence dans l'*illisible* (ce contre quoi butent les lectures traductrices). Pour le reste, car il en reste, faisons confiance aux générations futures, qui ne nous feront pas confiance.

Un dernier mot, pour noircir encore un coin de clarté : les citations mises en exergue abondent. On m'a déjà reproché ces abus de coquetterie (ou de naïveté?) : «pourquoi étaler ainsi vos lectures?» C'est pourtant simple. Citer, particulièrement ici, constitue à mes yeux le comble de la non-traduction. Après tout, ce livre n'est fait que de citations, vraies et fausses, avouées ou non, et, comme dirait Wou Tsien Ki : «Si quelqu'un t'enlève les mots de la bouche, ne crie pas au voleur, le langage n'appartient à personne — au contraire du silence.»

TROIS FOIS PASSERA

précédé de

JOUR ET NUIT

Avec quatorze collages de Célyne Fortin

JOUR ET NUIT

LES HOMMES DE PAILLE

Laissez-nous doucement réapprendre la vie

Nelly Sachs

Brusquement   ça casse
                              et doucement
                ça chante
la barre de l'aube apparaît comme une main-courante
                de chaleur
mon visage à la fenêtre se dégivre
affranchi soudain de moi-même
je me retrouve
                oiseau-épouvantail

Les épouvantails pourtant émouvaient ma vie. On n'en voit plus guère de nos jours ; et cette absence me pèse autant qu'aux oiseaux. Je n'ai jamais cru que ces créatures dépenaillées, ces mannequins animés, pouvaient inspirer la moindre frayeur aux moineaux, pies et grives, corbeaux, hirondelles, étourneaux. Par les champs près de la ville j'allais encore enfant me glisser entre les seigles et les maïs ; les clôtures blessées m'ouvraient passage. Le sol sec de l'été taisait ses cris sous mes espadrilles. J'approchais d'un crucifié. Je lui parlais d'absolu, d'infini. Et j'obtenais chaque fois réponse — et amitié. Les oiseaux voraces et piailleurs peu à peu venaient prendre part à la rencontre. Nous finissions en assemblée délirante, roucoulante, jaspinante. Nous étions heureux, à l'abri des lois du ciel et de la terre, réconciliés par une aile de rire, par un rituel de secrets puérils et dont je garde nostalgie.

Chacun, dans des jardins mal délimités, avait le génie de façonner un épouvantail qui fût à l'image de ses rêves. Au nord de Montréal, en gagnant vers ce qui était le village d'Ahuntsic, les amateurs de grande et de petite culture guettaient la première vraie chaleur de mai. Entre le bêchage et les semailles, ils fabriquaient les épouvantails. Ceux-ci bientôt allaient se dresser en croix, hilares et souffreteux, portant chapeau, veste, pantalon. Certains arboraient chemise, cravate, lavallière, gants et même cigare et lorgnon. D'autres, en robe, avec ou sans mantille, assuraient une espèce d'équilibre écologique de la tendresse : épouvantailles imprévues et qui par des mariages non publiés, des alliances nocturnes, des épousailles de petit jour, parsèmeraient les champs de fleurs cruciformes, épouvantaillots, épouvantaillettes, que les oiseaux de toutes humeurs et de tous plumages adoptèrent du haut de leur vol étonné.

Un peuple vivait, sans bornes ni frontières. Fiché en terre, exposé au ciel. Sans passé, sans avenir. Mais la saison était bonne à vivre.

L'automne déjà et qui surgit d'un matin d'été. Ils sont là comme immobiles, mes épouvantails, ils sont là encore d'un jour, tiges timides perçant la terre brunie, et la neige bientôt, ils s'offrent au soleil plus bas, à la pluie plus lourde, aux vents plus roides, aux regards plus rares. On peut alors les ployer, les casser, les arracher ou les piétiner. Aplatis, reconfondus avec l'humus gras, gravelés de sable et de cailloux, ils finissent par se relever. Et ils sont là, d'un jour nouveau.

Et ils marchent soudain, cues immobiles. Vers le ciel autant qu'à ras de sol, dans le profond du terreau comme dans le fin fond des mois et des années.

Ils pensent, ils rêvent, ils ont des penchants obscurs et des relevailles subites. À notre semblance, ils n'ignorent ni la joie ni la souffrance; ils languissent, ils éclatent. Et savent se taire.

Quelque chose par eux aura été pardonné dans le monde.

Avec leur voix entre les fils cassés du froid
et nous tous à la bêtise abandonnés
un monde possible remue
ici ou là   au bout de nos rues

une image brouillée de quelque part
se renverse pour l'amour la mort
de chacun qui n'a plus sa chacune

    hommes-oiselés
    têtes-corolles
    buissons de silence
    plaies empaillées
mes épouvantails d'enfance tue et tuée je vous porte
    encore foi et flamme

Et tombe la neige.

Il n'y a plus sous tant de ciel blanchi aucun geste de branches ouvertes ou tendrement qui retombent. Il n'y a plus de bras en croix qui se détachent sur un bleuté d'opaline; bras piégeurs d'ombres et de lumières, mais non pas d'oiseaux qui rafistolaient l'espace déchiré puis se posant parfois sur ces bras osseux en faisaient pousser des harpes de feuilles sonores.

Tombe la neige. Pays de blancheur étale. Peuple enfariné.

Je songeais sous l'obscur de la nuit endormie. «Est-ce que nous sommes des souvenirs nous aussi?» Quelques formes, vaguement, d'arbres épineux ou feuillus, guettaient le prochain tournant de l'été. Je songeais que ce peuple va mourir, se meurt, est mort. Quel épieu planté jusqu'à la moelle de la terre va tenir debout une fois passée l'épouvante? Sur le tranchant de l'horizon: rien. Nulle réponse. Cette nuit est soyeuse et pulpeuse comme les lèvres d'une blessure ouverte. Vers quel pays déraillé ces hommes de paille vont-ils s'envoler en exil? Où êtes-vous déjà en allés, mes amis contristés, mes frères de liberté-tournesol?

Et soudain la nuit se défit. Avant bien des années plus tard, comme maintenant où j'écris. Et vous me faites signe d'un soleil bref, frères presque humains. Et vous éveillant vous bâillez sous tant de ciel pour donner rire

aux oiseaux. Je vous aime, morts-vivants. Je vous aime de plus loin que mon enfance ; je vous retrace, citadins aux champs d'insouciance.

arbres-humains avec des tiges de pluie
en guise de branches
avec des éclats de soleil pour feuillée
les oiseaux
          trouant le silence
vous cherchaient querelles d'amoureux

Vous ai-je perdus à tout jamais ? Vous retrouverai-je, par je ne sais quelle transmutation, moi aussi devenu épouvantail ? Me perdre en votre espèce disparue, mon désir m'y pousse ; il m'appelle à cette merveille innommable et tant décriée.

Mes épouvantails se sont enfuis épouvantés. Vers où ? Les oiseaux jusqu'à ce jour ont gardé le secret.

Et nous restons, nous aussi hommes de paille. Sans autre part qu'ici. Crucifiés aux ciels de braise et de neige. Hommes sans cesse rempaillés. Chasseurs d'oiseaux-chimères. Nourris de médiocrité satisfaite.

Les champs vagues ont disparu
carrelés de maisons vagues
embrumés de désirs disparus
entre un hiver long et un plus long hiver
des semblants d'humains vont et viennent
l'espace d'un été bref
comme un feu de paille

Saurons-nous un jour de folie venteuse, et comme les pissenlits neigeux et tenaces, nous envoler vers un autre nous-mêmes ? — en patrie profonde.

MALGRÉ TOUT

MALGRÉ

... tout l'horrible couché devant nous en guise d'horizon malgré que nous
soyons condamnés sans appel et de naissance

l'histoire (celle des sans-histoire)
mangée de mutisme ne nous guette plus
au coin des rues

elle est passée parmi klaxons et passants effarés
de l'autre bord

ne reviendra plus s'asseoir haletante   les côtes
saillantes et l'âme sur la langue comme
chienne en chaleur
plus jamais attendre notre bon plaisir
qu'il se risque à découvert

sur le violet de la nuit
mise en son plus beau

ne besognent que les éboueurs de bêtise

et désir du désir perdu
l'eau souterrienne s'est rejointe
entre les marbrures de survie

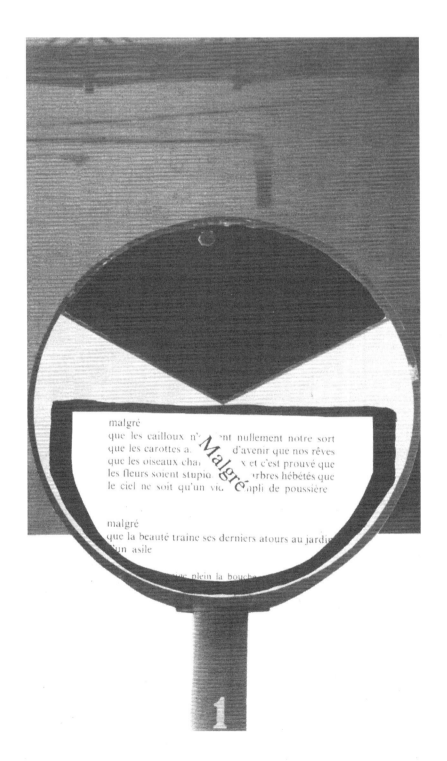

malgré
que les cailloux n'... ...nt nullement notre sort
que les carottes a... ...d'avenir que nos rêves
que les oiseaux cha... ...x et c'est prouvé que
les fleurs soient stupi... ...rbres hébétés que
le ciel ne soit qu'un vi... ...npli de poussière

malgré
que la beauté traine ses derniers atours au jardi...
...un asile

... plein la bouch...

malgré
le pire qui n'est pas venu qui viendra c'est certain
malgré
ce pays basculé dans un absurde braillard
matin d'amérique
salarié d'ironie et marcheur
nomade   neige fondante aux paupières

rues enfin reconnues et soumises
par vents de moineaux chants de possibles

comme un amour dépenaillé
dans les mots de chaque jour
comme l'a b c d'une misère
non plus muette mais parlante
dans les marges d'un visage refiguré
                    c'est l'admirable
crachats d'or sur les détritus et les poubelles
soleil en sursis
                flambée d'un instant
                            qui s'éternise

malgré
l'espoir embroché pour des millénaires les lendemains de
pacotille les simulacres d'en sortir
        (pour aller où ?)
au creux d'une ornière au fond d'une flaque
d'eau bavante   des revenants font la fête
tessons tiges larves et amibes
araignées têtards chauve-souris
empreintes d'une main qui a saigné
toute fraîche   et s'est rembrunie

malgré
le temps qu'il faut pour ouvrir une lettre attendue
malgré
le tremblement des signes tracés gris sur blanc
malgré
que tombe de ce papier une noirceur dans nos bras

du fin fond de la nuit
les dormants s'illuminent

quelque chose d'inaperçu la face ombrée d'un amour révolu quelque chose d'oublié de fondant l'odeur du pain au four quelque chose d'enfui la plainte des charbons dans le poêle quelque chose de nous d'humble de cassé de pas important quelque chose de furtif le lait caillé des lunes d'été un reste de sous-bois durci dans les cours de ciment quelque chose comme une vieille honte mal endormie la mère en images pieuses quelque chose quelque chose remue et s'enténèbre aux yeux enfantins des mourants lucides encore un peu

comme un alphabet du malgré tout
au fond d'un éloignement
va et vient   se hâte un dernier coup
                    c'est l'admirable
à la vieille manière

quelque chose de murmuré quelque chose à balbutier quelque chose de tendre et désuet la première fille la première fois si naïve et qui n'a même plus de corps quelque chose qui avait sa vérité une blessure mal recousue (sous les bourrelets de peau le sang lourd cherche sa veine) une manière malhabile de nous fondre en plein jour une fête avec des rots des papiers graisseux des envies de pisser un dernier coup d'envol parmi les branches frottées de givre quelque chose de timide quelque chose à faire ricaner les bornes-fontaines fiançailles à bon marché promesses intenables rires trop longs (quelque chose quelque chose d'infini un langage vieilli) un regard d'aveugle ébloui une aurore boréale qui danse de travers et donne figure de fée aux grenouilles endormies quelque chose qui n'a plus cours de mal porté une violette aux lèvres (quelque chose qui pèse sur la poitrine et pourtant léger) quelque chose qui s'attarde quelque chose de perdu   le cœur

malgré
chaque matin ratatiné à petits coups de prévisions

il y a pires choses et plus certaines et les sangs mêlés
sous notre peu de terre à peine détassée
ne rouillent plus en même croûte friable

sans parler (il n'a pas la parole) de l'arrière-pays
où les pas-chanceux   ceux du mauvais choix
balbutient une existence rabougrie
et finissent avec leurs tripes séchées entre les doigts
(sous un beau ciel de circonstances exténuantes

une belle nuit gentiane sur fond d'étoiles sableuses
sur yeux grand ouverts pour ne plus voir
ce qu'on n'a jamais vu)

il y a choses plus importantes aujourd'hui pour demain
les salaires les assurances
la marmaille des infinis quotidiens
la dernière hécatombe la hausse des prix
l'absolu en pilules
(mon lilas moribond me survivra son odeur bleutée
en dessous me poursuivra)

malgré
que les vents les plus durs finissent par mollir aux hanches des arbres

il y a choses plus incroyables
douces ardoises de glace aux fenêtres d'enfance
chansons nuptiales et tendres crapauds rires fêlés
et l'envers suintant des émois de guimauve
(nudité en charpie   caricature de fatalité)

par cette mort barbouillée d'indécence nous allons
enfin savoir   et de source putréfiée
ce que c'est que cette fameuse question
                                        des racines

malgré
les yeux qui n'ont plus de tête où trouver une éclaircie les enfants bouillis
dans les écoles-éprouvettes les loisirs en conserves les famines en mots-croisés
les révolutions au destin de cerfs-volants les nuits qui n'osent remuer sous
peine de prison

malgré
l'espérance rangée dans un tiroir à la morgue

malgré
que les cailloux n'envient nullement notre sort que les carottes aient plus
d'avenir que nos rêves que les oiseaux chantent faux et c'est prouvé que les
fleurs soient stupides et les arbres hébétés que le ciel ne soit qu'un vide rempli
de poussière

malgré
que la beauté traîne ses derniers atours au jardin d'un asile

et toute cette neige plein la bouche
et cet œil immensément ouvert et ce froid
sans couleur
et la gêne d'un bonheur qui fait son fruit
au fin bout de nos douleurs

malgré
la vérité vieille putain aplatie en descente de lit l'éternel sorti des couvents
pour ne pas rater le temps des pique-assiettes

malgré
celui celle en nombre de milliards qui a donné sa vie pour le mirage du rien

malgré
les pourritures au cœur les traînures de sang les écaillures de dents

malgré
cette planète en perdition et la dérision de persister

malgré
hier demain malgré maintenant malgré nous

assise à notre porte et patiente
nous attend
depuis plus longtemps qu'à jamais
nous attend
douceur de vivre petite sœur du mourir
sagesse bien-nommée mal-aimée
la plus folle
      (nous attend)
            de nos folies
saveur d'être   ici
        malgré...
         TOUT

tout

TROIS FOIS PASSERA

FRAGMENTS D'UNE LETTRE

Galbe d'un ventre invisible, le matin se chauffe au creux de ton cou. Vernie de *nonsoleil,* ta joue dans la pénombre se divise et se multiplie sous mes mains qui font mine de te toucher. Qu'est-ce soudain, cette clarté, cette évidence plantée en pleine poitrine, qui me fit te consoler avant de te connaître? Un soir divague et s'échoue sur ce matin à peine commençant. L'été pourtant va crier, dehors et par le ciel, les arbres l'ont chanté toute cette nuit venteuse, et ce matin *je vois chacun des arbres emprisonné dans son extase, mais du deuil qui l'habite, nulle ombre ne témoigne.*

Et nulle ombre en toi, entre nous, n'annonçait la fin de cette petite éternité. Cependant tu dors; et je veille. Chacun de son côté du monde.

Vous vous demandez pourquoi je vous écris? Ma foi, je ne sais pas. Écrire... *à quelqu'un,* certes... et après?

Après, écrire encore et s'il le faut à personne, écrire comme un chien qui va crever creuse un trou pour enterrer ses os. Écrire encore après, et surtout *en amateur,* en amoureux de l'écriture.

Voyez-vous ces labours d'automne? On a mis les mottes à fleurir sous la gelée. Les griffures de nuages grisonnants, les voyez-vous, de là où vous êtes encore (peut-être)? *Dans tout cela réside un sens profond. Je veux le dire... et j'ai oublié les mots.*

Donc, je vous écris.

ce qu'il faut de patience dans le froid
pour un éclair de chaleur
ce qu'il faut de souffrance et de surcroît
pour une tige de lueur

rien jamais ne le dit ne le dira
ni la branche cassée qui tombe comme un poids mort
ni la rue déserte qui au matin lave ses ombres
ni toi   ni moi   et le temps passe sur le dos du vent
et la vie s'en va   et ne se retourne pas

rien   personne   ici-bas très bas
il fait froid   il fait mal   et pourtant
pourtant une ombre de chaleur sur la neige dure
a bien l'air contre le mur d'une flambée de fleur

Dans cette *fleur,* tout mon été, ce matin d'été où le spasme nous tenait lieu de parole. L'amour, violence et mort apaisées, prenait un visage au fin treillis de rides jeunes. Ces lignes s'écrivaient sans effort et légères sur nos corps. Nous ne nous embarrassions pas alors de savoir comment et pourquoi le bonheur nous inscrivait dans l'étrangeté de nous-mêmes. Il n'était pas question en cette heure de disserter sur le plaisir textuel ou sur le corps du texte ; il n'était pas question de tout mettre à la question. Indolence et insouciance s'affichaient sur nos figures blanches au matin comme les pages non écrites et qui n'attendent pas qu'on les noircisse pour se trouver enfin une justification d'être — ou un mode d'emploi.

Rédigeant une espèce de soliloque qui v:
ient d'une image à l'autre, images superpose
nages qui se masquent mutuellement, ou
rouillent, j'ai l'impression de ne vous adresser
ue des manières de graffiti, et j'en serais
ersuadé si mon écriture dérapante ne me
gurait ce lieu commun que *les graffiti expri-*
ent l'ensemble des préjugés sociaux d'
poque. La belle affaire! J'ironise à peine
ai peur. De ne pouvoir rester seul.
Voilà ce qui m'effraie, moi qui devrai
detresse en écriture. Je paierai le pr:
ré la réassurance surmoïque prise
l'aimer et d'être aimé (le *nous* re
dais j'atteindrai, je
l'écrire, comme ça, n
t de passer définitiv

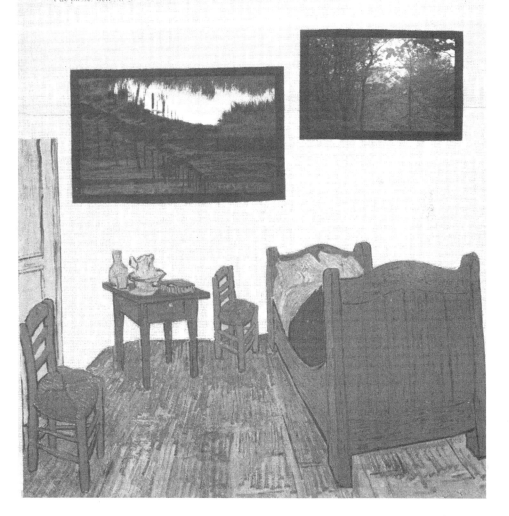

Rédigeant une espèce de soliloque qui va et vient d'une image à l'autre, images superposées, images qui se masquent mutuellement, ou se brouillent, j'ai l'impression de ne vous adresser que des manières de graffiti, et j'en serais persuadé si mon écriture dérapante ne me figurait ce lieu commun que *les graffiti expriment l'ensemble des préjugés sociaux d'une époque.* La belle affaire! J'ironise à peine. Car j'ai peur. De ne pouvoir rester seul.

Voilà ce qui m'effraie, moi qui devrai tourner toute détresse en écriture. Je paierai le prix. Seul, malgré la réassurance surmoïque prise dans le fait d'aimer et d'être aimé (le *nous* recouvre un abîme). Mais j'atteindrai, je vous le jure, au bonheur d'écrire, comme ça, ne serait-ce qu'une ligne, avant de passer définitivement au mutisme.

c'est un soir pas comme les autres soirs
sa lenteur descend sur moi   et ma frayeur
reste sans voix   que ferai-je   à la nuit
sous tant de soie et de moire   de sueur et de moiteur
non ce n'est pas un soir comme les autres
un soir de fatigue qui s'apaise un soir qui pèse
en toute hâleur ou de corps brûlé
ou de froid jusqu'à l'os de l'âme
et la nuit alors délivre du dernier espoir
le matin dans la mémoire s'obscurcit
j'accueille cette heure droite et parfaite
et si je me couche en mon lit toute peau dépouillée
c'est que j'aime imaginer de dormir
comme on doit mourir

Gel de feu, folie de sagesse, ton corps dans les songes du matin repose. Je vois, portée sur le mur en grisaille, *l'ombre de toi,* signe satiné, musique de chambre aussi dans une chambre où le papier sur les murs, fané, décollé par endroits, a l'air, dans la pénombre qui s'évanouit, d'être parsemé de rictus: on rit quelque part, sourdement. Et l'été tremble, sur son départ déjà. Ce matin de brièveté, au moment où montent les ombres, où bientôt il faudra partir, n'a pas le choix: il découvre tes épaules comme on découvre un amour impossible, un élan du cœur brisé dans son éblouissement; les épaules dénudées jusqu'à l'os... enfants pris de frayeur nous les haussions ainsi que toi dans ton sommeil. Tu te retournes, fuyant peut-être un rêve trop vrai. Où, où donc, l'accord simple des gestes, et le bonheur de se cueillir l'un l'autre comme on cueille des simples?

L'impossible, vous le répétiez souvent, est générateur de désir. Et de bonheur, d'un bonheur étrange, indéfinissable.

Ce bonheur... pourquoi est-ce si difficile à dire ? Mais déjà ai-je dit *ce bonheur,* que j'ignore ce que signifie cette expression convenue. Ne vous moquez pas, souvenez-vous, quand vous m'interrogiez sur ce sujet, je vous retournais la question. Comme on retourne un sourire incertain, d'une incertitude angoissée.

Le cœur seul, un cœur inspiré, peut sentir et toucher cette niaiserie sublime: ouvrir, dans ce qui est fini, dans ce qui finira, une perspective d'infini.

>   *la mort fut mon premier appétit*
>   *j'en ai eu d'autres depuis*

Nous méconnaissions que nous étions l'un pour l'autre un théâtre suffisant, que *l'amour est au monde pour l'oubli du monde,* que... à quoi bon ? Nous avons manqué à ce bonheur qui n'exige rien hormis d'être.

Et je ne désespère pas pourtant. Je crois plus que jamais à l'étonnement de l'archi-connu. Écrire, non pas dans l'innocence, mais dans la maintenance de l'inutile. Écrire le bonheur, l'écrire avec des malheurs au besoin.

cet oiseau mort   bien sûr   est enfant
mon enfant non pas   mais l'enfant-moi
je ne l'entends plus courir derrière mes pas
ses traces dans le temps s'effacent
oiseau tombé du nid   oiseau pourri
rendu à la terre   poudré de poussière
enfin libre croyais-je comme l'air
mais au matin après nuit douce et dure
mais au matin je n'entends plus que silence
mon silence non pas   mais silence-moi
je l'entends qui parle derrière mes paroles
ses bruits dans le vent s'espacent
silence tombé de nuit silence transi
rendu enfin à la lisière
de la parole douce et dure
qui fait lever   comme oiseaux   chaque matin
et maintenant je peux mourir
enfant   de ne plus mourir

Je reprends ma lettre. Je ne la continue pas. Est-elle seulement commencée?

En ce temps-là, si je lisais volontiers le bonheur, de livre en livre, je ne l'écrivais pas, je ne pouvais pas l'écrire. Pas plus qu'aujourd'hui. Je consultais les historiens comme d'autres les oracles: *Chaque époque, il est vrai, laisse plus de traces de ses souffrances que de son bonheur; ce sont les infortunes qui font l'histoire.* Oui, notre histoire se créait et nous créait à force de coups durs. Les utopies, justement, flottaient dans un espace-temps irréel. Rêveries de poètes, échappatoires réactionnaires, et nous faisions chorus avec les apprentis-dominateurs. Nous éprouvions la crainte, tout à coup, de nous réveiller du mauvais bord, celui qui penche et va s'engloutir. Et nous remontions le cours des choses, les choses devant être remises sous la coupe du parti, dans la droite ligne, etc.

Lassée par tout ce brouillage idéologique, vous aviez un jour souhaité que nous ne parlions plus que des objets — ceux qui se tiennent à portée de la main et répondent au moindre battement de nos cils. Un couteau à pain, par exemple, lorsqu'il tranche avec justesse, donne la vraie mesure, la bonne, et veille à ce qu'aucune lamelle ne se déchire. Et quand il a perdu tout tranchant, on le laisse rouiller au fond d'un tiroir. On l'oublie. Il meurt par manque de pain.

J'ai retrouvé dans une vieille boîte veloutée de poussière des photos, des corps de néant sur fond de rebut, des visages où règne le rien d'une bouche effacée, d'un regard à l'envers.

Vous ne figurez sur aucune de ces photos, j'en suis certain. Je vous y vois, pourtant, je vous vois bougeant à peine parmi ces ruines d'objets et d'humains, je vous vois comme jamais je ne vous ai vue devant moi. Vous êtes ici et là, ni morte ni vivante, lumière éteinte, rire muet. Phrase momifiée.

Je vous écris pour qu'à votre tour vous m'aperceviez sur une photo mangée de sel et de sable — et où jamais je n'apparus.

ce soir je suis condamné à vivre
à veiller avec la nuit certaine
elle s'en va elle est partie
son pas n'a pas fait de bruit
elle n'est plus là elle n'est pas ici
il n'y a plus que moi un cri
étranglé   noir   crispé   un silence d'hiver en été

Gisante, *quand elle lève ses paupières, on dirait qu'elle se déshabille.* Mais tu n'ouvres pas les yeux; je te parlerais, si tu consentais enfin à t'éveiller. Je te parlerais comme nous parlions en ces matins de mars sans soleil. Ta figure sur l'oreiller apparaîtrait, lune matinale, blanche, creusée de taches blanches. Les plissures des draps auraient écrit ce que nous contemplions, perdus d'espoir, éperdus de temps heureux, debout dans l'éternité de l'instant, légers, glissant sur l'épiderme du monde, oublieux de l'oubli, et je parle, je parle en silence, à la chaleur de juillet, à l'humour de l'amour, et murmurant du coin des lèvres *le futur de dos,* celui qui s'en va droit devant soi et jamais ne se laisse rattraper. Mais à quoi bon ainsi parler?

Nous serions sous la lueur d'un réverbère quelque part dans la ville, un soir d'indécision. Vous diriez: «Comme vous voulez», et je dirais de même. Et ces paroles banales prendraient parmi tant de silence nocturne un air de dérision amère. Oui, nous serions alors loin, très loin de ce matin d'été quand le même silence, sur le point de se rompre, aurait été bon. Qu'ajouterais-je pour bien me faire entendre? Vous poseriez un doigt sur mes lèvres et vous souririez. Et je connaîtrais comme en une déchirure que ce coin de rue serait le lieu de notre dernier coudoiement. Car nous ne nous ferions pas face. Nous n'aurions jamais aimé les grands effets ou les gravités qui s'affichent. Tout finirait comme tout aurait commencé. Sans histoire.

Quelle poétesse d'un ancien Japon (Komachi, je crois) avait murmuré, en quel texte perdu au détour d'une de nos vies: *C'est parce que nous sommes en paradis que toutes les choses de ce monde nous blessent; quand nous sortons du paradis, rien ne nous fait plus mal, car tout nous devient indifférent?*

Parfois, quand je suis ennuyé ou ensommeillé, je vous sens sous mes paupières; il pleut dans mon aveuglement; vous montez au-dessus de ces eaux piégées, vous montez comme un soleil de nuit. Vous êtes plus proche de moi que ma peau.

Et le temps, qui nous a figés sous un réverbère éteint depuis longtemps, se dégoûtera de lui-même.

ce n'est pas les yeux
        fauvettes grisées d'automne
c'est le regard   ombres   et repos de lumière
lumières   et travail d'ombre
brûlis d'octobre dans les arbres

après l'inventaire des vents après les battures
de novembre   l'été comme une égareuse
cherche les yeux de ce regard perdu
yeux blancs déjà visités de givre

Sans émotion, sans rupture d'indifférence, comment écrire ce quelque chose d'intraduisible, et quelle douleur subite me signale que du paradis je ne suis pas encore complètement sorti ? Ma douleur, une très vieille douleur matinale, me donne rendez-vous à la nuit. Vive, elle demeure. Elle n'a pas mûri au soleil du raisonnable. Voilà le texte véritable qui me monte à la gorge au moment que j'essaie de vous écrire au sujet de quelque chose que j'essaie de m'écrire — de m'écrier !

Je ne joue pas sur les mots et les mots ne se jouent pas de moi, non, rappelez-vous, ce matin-là, rappelez-vous, la première pénombre après la fuite des ombres toucha votre visage comme une meurtrissure.

Mais comment vous souvenir de ce que vous n'avez pas connu ? Je vous écris, à vous, oui, des choses qui ne sont pas vous... Je *vous* écris, cela devrait suffire, non ? Non.

un soir descend comme descendent les soirs
quand nuit et matin se rassemblent
où faire la différence
où voir le bleu qui se fond dans le vert
si ton visage n'est plus sous mes yeux
ce hâlage des heures   et si du soir au soir
ombres et lumières ne mènent plus l'ouvroir
de ton corps   courbe de pâleur   tombaison de chaleur

Gorge découverte à la verdeur du petit matin, que tu es belle avec cette lueur première qui comme *la peau d'eau*, gravure s'éveillant au mur encore ombré, ne s'étale plus mais se ramasse en une seule goutte, œil-diamant et point du jour. L'été rôde sous la fenêtre, l'été d'un matin bref — un amour vite consumé à l'heure verticale de midi.

Si quelqu'un de loin arrive, reprenant les mots d'un ami, je te parlerai ainsi qu'une ombre au détour du chemin restée. Tu ne me verras pas. Sinon de dos. Et je m'éloignerai et tu continueras, balbutiante, le chemin du texte :

> *un étranger porte toujours*
> *sa patrie dans les bras*
> *comme une orpheline*
> *peut-être ne cherche-t-il pour elle*
> *qu'une tombe*

ou une petite place au soleil de demain.

Mes mains vides ne seront plus jamais pleines de toi. Plus jamais ton corps entier dans mes paumes maintenant renversées.

le pire nous sera-t-il pardonné
faisant amitié avec la nuit
une soie de folie sur nos corps déchirés
nos corps creusés comme labours de printemps
et voici déjà que l'enjambée du ciel ramène le jour

le pire nous sera-t-il pardonné
ces lignes limpides comme la peau
et la gloire d'aube sur tes épaules
et le pas du vent à perte d'yeux
qui par la fenêtre
module la phrase compliquée des collines

le pire nous sera-t-il pardonné
ces blessures d'orange au creux de l'aine
les yeux tissés de laine les plaques de sueur
les chairs bleuies les bras enlacés encore
et plus amoureux que vigne sauvage

le pire nous sera-t-il pardonné
cette parole de petite mort au moment
que va s'accomplir l'été bref
seul vrai dialogue   la nuit mon amour
le jour mon ami   nous ne l'avons pas tenu

Vous songiez parfois tout haut : «Pourquoi vous donnez-vous ce mal d'écrire?» Je riais des yeux, seulement des yeux, et je traduisais : «ce mal de vivre» — et ma bouche avait envie de me vomir.

Que cette vie sera plane et sèche; nous aurions été, confondus, la droite qui crève le ciel; et retombe rayon de pluie.

Tels en un jour de fête, nous nous aimions. Pourquoi Hölderlin, que vient-il faire ici, cet exilé en démence? Son fantôme partout me suit, vous vous en amusiez avec un soupçon d'inquiétude au coin de l'œil. Il m'arrivait, longeant la grille du cimetière, et vous frissonniez, de vous donner du Diotima. Je vous prêtais ses propos : *Nous ne nous séparerons que pour vivre plus étroitement unis dans une paix parfaite avec toutes choses, avec nous-mêmes.*

Et de la façon dont vous m'écoutiez, vraiment, je sentais venir ces mots du fond secret de moi, et (pressant le pas pour apaiser votre crainte) je poursuivais sur ma lancée : «Voyez-vous, le mouvement joyeux de l'inspiration

— car elle existe, cette inspiration tant décriée — mine d'étrange manière le désir de mort. Comment? C'est qu'il s'agit de faire irruption par quelque mise à mort (comme une mise à jour) dans l'autre monde, celui des invisibles qui organisent et présentifient les objets de vision. Par contre» Un fou-rire vous étrangla. Je tombai de mon ciel. Jamais Icare ne fut si heureux de heurter la terre. Je vous retrouvais, ni Diotima, ni fantôme, mais vous. Et je vous perdis, dans le même instant presque. Contre l'absence, la vôtre et la mienne, je dresse des rangées de mots, et dire que cela s'appelle écrire!

quel soir s'épand autour de moi sans me toucher
je tremble comme une étoile éclatée
sur l'eau durcie   passe la nuit incertaine
et passe un matin sans couleur   dans la glace lisse
mes yeux sans plus de visage ont creusé
jusqu'au noir là où jamais ne descend le soir

Guttural, l'automne saute à la gorge de l'été.

c'est toujours tout le monde qui meurt
quand n'importe qui disparaît

Tu ne tressailles pas sous la page écrite des draps froissés. Tu restes immobile et respirante, signe indélébile, indéchiffrable. Voilà, c'est fini, ce que nous fûmes. Comment tourner la page sans te réveiller, te ramener au présent? L'été se meurt de sa mort qui n'est pas belle. Et nous?

Je ne demande pas ce que nous allons devenir. Nous ne deviendrons pas, pas ensemble. *Tu* et *je* ne se connaissent plus parmi les feuilles volantes et tombantes. Tu jonches un lit près d'une fenêtre qui donne sur un reste d'été — un petit reste. Un bonheur se rendort et la *porte de soie* se referme sur la *perte de soi*. Titre ambigu d'un texte — nous — qui se rature et se déchire afin de savoir la simplicité nue de l'inécrit.

Sortir de la chambre, sans bruit, quitter le matin de ton sommeil, oublier le bonheur de l'été, voilà ce que je fis, accomplissant mon retour au mourir, ce futur omniprésent.

Et le sommeil sur vous prenait
une rondeur de flamme.
Vous hurliez comme racines en fleurs.

Il paraît que pouvoir donner un sens à sa souffrance constitue la plus haute qualification de l'espèce humaine. C'est à voir. Non, ne craignez rien, je ne

retrouvais, ni Diotima,
vous perdis, dans le
ce, la vôtre
mots, et

Guttural, l'automne saute à la gorge de l'été
c'est toujours tout le monde qui meurt
quand n'importe qui disparaît

Tu ne tressailles pas sous la page écrite des draps
froissés. Tu restes immobile et respirante, signe
indélébile, indéchiffrable. Voilà, c'est fini, ce que
nous fûmes. Comment tourner la page sans te
éveiller, te ramener au présent? L'été se meurt
e sa mort qui n'est pas belle. Et nous?

Je ne demande pas ce que nous allons devenir.
ous ne deviendrons pas, pas ensemble. *Tu* et *je*
e connaissent plus parmi les feuilles volantes
Tu jonches un lit près d'une fenêtre
e d'été — un petit reste. Un
la *porte de soie* se referme
tre ambigu d'un texte —
se déchire afin de savoir
écrit.

vais pas discutailler. Je souffre, et je trouve cela proprement absurde. Je souffre comme beaucoup d'autres de ne pouvoir donner un sens à cet instant parfait qui fut. Qui n'est ni ne sera plus. Et dont nul ne parlera.

J'en parlerai, avec plaisir, sans trop de discernement ; je balbutie en dedans. Mon plaisir pourtant n'est pas si simple (dire le simple, est-ce possible ? on ne peut que le dire *sans savoir),* il s'y mêle un trouble qui remontant à la surface remue ma vie de tous les jours, et ma passion du langage en devient plus folle.

Avec Tchékhov (qui en ce moment me tient compagnie), ça parle de choses connues, aimées, perdues, retrouvées, reperdues, de désespoirs en état de vertige et de tendresses plus hautes que le ciel — d'un arbre aperçu un matin et bredouillant qu'il n'allait pas vivre le prochain été. Ça dit, ça laisse dire que la vie ne vaut pas la peine d'être vécue, et que malgré le pire rien ne vaut plus et mieux que le fait de vivre cette pauvre vie.

Avouer l'inavouable : nous sommes faits pour le bonheur, nous ne sommes faits que pour ça, et nous ne sommes pas heureux, pas vraiment — pas encore.

quel soir de girations quel temps de patience
après que ma résine en toi ait coulé comme un sommeil
quel matin meurtri fait signe au soir d'une béance
bref et fragmentaire ce bonheur au goût de gingembre
il s'écrit dans ma bouche d'enfance
et comme l'écrivit avant de se pendre
à sa misère rugueuse ainsi qu'une corde
mon ami Gérard le guetteur de soleils bleus
ne m'attends pas ce soir car la nuit
sera noire et blanche et   comme sur mon pays
l'été   son silence ici tombe   d'un coup sec

                         et ruisselle

L'INSTANT D'APRÈS

Je veux dire ici l'instant d'après l'amour et l'écriture ; chose simple et difficile, que je veux dire d'après Komachi, grande poète et qui vécut au Japon de 834 à 880. La chronique raconte que Komachi resta célèbre «par sa beauté, son talent poétique et ses déceptions en amour.» Cette même chronique, alimentée peut-être par Teika, une manière de Malherbe douzième siècle, prétend que Komachi, «courtisane prématurément vieillie», devint un vagabond sans visage, un éros androgyne et reconverti, grâce à son ambiguïté, en mâle exemplarité de poésie.

Mais je crois que Komachi ne cesse pas d'être femme et qu'aucun homme jamais ne prévaudra contre ses tankas, poèmes fugitifs comme les ombres de la nuit finissante.

comme lune étirée sur l'eau
ne suis plus qu'une herbe
flottante à la racine coupée
de la nuit où le courant
me pousse   je connais la lenteur

Est-ce une calomnie inventée par les anciens trafiquants portugais ? Le dicton n'en affirme pas moins que les Japonais ont six visages et trois cœurs. Pour ce qui concerne les visages, rien là d'original ; sous ce rapport, les hommes se ressemblent tous et tâchent justement de figurer à leur avantage. Restent les trois cœurs. Le premier se loge dans la bouche, aussi faux qu'une fausse dent, il n'hésite pas à se montrer au monde entier. Le second, bien en place dans la poitrine, on le réserve aux parents et aux intimes ; on l'offre, parfois, comme le pélican, à ses petits. Le troisième reste caché on ne sait où. C'est le vrai cœur, que personne ne connaît ; son secret échappe à soi-même.

L'instant d'après se forme là, tel un regret souriant, quand on a aimé, quand on a écrit. Sappho déjà, lorsque la fuite de la nuit verdissait le petit matin, cherchait de la main sa figure cachée, et trouvant le bonheur le plus pur, celui qu'on a perdu, elle éprouvait que l'instant d'après, comme toujours, est solitude, un dépouillement d'être, une écriture invisible, un chant de silence, une poésie simplifiée.

Tchouang tseu remarque : «Ce sont les passants qui font le chemin.» Et les passantes, donc ? Là où je marche, je mets mes pas dans les pas de Louise Labbé ou d'Anna Akhmatova.

Oui, ce sont les petites amours qui font l'amour grand, les petits achève-ments qui nous ouvrent au grand inachevé, les instants vécus qui donnent à voir et qui dissimulent l'éternité à vivre. Et c'est dans l'instant d'après qu'on pâtit vraiment, qu'on approche douloureusement et avec fol espoir, de ce bon-heur fatalisé, de ce réel resserré sur un instant et suspendu entre deux néants : « Ô Sans-figure, ne t'en va point de moi que tu habites. » Segalen, ici, parle par la bouche d'une Emily Dickinson qui aurait renoncé à son laconisme.

Car dans cet insondable de l'écriture, la profondeur de la femme reste sans égale, mais comme dispersée par tout son corps. L'homme, cet absent, projette sur elle son mirage de verticalité. L'écriture, en l'instant d'après, ne peut être que féminine ; elle l'est peut-être un peu chez l'homme qui alors se mêle de poésie, qui se démêle de ses ruses et calculs d'amoureux jamais com-promis jusqu'au bout de sa peau.

entre les longues pluies qui pendent
parmi ces heures maintenant oisives
je nage vigne désenlacée à contre-courant
je roule dans mes couvertures comme vagues
en désordre   dans un lit de vieilles blessures

Dans un de ces romans fabriqués à des millions d'exemplaires et que le succès ma foi fait paraître presque bons, je tombe sur un passage qui m'émeut et liquéfie tout ce qu'il y a de dur en moi. Elle et lui, amoureux condamnés aux échanges furtifs, entourés de complots et d'intrigues, menacés des pires représailles, elle et lui arrivent à tout communiquer par ce monosyllabe soufflé, revenu en écho :

— Vous...

— Vous...

Ce vouvoiement fait merveille ; l'auteur, pour une fois inspiré, porte l'écri-ture à son accomplissement, il ouvre l'instant d'après l'amour sur une pers-pective où le *vous* se donne comme encore plus, et plus haut, et plus loin, et plus profond, et plus près aussi, que l'attendu, l'habituel *nous*.

Écrire-aimer, c'est dire *Vous...* Avoir écrit-avoir aimé, c'est s'entendre dire, de loin, *Vous...*

Cet instant d'après l'instant, qu'est-ce ? S'agit-il d'une simple succession temporelle ? Faut-il, en cette impudeur d'angoisse, refaire le chemin roncé où une Sylvia Plath n'a plus que gel dans le regard, s'enfoncer dans la douleur innommable d'une Nelly Sachs ? Vivre encore (survivre) oblige toujours à trahir des fantômes — souvenirs qui vont mourir avant moi.

Entre mémoire et futurition, l'écriture devient-elle une autre écriture ou se mue-t-elle en l'autre de l'écriture ? Avoir écrit, avoir aimé, avoir été je-tu et nous, et maintenant, à l'instant d'après, on ne peut plus que dire, et seul, ceci : *Vous...* et attendre, à la nuit achevante, à l'heure insensible de l'aube, les signes du *Vous...* Quelle sera cette voix en écho ?

Qui parle soudain dans celle qui ne parle pas ? D'où viennent toutes ces interrogations, et puis peut-être que ce temps jailli hors du temps n'a rien de l'instant par-fait, fait de part en part, peut-être que l'après, c'est lui, entouré d'une frange d'incertitude, qui tient la promesse de l'avant ?

rivière de sommeil   maintenant
qui coule dans mes larmes
et toi   corps vieilli   tu me reviendras
comme d'habitude   image-matin
apportant le vide et le rien

L'instant de grâce, l'instant qui vient de s'échapper en amour et en écriture, c'est une mort intense dans sa ponctualité, la même mort qui en automne glisse aux douces épaules des collines. On jurerait que ce monde familier agonise d'étrangeté.

D'où la mélancolie propre à l'instant d'après, quand le cœur et la main restent en suspens, figés dans le vide ; d'où, à l'inverse, l'espoir que cette situation-limite rejaillisse en avant, qu'*après* surgisse *d'avant* comme l'harmonie des sphères naissait, pour les Anciens, du fracas des astres maintenant silencieux et voués à l'oubli absolu.

Akiko, compagne moderne de Komachi, ne me contredira pas là-dessus, elle qui sous un ciel blanchissant comme ses cheveux ne pense plus à la courte suite de ses jours à venir mais, en chercheuse recherche, écrit le poème avec l'odeur du vêtement humide de son ami disparu il y a tant et tant de nuits que la mémoire la plus trouveuse ne saurait les compter.

La traversée d'un amour est-elle comme la traversée d'une écriture ? Qu'y a-t-il à dire d'après ce qui a été ? Rien, ou si peu ; la gisante là, ici l'errante, toutes deux, la mobile et l'immobile, ne sachant départager veille et sommeil.

Avoir aimé, en garder blessure vive, avoir aimé sous un ciel obscurci. Et voici le jour implacable. Avoir écrit, en vérité, songeant à ce qui va suivre, au mutisme après le silence.

L'instant de grâce. Tout ce qui vient de s'échapper en amour et en écriture, c'est une mort intense dans sa ponctualité, la même mort qu'en automne offrent... épaules des collines. On... familier agonise...

[texte illisible]

Avoir aimé, en garder blessure vive, avoir aimé sous un ciel obscurci. Et voici le nuit implacable. Avoir écrit, ce brûlé soupçon à ce qui va suivre, au murmure après le silence.

Un amour dont on peut parler ou écrire est un amour qui n'est plus — au moins momentanément. Ou qui sera, qui s'expose à la précarité du possible. Avoir aimé, avoir écrit, confondus en même nostalgie, orientent le corps désinvesti vers un lendemain déjà présent. Je dis ces choses en tâchant d'y croire, et c'est pourquoi leur simplicité paraît si compliquée. Mais pour qui a éprouvé une fois (seulement une fois ?) ce sentiment confus d'un *plus jamais* et d'un *peut-être encore,* la réalité de l'instant d'après ne fait aucun doute. C'est ainsi que se crée le mouvement de l'écriture.

On écrit avant et après — jamais à l'instant même, qui ne peut que se vivre — suspendu hors du temps, ailleurs en ce monde, oui, libéré de tout « bon sens ».

nos yeux se sont touchés   oui mes yeux
abandonnés sur une mare de ciel
s'en souviennent   et les ombres de l'aube
me portent comme un ajonc séché
vers le jour   et son baiser de poussière

Je songe. Je ne sais plus si c'est ma joie, si c'est ma peine, si dimanche finit ou commence la semaine. Ces mots me viennent par la paisible mélodie des plaines où septembre se rembrunit. Rien d'autre ; mais ce sont les bruits d'une vie qui me déborde.

Je comprends enfin, grâce à cette songerie de choses banales, l'horreur chinoise et japonaise de l'originalité. La volonté de puissance a dévoyé l'écrire et l'aimer. Il ne s'agit plus que de réussir et de s'imposer. Loi du plus fort ; règne du mâle. Et mépris pour tout didactisme viscéral comme celui qu'engendre la rêverie.

Une petite ombre féminine, à l'orée du temps et de la nuit, me donne lumière sur moi-même. Avoir écrit, avoir aimé, c'est, me dirai-je, toute la grâce de l'instant d'après, une giclure de vérité qui submerge les basses ambitions, un échec heureux qui dénude et désarme, qui ouvre le corps non plus aux conquêtes mais à la paix du laisser-être.

Comment vivre désormais, prétendre écrire et aimer, s'il faut encore le faire à coup sûr, avec l'arrogance de croire qu'aucune solitude n'est irrémédiable ?

Je ne cherche qu'un cœur nu, tout nu, et quelques mots simples pour dire, un peu comme Katherine Mansfield : « une des raisons pour lesquelles on écrit : il faut qu'on déclare son amour. » Voix de femme conservée dans le sel noir de la mort ; voix pourtant vivante au long des jours qui s'empilent sur les jours, voix mémoriale et qui me signale mon échec.

Cet instant d'après, je l'ai pris à un Japon enveloppé de typhons et de cerisiers en fleurs. À une espèce de carte postale que je me suis adressée. Et que sais-je de l'être-femme ? Ce non-être-féminin que je suis, je l'avoue dans les énigmes qui me viennent aux lèvres comme une salive amère. Non, ayant aimé, ayant écrit, je reste tout de même étranger à l'instant d'après, je ne peux que *traduire* par exemple la poésie désarmée d'une Li Ts'ing-tchao : « les confins de l'espace me sont plus proches que mon bien-aimé ». Car un homme n'a pas vraiment éprouvé dans son sexe cette anxiété du vide.

Je ne cherche qu'à écrire l'endormissement léger qui investit le corps à l'instant d'après. Je cherche et ne trouve pas. Je m'accroupis auprès de ce mystère et j'attends.

comme un roseau blessé à la racine
je dérive   herbe flottante   chevelue
dans un lit de lune transparente
et fumée mourante au matin
je me lève à peine   soleil glacé

Unissant, à son insu, le *Taó* et la *fin'amors,* une poète redonne à l'écriture, bien avant nos prétentions contemporaines, son pouvoir de traverser l'espace et le temps. Avoir aimé, avoir écrit, ces deux états se conjoignent pour instaurer l'instant d'après, instant double en apparence mais secrètement réuni en une espérance désespérée où le futur a l'air d'être passé, où hier prend figure de demain. Et voici la vertu de cette poésie encore inaccomplie : on y avance avec dans la gorge séchée d'angoisse un goût de naissance. Ce n'est qu'après l'amour que l'on est capable d'écrire l'amour. Comme avant.

J'ai voulu écrire cet instant d'après, et l'écrire, en partie, d'après la bien-nommée Ono no Komachi.

UNE POÉTIQUE EN MIETTES

Encore écrire sur *l'écrire*? Pourquoi, alors que je ne sais pas? Peut-être pour cette raison même. Certains critiques, eux, ont l'air de savoir. Ils disent: poètes du pays, de la ville; ou bien: poètes de l'eau, de la mélancolie, que sais-je encore. Je ne sais pas. Quand l'amour, avec un air de mourir, est venu décolorer ton visage, alors, oui, j'ai su. Me demander maintenant: ce que j'écris, est-ce ou non poésie? peu m'importe. La seule chose évidente, c'est que la poésie m'apparaît rigoureusement inutilisable. Et que les arbres ne sont jamais si beaux qu'en hiver; dans leur dénuement, ils font corps avec le ciel qu'ils soutiennent — et couvrent d'une écriture tremblée.

Écrire, inscrire de la matière dans la matière. Et le corps, vraiment, s'y désâme. S'attarde un petit brin de vie sous le clair-obscur des jours et des nuits, il y a si longtemps, et c'est si vague, mais cela serre encore le cœur. Un mot banal, une locution familière, comme des objets trouvés sur le trottoir auprès des poubelles trop pleines, voilà qui toujours m'étonne. Je me sens bien dans nos lieux communs. C'est au fond du quotidien que gît le merveilleux. Il y en a qui se consacrent aux grandes choses — et je les admire ; il y en a qui s'accordent avec les petites choses — et je les aime. L'errance de l'eau, la rue où le temps mène sa flânerie, le clochard caché en chacun, la patience illuminée d'un mur, voilà des fils conducteurs et que je touche de la main. Pour aller où ?

Et tu le sais, toi, ma fatiguée, tu sais les soleils studieux qui ont aveuglé nos yeux pleins de ciel cru, oui, et nous avons cheminé dans la bouche d'ombre et nous n'avons trouvé à la fin qu'un horizon édenté.

Les mots m'importent, certes, mais surtout leurs relations, le phrasé qui ouvre le vers à sa respiration profonde ; et tout se joue dans de minces intervalles : quelques harmoniques inouïes sur un thème ou une variation mille fois entendus. Et le silence, le silence comme vertige de la parole ; d'où les ruptures dans la continuité du rythme, les passages parfois brusques d'un niveau de langue à un autre niveau, et l'emploi des blancs, les rejets en forme de chutes, les reprises, les refrains, les halètements mêmes, bref un petit répertoire de moyens ordonnés à couper le souffle et à le relancer. Certains vers doivent être dits, liés à d'autres vers, de façon à ne former qu'une seule émission de voix et à faire ainsi perdre haleine. Le silence, là, s'impose — physiologiquement. Comme une satiété du corps.

Mais la neige disions-nous, la neige qui est en nous, elle nous coule des yeux, elle nous couvre les pieds   arbres délabrés.

Écrire me reste un dur apprentissage. Et je n'ai pas besoin des procurateurs du sens théorisé (terrorisé) pour me faire pressentir que le langage, sans cesse, me précède là où je veux aller. Je mourrai comme certains exilés, la face tournée vers ma patrie langagière, à portée du plus simple : écrire et parler difficilement, à travers le ridicule social, dans la merveille de la première fois. Et comme le cher Bashó, à l'instar de son vieux maître Saigyó, se fit squelette exposé aux intempéries, je voudrais, lune distraite, qu'on m'ensevelisse dans les nuages. Qui passent.

Ma douceur, non, ne me redonnez pas mes yeux ; ils ne verraient plus que vous, ma douleur.

J'écris « à l'oreille », lentement, péniblement. Et partout. Et toujours. Un court texte peut mettre six mois à se former, se dégageant peu à peu, comme une gemme de sa gangue, d'un texte plus long, trop long, poussiéreux, rocailleux ; et dans ce magma, il s'agit, il suffit de découvrir un bout de fil, une espèce de radicelle dure, de tirer jusqu'à la cassure nette, définitive. Le poème ensuite fuit entre mes doigts et se tisse tout seul ; il n'a plus besoin de moi. On dirait un bruit étouffé, de saison éternelle. C'est du moins la pensée de mon amie Komachi, recluse et nocturne dans une attente vaine.

Comme l'herbe d'automne continue de verdir, mais en secret, tous ces pauvres signes usés ne sont plus qu'apparences de souvenirs. Fine cendre bleue, dorée soudain, et qui frôle le flanc du soir.

Écrire *au* silence, comme *à* un ami et *au* crayon. Liberté de silence : garder le silence, le garder avec des mots-murmures ; des mots émus de l'innommable. Ainsi une tendresse têtue rend-elle les plus durs sarcasmes un peu balbutiants.

Danger de complaisance à la solitude ; piège du solipsisme. Chantage à la gratuité. Donc, se taire ; laisser être le chant, nu, désarmé, plus risible encore que l'espoir de ne pas mourir — jamais. Rameuter le grand oubli, le placarder au front des buildings ou l'étendre sur le ventre doux des collines.

Maintenant je louche du côté de l'impossible. De l'indicible. Je tâtonne ; et cela n'a pas de lieu, encore moins de formule. Loin de mon pays, loin de ma rue, loin de moi-même ; tout près de quelqu'un qui nous ressemble, étrangement. Et dont l'ironie vérifiera mon émotion.

Sur ce chemin peu fréquenté, devant une ombre passante, se découvrir, saluer en s'inclinant très bas vers ce qui reste de lumière. En silence, toujours ; afin que *ça* chante, toujours. La sagesse, vieille rebouteuse, chantonne entre ses dents branlantes : vie, mort ; deux mots ; une chose.

Et le reste, mon nom par exemple, ce court vagissement, n'existe plus. Puisque toute poésie tend à devenir anonyme.

Qui m'appelle ? Et si prochement, de qui monte ce rire de soleil ? Ni mur, ni mirage, l'horizon s'ouvre. On croirait avoir vécu dans une vie autre. Et c'est bon, c'est beau, cet étrangement.

Ne rien forcer. Ce n'est pas nécessaire. Auprès de la plus pauvre lampe, il fait matin jusque dans la nuit noire.

Ne pas définir, mais indéfinir. La poésie ne vient au poème que par surcroît.

Surcroît du cœur quand il ne s'arrête pas au pire (satisfaction).

Vieillir ainsi. Folie d'enfance. Pur désir de l'impur. La route que nous n'avons pas prise finit par nous prendre.

Je marche et je ne compte ni mes heures ni mes pas. Je marche en compagnie de ton absence. J'écris.

Des lambeaux de soleil s'agitent faiblement ; on dirait une sorte d'âme décorporée qui affleure du buisson d'églantines, juste là où tu te tenais en équilibre sur un pied, tentant de remettre ta chaussure. J'attendais plus haut dans le sentier perdu.

Et voici bientôt le bout du dernier chemin. Finies les gentillesses. Un vent dur et long me ratisse les os.

Mais je ne cesse pas de *t'*écrire. Jusques à quand ? Vois : une feuille, une seule feuille est tombée ; le fil courbe de sa chute dans l'air glacé demeure. C'était écrit.

Écrire, aimer, il n'est jamais trop tard pour s'y mettre. Il n'est jamais insignifiant ou désastreux d'échouer. J'écris donc dans le but de renouer un fil cassé, de retrouver la force et la douceur de certains mots, de certains silences — trahis.

Et par ces pages mal fichues me vient une douleur. Enfantine. Insondable. Quelque chose comme le tremblement du monde au matin où pour la première fois on s'éveille. Seul. Cela ne s'écrit pas, cela ne se vit pas. Cela se meurt.

Au milieu de mon hiver, une ombre légère passera devant mes yeux ; j'écrirai. Dans l'intervalle, une ombre seconde, entre nous deux, repassera...

... et la dernière y restera.

MOMENTS FRAGILES

Avec dix lavis de l'auteur

*... le sentiment qui m'est
ici familier de vivre
quelque chose d'éternel,
mais aussi d'étonnamment
fugace.*

José Cabanis

MURMURES EN NOVEMBRE

Novembre s'amène   nu comme un bruit
de neige   et les choses ne disent rien
elles frottent leurs paumes adoucies
d'usure

Du fond de ma fièvre   nuitamment
j'illumine l'obscur

J'écoute la pluie s'endormir dans la neige
et les herbes se tapir chez les morts
j'écoute aussi le temps qui me dure

Une aube douloureuse chuchote à voix nue
aube grise-glauque comme un corbeau
du froid descendu

Il pleuvait il neigeait   comme aujourd'hui
que faisais-je   enfant immobile   au bord
de la rue   je voyageais

Je n'ai pas touché la jointure d'hier et
d'aujourd'hui   cette pensée soudainement
s'écoule de moi comme du sang

*Soleil blanc d'un hiver hâtif tu me découpes
une ombre toute blanche*

Mal de vivre   ce n'est rien ou si peu
rien qu'une branche crispée de gel
sur le trottoir   on la pousse du pied
on continue de vivre   mal

Au milieu de ma somnolence les lieux
de la nuit se rassemblent   et tisonnent
ma patience

La neige est tombée si doucement
dans ma veille que j'ai entendu soupirer
la foudre tranquille

Aucune arrivée de froid ne me rejoint
dans cet éloignement   ni la vie possible
dont je n'atteins pas les bords

Un moineau troué de vent n'est pas plus
transi que ta main levée haut là-bas
touchant le vide du ciel

Sous cette lune si lucide   même la neige
la plus durcie ne cache pas ses blessures

Dans la stupeur du réveil je m'étonne
où donc nous rencontrerons-nous encore
timidement   mort de moi

La première lueur du matin ouvre
la fenêtre et m'offre   tout humide encore
un rameau de nuit

Un vent sec et coupant m'ouvre la bouche
sans bruit   et me cisaille
jusqu'au dernier silence

Sur les pas d'une pluie terreuse je suis
revenu voir les feuilles mortes
et cette fois je suis resté   arbre
parmi les arbres

L'après-midi me sèche dans les mains
m'y laisse un visage ancien   une image
bricolée du cœur

Violacés comme la saison   tes yeux
je les ferme sur ma vie antérieure
et tout ce violet envahit ton visage

Neige d'un soir   épands-toi partout
brouille l'air alentour
que cette vieille angoisse qui me vient
ne trouve pas son chemin

Sous l'étoilement du ciel   quelles vies
obscurcies demeurent bouche mortellement
ouverte

Une insomnie met sa main sur mon front
et soudain couvert de sueur blanche
quelqu'un respire à côté de moi

Ne m'approchez pas   je dors   et cette mort
glissée entre mes bras   ne la fuyez pas
elle dort

Par le blanc des rues s'en va le convoi
de novembre   ce n'est pas quelqu'un
ce n'est pas quelque chose   un bruit
de brouillard qui se cogne aux murs

AMITIÉS POSTHUMES

Qu'il est léger le vent d'automne
sur le dos des feuilles mortes
on dirait une aile de corneille
caressant un projet de lune printanière
et peut-être que le froid de sous la terre
plus jamais ne blanchira le ciel

Je n'ai jamais vu branche de muscadier
je l'imagine frêle et souple
odorante comme tes paupières baissées
quant au reste je n'en sais plus rien
comme ton nom crié dans le vent
alors que le chemin t'emportait

Je gravis une colline
et je m'assois solitaire
sous un ciel vide
à mes pieds s'endort
comme un chien ma tristesse

Si tu ne prêtes pas l'oreille
au mutisme des maisons
si tu ne prêtes pas regard
aux fantômes des rues
qui percevra le déclin de l'automne

Grand amour souvent semble aucun amour
rien ne bouge maintenant   ni toi ni moi
et la nuit s'en va jusqu'à l'aube
seule une lueur de lampe a pâli
quand nous nous sommes quittés sans bruit

Dans quel autre monde   dis-moi
dans quelle autre vie   crois-tu
la rencontre de nos silences
réveillés aux bruits du matin
et dans quelle autre nuit
ta joue ronde sous mes doigts
          lune dévêtue

Par les herbes pliées
sous le vent rageur
j'avance dans la nuit
et dans ma solitude

au-dessus de la plaine où l'espace
coule dans le temps
une vieille lune s'obstine
ébahie d'ombrages

où es-tu ma vie
dérivante comme une nouvelle
bonne ou mauvaise
on ne sait plus

Mon chemin s'est défoncé à bien des tournants
je songe engourdi de mille douleurs
aux amis laissés derrière moi cheminant
et les peupliers jaunis tremblent
            d'une proche frayeur

Je touche les étangs de notre automne
qui débordaient de pluie et de nuit
je nous vois humides et taillant des tiges d'osier
sous la fenêtre muette dans l'ombre
j'écoute ta respiration qui s'étouffait
un peu parmi tant de nuit et de pluie
nous nous jurions de mourir ensemble

mais quand reviendras-tu par ici

Tu es partie comme un rêve tard dans la nuit
je reste seul éveillé face au mur
et j'entends quelque part du côté de la rivière
une oie sauvage crier de solitude

Aux étoiles du matin

                plus basses maintenant
et plus lasses   la nuit fut si longue
une chandelle redonne
            un peu de pénombre

Tu m'écris enfin mais l'encre trop pâle
m'empêche de lire   ou peut-être est-ce
la lampe qui vacille dans mon dos
ou encore mes yeux qui s'en vont à la dérive
loin de moi   et aussi loin de toi

L'hiver dépayse les lunes
qui s'accrochent aux branches noires
et les feuilles tombées trouées
seules sont bien chez elles

Nous nous sommes revus pour ne plus nous voir

le vent d'est s'est levé soudain depuis ce temps
et un cent de fleurs se sont arrachées à la terre
et des nuits de lune froide les ont froidies
et des jours de pluie de soleil d'ennui de réveil
et des femmes et des hommes enlacés   ont fui

maintenant chacun de nous le matin
se voit seul dans son miroir

La poitrine creusée de crépuscule
et pour voir le soleil chavirer
comme la nuit au fond de l'aube
j'ai cheminé seul et longtemps

parmi des tombes encore vides

Toute vide et sans plus de désir
tu chantes la vanité de nos nuits
et ton souffle sans fin se brise
contre les arbres immobiles dans la rue

au parc des retrouvailles tu sais
se promènent des herbes folles
sur l'étang nos ombres vieillies
flottent parmi les branches cassées

toute sèche tu chantes à ravir
et lucide et fragile
comme les ailes des cigales
au seuil invisible de l'hiver

Si on me demande par ici
dites que je m'éloigne sur la route
mêlant le sel de neige
au sel de mes larmes
dites aussi qu'un grand froid m'accompagne

Sous un ciel de lucioles
en un pays de chemins bifurqués
longuement j'ai marché du regard
pour surprendre une licorne blanche
mais je n'ai piégé que ce vertige noir

Laissez-moi dans la nuit
écouter la vieille histoire
du vent et de la pluie
et l'histoire d'un amour
mêmement vieilli

La marée monte et les vagues
montrent à nouveau les dents
je suis assis sur la plage
parmi des épaves à demi-rongées
j'attends mon tour j'attends

Je désire quitter ce monde
sur la pointe des pieds
comme on sort de son lit
pour ne pas éveiller les dormeurs
qui rêvent de sommeil sans fin

Quand je n'étais pas mort
j'allais de bon matin
balayer les ravines d'ombre
maintenant poussière de poussière
je prends soin de mes ombres

VERTIGES BREFS

Pays natal   où est-ce   un moindre mal
qu'invente la détresse

Est-ce une odeur de sapin que le profond
de la forêt murmure

Le chant du coq me frappe en pleine poitrine
là où tu dormais   voilà des siècles

De bon matin j'ai ouvert la porte
à mon ombre   elle grelottait d'étrangeté

L'engoulevent expire dans le vent
et son cri va criant toute la nuit

On frappe à la porte   j'ouvre   une ombre
de rien passe le seuil

La rengaine des arbres qui se défeuillent
est-elle si triste   après tout
on ne meurt pas souvent

Quenouilles éclatées   pourrir proprement

Les champs bleuis   jusqu'au soleil
de froid s'expirent

Par ce grand froid mes lèvres bégayent
un je ne sais quoi

Hiver   tu viens trop tard   songe
le corbeau empaillé de froid

Le chemin par où je suis venu
je l'ai oublié   le chemin lui non plus
ne sait où aller

LEÇONS DE SOLITUDE

La chevêche aux grands yeux d'enfant
s'étonne   tout au bout du monde
voir la vacuité de ce printemps
elle ne craint pas de faiblir mourir
elle craint seulement de survivre
      à cette agonie

Souvenirs de passions me poursuivent
l'eau coule   et le vent   au loin
la grive des champs décline
avec le jour   et j'entends
se froisser les feuilles à la fenêtre
ainsi la robe d'une fille jadis

Le temps s'apaise la vie s'achève
soleil bas lune haute   sais pas
tout est blanc sur ma tête
la vie s'apaise le temps s'achève
un dernier jour se lève sur mes épaules
dans ma bouche un cri
muet   lampe éteinte

Vie flottante   vagues d'automne
marasme des nuages   veille
la nuit tourne autour de la maison
échos de printemps   les ormes
une aube plane vers la toiture
veille   lueur sur les draps   neige
sueur de souvenirs odeurs fades murmures
l'eau en folie   une lampe soudaine
s'allume   veille   l'ombre clouée
au mur me ressemble

Porte oisive   pluie passée par là
collines bougées   lunes d'eau noyées
quel chemin sinueux m'a conduit droit ici
creux d'ombre révélant le vide
et douceur d'être sans nul désir
face à face avec cette fermeture
de bois mouillé   hors de parole

Regrets et faillites   à quoi bon
m'en reblanchir les tempes
de tous côtés les feuilles s'accolent
et se séparent et se perdent
lors d'une vie antérieure
je fus par erreur un vagabond
fonçant dans l'ombre   un aboi de chien
j'écoutais parfois la pluie s'endormir
et vêtu de givre dur je demeure
debout dans une extase de pierre

Sentiers d'enfance de souffrance
je vous ai suivis pas à pas
et parmi les fils d'une eau toute cassée
je vous ai suivis ombre qu'assourdit
un soleil hérissé de glaçons
et parfois dans un déclin de nuit
le peuple des mouches à feu
me prêtait une flamme bleue
où dormir à l'image de la corneille amoureuse
je vous ai suivis avec même poussière aux yeux
jusqu'au bout là où l'ailleurs
ce n'est pas loin pas plus loin
qu'un gel soudain au bord des larmes

Mal étrange   visite à l'improviste
vie arrêtée   ma tête penche fleur
de pissenlit qui se dessèche
mal étrange   folie blanche
misère d'agoniser sans apparence
et friable désir d'enfance
partir sans rien savoir
mal étrange yeux décousus
brûlure à la nuque   douceur
sur la poitrine   d'une mousse humide
mal étrange   cœur clarifié
la main touche   étonnée
le contour d'un visage sous mon visage

Images d'un amour amer
s'assemblent   neiges muettes
et qui jonchent l'étang noir
de crocus granuleux comme l'angoisse
où je m'acharne près d'un visage perdu
c'était il y a mille ans   douleur
mal endormie   vieilles plissures
d'un ciel fatigué   maintenant
le vent froid me chevauche les épaules
et je pousse un soupir où grelotte un rire léger

Dans la maison de nuit je rêve
d'une licorne que hante le grésil
j'efface l'estompe des montagnes
et par les avoines cassées s'en vont
nulle part les ailes d'un canard fusillé

Vous n'aurez toujours pas compris
quand vous me viendrez visiteuse
à quel point mon royaume était péri
et leurrée la plainte du loriot

Amarrant sur la rive d'un néant
je ne vois que pluie solitaire et reflet
des eaux ensablées   mon amertume
glisse dans un espace supplicié   on dirait
qu'ici s'annulent dehors et dedans

PRESQUE SILENCE

Sur le tard n'aimerai que la quiétude
dans les yeux d'un vieillard boirai la source
qui coule de sous une terre très rocheuse
à ma ceinture se nouera un peu de pudeur
comme un aveugle qui chante le soleil
la fatigue laissera mes os tranquilles
une bonne lenteur dormira sous mes paupières
quelle sera donc alors la fragilité de vivre
en brouillard de mémoire poussière de paroles
avec une existence sans contour ni désir

une chenille hirsute dans la mousse
cherchera le chemin de l'immobile
et me souviendrai   dans les fours on cuisait
le pain les enfants   la farine et le sang
des mots simples viendront et soyeux
comme la hulotte pour dire l'horreur
des hommes   les brisures du temps
les orbites creusées de crimes
et les sales lessives de l'oubli

comme un amour qui vient au néant
m'emplirai la poitrine d'un souffle naïf
descendrai de la montagne avec le froid
bruirai parmi les grillons frileux
et par un lever d'étoiles hâtif
m'éloignerai de ma dernière blessure
m'allongerai couleuvre de soleil fraîchie
entre les herbes dures laisserai sur ma bouche
se poser ta nuit   paix impénétrable

Rien qu'un instant
j'ai voulu me reposer...

Saigyo

... pour reprendre
l'école buissonnière.

Michaux

AGONIE

Récit

AGONIE

Mourir comme les alouettes altérées
sur le mirage

Ou comme la caille
passée la mer
dans les premiers buissons
parce qu'elle n'a plus désir
de voler

Mais non pas vivre de plaintes
comme un chardonneret aveugle

Giuseppe Ungaretti
(traduction de Jean Lescure)

MOURIR
COMME LES
ALOUETTES ALTÉRÉES

A VOIX, toute vibrante encore autour de moi, allait m'atteindre, me pénétrer, quand un brouhaha me fit sortir de ma torpeur. Depuis combien de temps somnolais-je, le menton calé dans la paume? J'avais entendu la dernière phrase imparfaitement, certains mots m'échappaient, mais le sens global, plus que le bruit, m'avait réveillé net. Cette incroyable confidence, ou réflexion étonnée, peut-être murmurée, restait en suspens. Je ne savais trop comment les autres avaient réagi, mais une stupeur soudaine, un dégoût agressif me prenaient à la gorge, m'empêchaient de me lever, de quitter ma place habituelle au fond de la classe. Les étudiants babillaient, se souhaitaient bonne chance aux examens, faisaient en sortant un signe machinal d'au revoir. Lui, gris et malingre, il restait là, les mains appuyées à plat, non, écrasées sur la table, regardant droit devant lui, sans voir personne j'imagine, multipliant les hochements de tête, l'air absent, timide, idiot. Comme toujours à la fin de ses cours. Il ne rangeait toujours pas ses papiers; il se balançait sur une jambe puis sur l'autre. La classe peu à peu se vidait. Il me paraissait épuisé. Je l'avais observé depuis le début. Il m'intriguait. Un semblant de sympathie avait failli naître en moi. Il venait de tout gâcher. Pourquoi finir sur cette note lugubre, avec une impudeur qui trahissait sa réserve, qui sentait le mensonge gratuit? Tous les autres étaient partis. Nous restions seuls. Il devait me regarder par en dessous. Croyait-il que j'allais lui parler? Je ne lui avais jamais adressé la parole. Qu'aurais-je eu à lui dire? Je me levai enfin. Je descendis l'allée, me forçant à fixer la porte, avec une envie honteuse de l'interroger sur ce qu'il avait dit en conclusion, exactement, mot à mot.

En sortant, je sentis son regard se poser entre mes épaules et s'y accrocher, me poussant et me retenant à la fois. J'aurais dû m'attarder un moment, juste un moment. À quoi bon? J'étais déjà dans le couloir.

Je n'irais pas déjeuner. La nausée m'empêcherait même de boire un verre d'eau. C'était sa faute. Et un peu la mienne. Mes yeux s'obscurcirent, à ma grande confusion les larmes jaillirent, le couloir était plein de monde, je me précipitai mouchoir sur la bouche vers les toilettes. Je vomis. Tandis que je me débarbouillais, mon image dans le miroir me fit sourire, un peu de paix me revint tandis que me sollicitait l'obscure pensée, fragile, qu'au bout du compte il y avait une certaine raison, une affectueuse déraison plutôt, dans ce qu'il avait dit. Qu'avait-il dit au juste? La tonalité de la phrase seule m'avait frappé; comme une gifle. Son sens précis, mon demi-sommeil lui avait fait écran et me le dérobait encore. Il faudrait traverser cette grisaille de la conscience, reconstituer la phrase entière; et juger. Mais lui, je l'avais jugé depuis longtemps.

Le carnet, gris comme lui, confirme mes souvenirs. Son fameux carnet. Nous en riions sans vergogne. Chaque fois qu'il le sortait de la poche intérieure de sa veste et qu'il annonçait: *Justement, j'ai noté...,* c'était presque le chahut. Nous n'allions pas plus loin que les traditionnelles gamineries d'étudiants. Nous ne l'aimions pas, sans le détester. Il inspirait un calme mépris aux garçons, et aux filles une pitié tranquille. Que d'histoires, pourtant, l'on racontait sur ce minable! Enfin, ce carnet de légende, je le tiens dans mes mains. Ai-je du remords? À vrai dire, c'est comme s'il me l'avait remis. Il l'avait posé sur le banc, tout exprès. Quand je l'ai pris, il n'a pas eu un mouvement. Comme s'il dormait profondément. Peut-être m'attendait-il, peut-être savait-il qu'alors, après dix ans, j'allais venir à lui?

On m'avait fortement conseillé de m'inscrire à son cours. Il avait si peu d'élèves qu'il n'en recalait aucun. C'était deux crédits assurés, sans effort, mais à quel prix: la philosophie scolastique, on n'avait pas idée d'enseigner matière aussi désuète. Il semblait tout désigné pour cette tâche ingrate. Cette année-là, je terminais mon baccalauréat spécialisé en histoire, il ne me restait plus qu'un semestre à boucler et je serais libre de réaliser mon rêve. Devenir journaliste, un vrai, un grand, chargé de reportages d'importance internationale. Depuis cinq ans je croupis dans une petite agence de publicité; je rédige des slogans et des messages pour la radio ou la télévision. Et solitaire je fus, solitaire je reste. Comme lui.

Pour la session d'hiver, il avait annoncé que son cours porterait sur les transcendantaux. (Qu'est-ce que c'était que ces bestioles?) Nous étions une douzaine de filles et garçons éparpillés dans la salle froide et triste. Il entra ; nous le détaillâmes à loisir. Bon dieu ! c'était ça, notre professeur ? Il y eut une espèce de gloussement parmi nous, les yeux s'arrondirent, et le bellâtre du groupe murmura entre ses dents qu'il avait déjà vu ça la nuit dans la ruelle. La grande rouquine en avant de moi rit silencieusement d'un rire qui secoua ses épaules de gymnaste. Puis il glissa sur les marches de la tribune plutôt qu'il ne les monta. Il était de taille et de corpulence moyennes, il avait les yeux pâles, gris sans doute, derrière des lunettes à monture métallique. Les cheveux et les sourcils poivre et sel s'accordaient avec la cravate noire, la chemise blanche, la teinte blafarde du visage. Il était vêtu de gris. Quel âge pouvait-il avoir ? Environ quarante-cinq ans. Indéfinissable, tel nous apparut-il pendant qu'il s'asseyait à la longue table, étalait ses papiers et ses livres, commençait à parler, d'une voix terne. Ce qu'il dit, je ne m'en souviens pas. Il me semble qu'il énuméra des abstractions, l'un, le bien et quoi encore ? Ah oui, ce qui nous laissa bouche bée : la chose... Il fit son cours sans éclat, sans rien de remarquable, distillant un ennui brumeux. Dehors le soleil éclatait sur la neige dure. La sonnerie annonçant l'heure du déjeuner me réveilla.

Maintenant, il est là-bas, seul sur un banc du parc Lafontaine, face à l'étang vidé. Cette mi-octobre est fraîche, très fraîche, on prédit même une chute de neige. Et j'ai là, sur ma table, son carnet gris. Je vais connaître son mystère. Je vais pouvoir vérifier. Toutes ces histoires qu'on racontait à son sujet. Par quelle invraisemblance pouvait-on s'intéresser autant à ce pauvre type ? Moi-même, après tout, n'ai-je pas, de temps à autre, au cours de ces dix années, cherché à savoir ce qu'il devenait ? Oui, mais mollement, sans conviction profonde, par curiosité plus ou moins maladive. Et hier soir, tout s'est réveillé soudain, tout s'est déclenché. J'ai su à l'évidence que je n'avais pas cessé de vouloir lui dérober son secret. Pour voir en face mon propre secret. Est-ce bien le mot qui convient ? Ma hantise plutôt, « ma hantise » serait plus juste. La peur panique de rater définitivement, de rater quoi ?

Ce jour-là, je n'ai pu dormir comme à l'accoutumée. La session courait sur ses dernières semaines. Il entra de son pas de souris et sur un ton navré, avec l'air de s'excuser, il déclara qu'il consacrerait ses cours, jusqu'à la fin, au beau. Il ajouta, après une légère hésitation : *Et aussi à la beauté.* Quelqu'un demanda, ironique : *Où est la différence ?* Il ne répondit pas tout de suite. Il enleva ses lunettes, les frotta avec un mouchoir de papier, toussota pendant que nous remuions, mal à l'aise. C'est alors que sans prévenir il sortit son carnet gris. Nous ne le regardions plus, gênés, dérangés dans notre routine cotonneuse des lundis matins. Et il reprit, répondant à la question : *Justement, j'ai noté un poème, traduit de l'italien, qui marque très bien cette différence. Je vais vous le lire.* Il feuilleta son carnet; nous prenions des mines catastrophées. La grande rouquine ne put s'empêcher de me souffler: *Qu'est-ce qui lui prend?* J'ignorai la remarque. Je regardais le petit homme gris, ainsi l'appelais-je en moi-même, et j'attendais, j'attendais, avec une sourde angoisse, je ne savais quoi de capital, de décisif, et de plus angoissant que mon angoisse. Il lut. Lentement. Chaque mot se détachait sur un fond de silence lourd. Cela faisait flop-flop, comme des pas qui s'arrachent à la vase. Je m'engluais, je m'enfonçais dans un dégoût inconnu. Que m'arrivait-il? Sa voix s'éloigna de moi, aux confins de l'audible; je me tenais le buste très droit, j'étais bel et bien hypnotisé. Des phrases glissèrent autour de moi et je m'éveillai de cette absence insolite au moment où il commentait le premier vers.

Alouette: oiseau terrestre. Court sur le sol au lieu de sautiller. Produit un chant aérien impressionnant. Ce petit passereau vit dans les champs; il se nourrit d'insectes et de larves. Il niche volontiers à terre dans les céréales. L'espèce commune chante au point du jour. C'est un excellent gibier, qui se prend au filet ou au miroir. Il avait l'air de réciter une leçon apprise par cœur. En vérité, il ne s'exprima pas exactement ainsi. Au tableau noir, c'était la toute première fois qu'il s'en servait, il avait transcrit en grosses lettres carrées le vers initial du poème, nous ayant prévenus qu'il commenterait un vers à chaque cours et qu'en conclusion il s'occuperait du titre. Étrange procédé, nous sembla-t-il; ce devait être la fièvre du printemps, suggéra plus tard notre timide de service.

Il y avait cet infinitif, «mourir», qui constituait le véritable début du texte, l'«attaque», disions-nous en Lettres, ou l'«incipit», expression favorite des néocritiques. Mais il ne s'embarrassait d'aucune terminologie. Il considérait le vers affiché au tableau et, nous tournant carrément le dos, il parlait d'une voix nouvelle, bien posée, agréable même. Nous ne prenions plus de notes. Nous écoutions, perplexes.

Mourir, acte initial plutôt que terminal. Une feuille sèche, rabattue par le vent, grésillait à la fenêtre, sur ma droite, et l'ombre du mur dehors teintait la neige salie d'un gris-jaune qui aurait pu me donner je ne sais quelle envie de rêver si j'avais eu l'esprit libre. On commençait par où l'on croyait finir. Le pluriel des alouettes défait le singulier du moment, de même que la féminité enclose dans la soif, le besoin d'eau, venait contrer le neutre du verbe. Ainsi la beauté, toujours incarnée, toujours en désincarnation, se distinguait-elle du beau universel par son individuation, sa singularité et, selon l'expression chère aux scolastiques, par son caractère ineffable en ce qu'elle échappait à toute définition. Les mots et les phrases me reviennent en désordre, je n'arrive pas à reconstituer fidèlement la scène, coincée quelque part dans ma mémoire. Le carnet gris là-dessus ne m'est d'aucune utilité. Enfin, il se tourna vers nous, le visage ravagé comme celui d'un enfant, un vieil enfant obscène, qui regarde ses parents en train de se quereller. Cela me fit mal, et c'est peut-être à cause de ce mal qu'aujourd'hui j'arrive malgré tout à retrouver des bribes du cours. Une étudiante, alors qu'il allait se rasseoir, lui demanda si « assoiffées » n'eût pas été d'un meilleur effet (elle disait : un meilleur « rendu ») que ce curieux « altérées ». Il s'immobilisa, dans une posture assez ridicule, et avec ce qui me parut un effort disproportionné, il se redressa, tourna la tête un instant vers le tableau, ramena son regard sur nous, maintenant son visage était paisible, hormis deux légères griffures de tristesse ou de souffrance aux coins de la bouche. *Être altéré, c'est devenir autre.* Un temps. Il s'assoit enfin. Ça me soulage. *La soif creuse un besoin, un désir de changement.* D'où il s'ensuivait qu'« altérées » était plus fort et plus évocateur qu'« assoiffées ». Je ne sais si nous comprenions bien ce qu'il disait, si c'était compréhensible. Il avait repris son ton monocorde et sa grise apparence. Le vers au tableau peu à peu s'effaçait. Nous revenions graduellement au problème des transcendantaux. La feuille venait de tomber sur l'appui de la fenêtre, elle ne bougeait plus, un nuage obscurcit le mur. Le beau en tant que tel, ut sic, se pouvait-il entendre comme quiddité? On voyait chez Cajetan, dans le second chapitre... Je sombrais doucement dans un rêve éveillé où une alouette ruisselante s'élançait vers le soleil plus haut que les nuages et, brûlée vive, se renversait et tombait en chantant. Le carnet gris devant moi me rappelle à la réalité. Quelle réalité? Il doit avoir froid sur son banc. À moins qu'il ne soit rentré chez lui. Où donc? Dans quel refuge? Il verra qu'il n'a plus son carnet. Il songera qu'on lui a volé cette pauvre chose. Pourquoi, bon dieu, pourquoi? Non, il devinera que je l'ai pris comme il le souhaitait.

SUR LE MIRAGE

OUT À L'HEURE, j'ai revu mon ancien professeur.

On avait annoncé à mon agence un film sur le Népal. Le réalisateur présenterait et commenterait son film. J'y suis allé, moins par intérêt que par désœuvrement. Pour être franc, je dois ajouter que ce genre de reportages-documentaires correspondait à mes espérances de journaliste avorté. Cette soirée de la mi-octobre était plus que fraîche. Je frissonnais en approchant de la vieille salle du Plateau où j'avais assisté jadis à un concours de chant, je crois ; non, j'avais accompagné l'amie d'une amie, bref, c'était une corvée. D'où venait ma nostalgie ? Je revoyais à la lueur des lampadaires quelques recoins du parc Lafontaine, je savais que plus bas, derrière la salle, dormait dans l'ombre l'étang où, adolescents, nous allions les dimanches après-midi canoter, agacer les filles. Ce n'était pas le temps de l'insouciance ; nous cachions sous nos rires et nos plaisanteries une inquiétude qui pour ma part confinait à l'amertume. Ce passé me semble aujourd'hui une époque presque heureuse ; l'amertume s'est dissoute ; il ne reste plus qu'un vaste ennui. Allons donc au Népal.

Je m'assis au fond de la salle. L'explorateur s'avança sur la scène. Les lumières restaient allumées. Point de rencontre des cultures perse, indienne, mongole, chinoise, tibétaine, ce pays connut en 1951 une révolution contre la dynastie des Rana. Dans l'allée centrale quelqu'un cherchait une place en hésitant, allait d'une rangée à l'autre, et soudain je le reconnus. Lui. Incroyable. Vieilli, plus gris que jamais, voûté, le teint terreux, la barbe longue, en vêtements usés mais propres, c'était mon ancien professeur de beauté, le minable pour qui j'éprouvais attirance et répulsion, qu'est-ce qu'il venait faire ici, en plein Népal ? Il finit par trouver un siège et je m'en remis aux Brahmā, Shiva, Gonesh et autres Vishnous. On éteignit les lumières.

Dans le tintamarre des rues de Katmandou je me pris à songer que j'avais attendu avec un scepticisme amusé son commentaire de « sur le mirage ». Il avait eu beau jeu avec le premier vers, soit. Mais ce deuxième vers, court, prosaïque, qu'allait-il en tirer ? J'aurais dû y penser. Les dictionnaires. Mirage, phénomène d'optique, courant dans les pays chauds, et qui est cause que les objets éloignés produisent une image renversée comme s'ils se reflétaient dans une marre d'eau. C'est ce qu'on appelle l'effet de miroir. D'où le miroir aux alouettes : instrument monté sur un pivot et garni de morceaux de vitre étamée, qu'on fait tourner au soleil pour attirer les alouettes et d'autres petits oiseaux. Le sens figuré donne : ce qui fascine par une apparence trompeuse. Mon bonhomme trompait par son apparence, mais ce qui me fascinait se cachait sous les apparences. Mirer : regarder avec attention. Je regarde le film ; nous approchons de la chaîne de l'Himalaya. Et je vois cet homme navré qui m'étonne. Je suis une alouette devenue étrangère à elle-même et qui se mire dans un mystère. Pourquoi est-il venu s'échouer ce soir dans une salle où l'on projette des images à la fois convenues et déroutantes ? Il n'y a rien dans le carnet là-dessus, et pour cause. Tout à l'heure il ira dormir ou mourir. Moi, entre mes dictionnaires, je resonge à ma songerie alors que l'eau transparente et glaciale des lacs de hautes montagnes reçoit sans se troubler le front bleu du ciel. L'air et l'eau à cette hauteur s'épousent par une splendeur tranquille. Le monde n'a pas bougé depuis cent mille ans. Les humains glissent sur les choses comme un soupir de dieu endormi. Le temps a des allures de libellule sur une fleur. Tandis que j'allongeais le cou pour deviner son profil dans la pénombre, voici que la voix du commentateur se fit grave en parlant du tantrisme. Mon encyclopédie est avare de renseignements. Vie tantrique : dangereuse et difficile, elle procure une illumination foudroyante et le moindre faux pas peut être fatal ou conduire à la folie. Sa vie. Sa vie même. Il a été ou il s'est tantrisé. C'est cela. Tout n'était que comédie, pour donner le change. À qui ? À soi-même. Pour ne pas dévier. Pour aller droit, en toute paix et sûreté vers… je ne sais pas. Pas encore. Dix ans, c'est long ; et le carnet n'est guère volumineux. Un moine orange s'embrase comme un pavot d'Orient sur fond blanc d'Everest. D'autres images de cristal. Un mirage de miroirs. On rallume. Les gens se lèvent. Moi aussi. Je reste acculé au dossier de mon siège. Où est-il ? Qui est-il maintenant ? Et j'ai su qu'il irait vers l'étang du parc. Qu'il s'assoirait sur un banc et, dans la nuit froide, resterait là, immobile, silencieux. À bout de course. Je l'ai suivi. Je l'ai guetté entre les arbres noirs. Je me suis approché à petites étapes, marchant sur l'herbe dure. Il se laisse aller contre un accoudoir, son chapeau cabossé lui couvre le front, tout son corps plie vers le sommeil ou la mort, une même fatigue de vivre. Je me trompe sans doute. Il m'a vu, reconnu ; il m'attend. Vais-je lui parler ? Que lui dire ? Qu'il est mon miroir et moi, son alouette ? Que je quémande une place, une toute petite place dans son retrait ? On ne franchit pas dix années en une minute. On ne mérite pas le néant par une supplique. Je contourne le banc avec précaution, j'aperçois sa main pendante et à côté de son genou, le carnet. Me l'offre-t-il ? Je le prends comme un voleur. Il n'a pas bougé ; sous le bord du chapeau je n'ai décelé aucune lueur ; son souffle reste égal quoique très faible, à peine audible. On gèle. M'en aller. Sortir du miroir. M'envoler. Je ne suis pas une alouette. Je ne comprends rien aux mirages. Je reviens du Népal et je rentre chez moi. Ne pas se leurrer. Demain, le bureau.

OU COMME LA CAILLE

E DEVRAIS retourner au parc, lui rendre son carnet,
m'excuser, m'expliquer. Quel idiot je ferais! Il per-
drait contenance. Mais non, il n'est plus ce qu'il laissait paraître. Tout à l'heure, c'était évident. Et puis,
le carnet en témoigne. Il n'a pas changé; il est enfin devenu ce qu'il était. Il
comprendra. Il me dira peut-être ce que sous-entend le carnet. Il me dépouil-
lera. Il me rhabillera. Je vivrai. Il est mort. Il devinait qu'il allait mourir.
C'est pour cela qu'il est venu au Népal. Il espérait s'en aller au fond d'un lac,
se dissoudre en clarté. Transparaître. À défaut de mourir, on dort. Il dort.
Le réveil n'aura pas lieu. L'illusion de sortir du sommeil. Ce carnet me porte
au délire. C'est fou ce qu'on racontait de lui. Les étudiants, les secrétaires,
les professeurs, les employés, les administrateurs, tous avec un air entendu,
un demi-sourire en coin; sa mère l'aimait follement, il s'ingéniait à ne pas la
désabuser. Ils habitaient un modeste appartement au nord-est de la ville. Il
avait dépassé la quarantaine, et ne sachant trop comment et à quoi l'employer,
des impératifs d'ordre syndical empêchant son renvoi, bref, pour des raisons
obscures et pas très nobles, on l'avait casé dans l'enseignement de la philosophie scolastique. Il aurait été proche de la prêtrise, vingt années auparavant,
mais une intervention de l'évêque, à moins que ce ne fût du supérieur du
séminaire, avait tout bloqué; d'autres affirmaient que sa mère ne voulait pas
vivre dans un presbytère et quelques-uns allaient jusqu'à laisser entendre que
c'était de son plein gré à lui, dans un accès de panique ou, ici l'ironie perçait
sous les propos rapportés, en un éclair de lucidité, qu'il s'était arrêté au dia-
conat ou à quelque ordre précédant la prêtrise, je ne me souviens plus trop,
enfin de rares personnes supposaient qu'il avait au contraire franchi toutes

les barrières et qu'une fois ordonné il avait dû convenir que sa mère ne pouvait se débrouiller par elle-même et qu'il avait prestement défroqué.

Tout ça, ce sont des histoires inventées par malveillance. Bien sûr, les mensonges ne sont jamais complètement faux. Depuis les vingt dernières années, il avait dû se passer pas mal de choses. Après des études à Columbia, il avait végété dans divers collèges, enseignant le grec et le latin à des classes de garçons bruyants et cruels. Par on ne savait plus quel concours de circonstances, il avait échoué à l'université en qualité d'assistant-professeur de philosophie. En somme, il avait fait carrière ; on se le répétait en ricanant. Les anecdotes pullulaient, on se communiquait avec une pointe de malice dans l'œil les menus incidents publics de sa vie privée. Par exemple, la visite malencontreuse d'une étudiante à son domicile. Cette fille voulait à tout prix une révision de sa copie d'examen. Elle arrive un lundi matin au logement. Une femme d'âge et d'apparence indéfinissables lui répond, hésite au bord de l'énervement et, sans refermer la porte du vestibule, laisse l'étudiante en plan, se précipite dans le couloir. L'étudiante s'étire le cou, tend l'oreille. Elle ne distingue rien hormis deux ombres dans la pénombre ; elle entend un chuchotis. Il s'amène enfin, les mains rouges et mouillées, une pince à linge oubliée au coin de la bouche, au comble de la confusion. Il bredouille que c'est jour de lessive, vous comprenez, de toute façon il ira à son bureau demain aux aurores, qu'elle ne s'inquiète pas, il relira sa copie avec soin, elle devrait sans doute mériter une meilleure note. La mère appelle du fond de la cuisine. Il s'excuse de plus belle, bouscule presque l'étudiante et ferme la porte en laissant tomber la pince à linge sur le balcon. On en fit des gorges chaudes.

Le soir, il écoute vaguement la radio en remuant ses papiers, parfois il aide sa mère à terminer ses mots croisés ou encore il déroule la laine pendant qu'elle avance son tricot. Avant d'aller se coucher elle lui rappelle que dimanche il lui a promis une promenade au Mont-Royal. Et qu'il n'oublie pas les courses au supermarché. Oui, oui. Avec les autres, il avait l'air absent, indécis, et soudain il consultait sa montre et disparaissait. Où allait-il ? Chez lui. Chez sa mère. J'aligne au tout-venant des souvenirs imprécis, j'évoque des années de misère morale, il se retenait de penser, il évitait de marcher sur son ombre, comme d'autres rasent les murs, il frôlait la certitude qu'il mourrait de médiocrité. Mais comment mourir quand on ne vit pas ? Je regarde ma propre vie, une ruine. Ici et là des échappées de tendresse ; et le retour au délabrement. Si peu de moments gratuits. La pluie à la fenêtre et qui chantonne ; on a la fièvre, on est bien au chaud dans son lit, on a congé d'école ou de travail ; on resterait ainsi, au cœur de cet oubli, jusqu'à la fin du monde.

Je le comprends. Les rares fois où il mangeait à la cafétéria de l'université, c'était en compagnie d'un employé de l'entretien. Ils parlaient peu, ils se devinaient à demi-mots.

Moi aussi j'ai sans doute contribué aux inventions qui couraient sur son compte. Ce fameux pique-nique, cela vient-il de lui ou de moi? Une note du carnet, succincte, énigmatique, y fait allusion. Sa mère aurait bien aimé revoir l'île de Sainte-Catherine où elle folâtrait au temps de sa jeunesse. Ils y allèrent. Le trajet en autobus parut interminable. Elle ne cessait de lui demander s'il n'avait pas oublié le thermos de café, les couverts, son portefeuille. Ils s'étendirent sur l'herbe. Ils contemplèrent les rapides du fleuve. En ce moment précis rien n'occupe ses pensées. Il n'espère ni ne désespère. Il flotte dans un doux abrutissement. Il a quarante ans, rien derrière lui et rien devant. Il s'est arrêté dans un long tunnel vide. Il n'est pas bien; il n'est pas mal. Il n'est pas. Sa mère fera la sieste. Lui, le sommeil l'ignore. Il restera là ou nulle part. Oui, c'est un beau et bon pique-nique, on s'en souviendra longtemps, mère, dommage qu'il se mette à pleuvoir, nous risquons d'être trempés. La course folle. Trouver un abri. La mère s'énerve et sanglote. La semaine s'annonce un peu plus pénible qu'à l'accoutumée. Il faudra consacrer davantage de temps au repassage. Je devais être là comme un fantôme; ou comme la caille du troisième vers.

Oiseau gallinacé migrateur proche des perdrix, de la taille d'un merle; très recherché comme gibier. La femelle creuse son nid dans la terre. Il récitait à nouveau. Nous ne l'écoutions guère; nous avions l'habitude. Il nous étonnait toujours, cependant. Lorsque notre intérêt allait tomber au plus bas, il changeait de registre, mine de rien, et enchaînait sur des considérations d'un autre ordre. «Caille» constitue aussi un terme d'affection pour un enfant ou pour une femme. Quel rapport avec l'oiseau au plumage brun grivelé? La caille mange beaucoup et s'engraisse avant son voyage migratoire. Les chasseurs le savent. Et les cuisiniers. C'est à cette période que la chair de l'oiseau est à son mieux. Caille, femme, enfant: même succulence, même danger latent, même confiance naïve. Des êtres menacés par la force brutale du désir. Et le désir, nous faisions semblant de l'ignorer, s'auto-justifie à propos de tout. Je trouvais qu'il exagérait, qu'il moralisait à bon compte. Il répondait, imperturbable, à une étudiante futée: pourquoi l'auteur passe-t-il ainsi, sans transition, de l'alouette à la caille? Dans les deux cas, si on remonte à l'infinitif mourir, la relation s'impose. Il poursuivait sur sa lancée: la mort commune aux deux oiseaux, elle est affirmée, par avance constatée. Mes professeurs de littérature, qui se livraient à des recherches de pointe, auraient parlé d'isotopie sémantique. Nous aurions eu droit à une analyse subtile et à des schémas complexes. Lui, l'air presque penaud, il roulait la craie blanche entre ses paumes. Il finira par l'échapper. Ça y est. Nous pouffons. Il disparaît derrière le bureau et réapparaît en bafouillant des phrases sur le glissement de sens. Il était question de succulence, d'affection, de l'amour qui se mêle à la mort ou inversement. Je m'endormais, à bout de patience et de bonne volonté.

Tous les on-disait sur les années obscures précédant son arrivée à l'université me tournent dans la tête. Est-ce possible qu'un homme s'efface ainsi de l'existence, qu'il se biffe à la face des autres? S'il a choisi ce poème pour illustrer ses derniers cours, c'est qu'il avait un motif. Ou un pressentiment. La fatigue m'égare. Je m'accorde une pause. Un verre de cognac me remettrait d'aplomb. Lui, sur son banc de parc, que devient-il? Le courage me manque de retourner là-bas, de lui tendre son fichu carnet. Tenez, pardonnez-moi. Et s'il était déjà parti? Les départs précipités, il y a pris goût après avoir reçu cette incroyable invitation en Europe. Le jour de l'examen, il n'était pas là. J'en fus consterné. J'espérais malgré tout le revoir. Lui parler une bonne fois. Pour lui dire quoi? Je ne sais pas. Je ne saurai jamais. Peut-être que tout à l'heure il était vraiment mort? Il m'a légué son carnet. Oui, c'est ainsi. Et maintenant je suis seul. Je n'ai plus envie de voler bas. Pauvre caille.

Je ne l'ai guère écouté, mais je l'ai tellement regardé. Ne pas devenir cela... Je réussirais ou je crèverais. Tout, plutôt que la médiocrité. C'est le rien qui peu à peu m'a investi, et la médiocrité a suivi comme une ombre. Je suis seul et sec. Même pas pitoyable. Que je donnerais cher pour un peu de repos! À mon tour de me battre contre l'insomnie. J'ai passé mon examen avec les autres étudiants sous la surveillance distraite de l'un de ses collègues. Le silence dans la salle pesait sur mes épaules. Je n'étais donc pas le seul à regretter son absence? J'ai griffonné des réponses informes. J'ai remis ma copie sans la relire. Dans le couloir mes camarades conversaient à voix basse. Ils ne comparaient pas leurs brouillons, comme il est d'usage, ils se demandaient où il était passé, ce qui avait pu lui arriver, ils jonglaient avec toutes sortes d'hypothèses, se remémoraient des rumeurs, inventaient des signes prémonitoires. Nous sommes restés ensemble une éternité. Le plus extraordinaire était notre stupéfaction de constater après coup qu'à la toute dernière séance du cours il avait sciemment conclu sur une énigme. N'avait-il pas en effet omis de commenter le titre, alors qu'il avait détaillé avec soin chacun des vers du poème? Il aurait plutôt parlé à partir du titre. Je me maudissais d'avoir raté la conclusion. Si je n'avais pas somnolé, je connaîtrais le sens de ces mots.

Qu'est-ce que je n'ai pas raté ? J'aurais dû me marier, avoir des enfants. Je travaillerais dur et petitement, pour quelqu'un. J'aurais envie parfois de tout planquer, d'aller voir ailleurs ou de m'isoler. Ma famille me pèserait, puis j'aurais des remords, je me compterais chanceux d'avoir un but dans la vie. Bon dieu ! j'en suis là, oui, je me l'avoue, j'éprouve à en crier l'envie d'une douceur imprévue à travers les querelles et les bouderies, une illumination soudaine au coin de la rue quand je reviens écœuré du bureau, mon petit garçon ma petite fille et toi ma sans-nom, quelqu'un a guetté mon retour à la fenêtre, j'ai bien vu que le rideau a bougé mais je fais semblant de rien et je pousse ma fatigue dans l'escalier, je roule mon existence besogneuse jusqu'à la porte derrière laquelle on s'agite et on rit. Je finirai sans doute par m'impatienter au repas et au coucher des enfants ou peu importe quand, j'aurai été heureux l'espace d'une minute, de quoi changer une vie.

PASSÉE LA MER

UELLE ÉQUIPÉE! S'il avait pressenti les événements, s'il avait prêté attention aux nouvelles, serait-il parti? La France en ébullition, Paris révolté, peu lui importait, il tenait une chance qui ne se présente pas deux fois. On l'invitait, lui, à un congrès de latinistes au lac d'Annecy; quelque société savante avait dû dénicher son nom dans un annuaire, ou peut-être s'agissait-il d'une erreur sur la personne, tant pis, tant mieux, il n'allait pas demander son reste, il prendrait le train, le bateau, oui, traverser la mer jamais vue, si ce n'est d'un quai gluant à New York lors de son bref séjour d'études à Columbia. Mai 1968; Montréal mollissait sous la tiédeur des vents légers. Ce serait un beau, un bon voyage. Dont on ne revient pas.

C'est avec circonspection qu'il avait écrit au tableau le quatrième vers. À demi tourné vers nous, il avait murmuré, comme pour lui-même: *Ça paraît banal.* Mais tout l'effort que fournit la caille se résume à cette expression toute simple, et s'y dépense d'un coup. La mer n'offre aucun point d'appui, ne ménage aucun repos. J'attendais la référence à Valéry, la mer toujours recommencée, il nous en fit grâce. Je lui sus gré de cette omission ou de cette ignorance. Dans ses yeux, sur son visage, au creux de ses mains, la mer était grise, froide, dangereuse. Un oiseau la survolait, sentant sa fin approcher avec le rivage. Ironie amère et sublime, me semblait-il alors; la jeunesse de mon âge pouvait se permettre le luxe de trouver vraie et par là émouvante une horreur inutile. Je m'étais décidé à prendre des notes. Et je songeais en transcrivant les propos du professeur que cette caille aurait mieux fait de rester là où elle était; mais son destin aurait été médiocre; donc, mourir, les ailes déployées, lucidement. Ah ! je n'y croyais pas tellement, à cet héroïsme de pacotille, pas plus qu'au commentaire assourdi du pauvre type qui, ça n'allait pas manquer, maculerait sa veste de poussière de craie.

Le train de nuit quittait doucement la gare Windsor. La nuit serait longue, blanche et noire ; à New York, il se sentirait fripé, vaguement nauséeux. Mais il s'éloignait, il s'enfonçait dans un autre tunnel. Il allait à la mer et la mer venait à lui. Il s'allongea sur sa couchette, garda la veilleuse allumée. Il revoyait ses années invécues, le temps morne qui s'était arrêté dans son corps, à force d'insignifiance. Et toutes ces figures blêmes d'étudiants. Non, ne pas donner prise à la vieille angoisse. Elle insiste pourtant, elle pèse sur la poitrine. Aura-t-il mal comme chaque nuit dans l'appartement où il a laissé sa mère malade et incrédule ? Roule, roule, train d'enfer, va bon train, et il s'engourdit avec des amusettes verbales, c'était sa chance de survivre quand il était petit. Je connais ça, je reconnais maintenant la lenteur un peu chantante dans sa voix au moment où il répétait sans se soucier de nos rires mal étouffés : *La mer à passer, la mer à dépasser, la mer à trépasser...*

Une solitude insolite s'abat sur mes épaules. Près des lacs du haut Népal, les initiés font commerce et amitié avec cette solitude ; ils n'en souffrent ni n'en jouissent. Ils l'habitent comme d'autres leur maison. Hiver, été, la température intérieure reste constante. Ainsi a-t-il dû ce soir contempler ces images de contemplation. A-t-il glissé dans la mort ou dans le sommeil ? Pour lui, la différence n'existait plus depuis longtemps. C'est sur moi-même que je m'appitoie. Le courage ou la circonstance m'aura manqué. Ma solitude m'écrase, m'émiette. Je regarde avec incrédulité les morceaux de moi sur le plancher. Si j'avais pu, serais-je parti ? Où ?

Sa valise à la main, il attend qu'on autorise l'embarquement. Le S/S France allonge sa coque noire dans l'eau noire. Des gens plaisantent, s'interpellent, des treuils grincent, il n'a d'attention que pour les cheminées qui se perdent dans un bleu crasseux. On le bouscule vers la passerelle. Il s'enferme dans sa cabine minuscule et espère le départ, assis sur la couchette. Les rires gras, les plaisanteries douteuses, les embrassades gluantes, les flonflons de l'orchestre, les faces congestionnées par l'émotion et l'alcool, tout ce remue-ménage indécent le met mal à l'aise. Il préfère dodeliner de la tête et se remémorer des navigations célèbres. Jason, Ulysse, Brendan, Tristan, la liste s'allonge jusqu'au ronronnement des moteurs. Le bateau bouge. Lui aussi. Thalassa. Le nom grec de la grande étendue liquide mousse à ses lèvres. À la caille, cet en dessous mouvant ne promettait que la mort, altération définitive ; ou recouvrance de soi, si mourir signifie le devenir par excellence.

Sa pensée naviguait en haute mer. Il prit ses quartiers sur le pont arrière. Le spectacle du sillage l'enchantait. Il subsistait entre parenthèses. En repos. Il dormit tout son saoul. Il se comporta en bon camarade avec quelques passagers, une fausse Cubaine qui ne tarissait pas d'éloges sur Saint-Domingue, un vieil Américain du Montana, hâbleur et fumeur de pipe, une Anglaise, spécialiste de costumes pour des films historiques et deux ou trois autres qui, par intermittences, jouaient les comparses. Le soir de l'inévitable dîner de gala, ils burent du champagne et, coiffés de chapeaux bariolés, chantèrent en chœur des ballades multilingues. L'euphorie grotesque, pareillement affichée sur les visages, lui donna l'occasion de faire grise mine à sa tristesse. Au quatrième jour, l'équipage devint nerveux ; la France entière était en grève. Le service se détériora. Il n'en souffrit pas ; les passagers rouspétaient, puis s'indignèrent. L'arrivée à Southampton eut lieu dans la confusion et le désenchantement. Les marins refusaient de conduire le bateau jusqu'au Havre. On discuta, on parlementa. La nuit passée dans le port marqua son réveil à l'angoisse qu'il avait engourdie. La nuit fut atroce. Plié en deux, il allait de la chaise à l'évier où il vomissait les cinq océans. Sueurs et tremblements se succédaient par vagues rapprochées, son corps craquait, sa tête s'ouvrait ; il maudit ce voyage insensé. Il se promit, non, il ne promit rien à personne. Surtout pas de promesses ; elles ne sont jamais tenues. Aux souffrances physiques s'ajouta le désarroi d'une enfance ressouvenue et qu'il s'était volée. Un soleil rance à l'aube s'avança par le hublot. Il fit ses bagages. Et le reste tint de l'opéra bouffe et de la scène de déportation. On mit les voyageurs dans un train, puis sur un traversier, puis à Boulogne on fourra humains et bagages pêle-mêle dans des autocars qui filèrent sur Paris comme s'ils avaient la peste aux trousses. L'Américain à la pipe était de l'équipée ; il braillait de lassitude et de découragement. Il le consola par son calme. Le carnet reste avare de détails au sujet de Paris.

Je calcule que la durée du séjour parisien n'excéda pas quarante-huit heures. Il n'était évidemment plus question de gagner Annecy. Bientôt, clamaient les gens, les frontières seraient fermées. La situation faillit l'amuser. Il resterait isolé en pays étranger, il disparaîtrait sans que nul ne s'en avise. La fin rêvée. Mais il ne rêvait pas. Il n'ignorait pas non plus qu'il allait survivre à ce naufrage. Au mur du hall de l'hôtel on avait punaisé une reproduction de Van Gogh. Son peintre. Il s'approcha, oublieux de tout, il regarda. Vincent. Suivre la signature. La Hollande. Pourquoi pas ? Il enverrait un télégramme à sa mère. Une lettre, plutôt. De là-bas.

Se donner du répit. Le voyage tournait à l'imprévu. À la reconnaissance. Ce mot le rendit perplexe ; il en devinait l'ironie pour ce qui le concernait.

Ainsi donc, il repasserait la mer, il reprendrait un métier qu'il abhorrait. Deux policiers en civil lui demandèrent ses papiers. Ils lui conseillèrent de quitter la France ce jour même. Un car partait de la place de l'Opéra pour Bruxelles, il avait juste le temps de l'attraper. Il s'en alla encore une fois dans la brusquerie.

DANS LES
PREMIERS BUISSONS

ST-IL IMPENSABLE qu'on n'ait jamais été enfant? Ce fut son cas. Je le crois. Près du parc Iberville, il a dû naître, un jour de novembre. Les inscriptions du carnet corroborent les rumeurs. Faibles rumeurs et fort rares. Comment s'intéresser à une ombre de cloporte? Le père, paraît-il, venait d'Acton Vale; j'en parle par ouï-dire. Pas de photos, pas de lettres, et nul souvenir: le père n'a pas eu d'existence. Et puis il est mort. La mère et le fils s'arrangent tant bien que mal. On vivote. Sa mélancolie qu'on a prétendue native ne pouvait que s'accentuer. Elle gagna le corps et l'esprit. Il devint tout gris en dedans. Il n'avait pas encore neuf ans. À l'école, les frères enseignants maniaient la baguette avec une féroce allégresse. Il rentrait à la maison, par la ruelle grise, couvert de bleus et le visage fermé. La mère ne disait mot. Survivre l'occupait entièrement. Le seul soleil de cette enfance irréelle pointait parfois dans les jeux qu'il partageait avec une petite voisine de son âge. Là non plus, je n'ai pas de nom, pas de visage, pas de voix. Le carnet porte, au bas d'une page maculée, ce qui ressemble à un prénom comme Michèle. Pourquoi pas? On est timide, un peu farouche, on se réfugie au pied de la vieille clôture qui sépare les cours, juste là où les planches pourrissent et se disloquent. On parle peu, on rit encore moins. On se promet, non pas une vie meilleure, mais une vie tout court. On est grave. Le brin d'herbe qu'il a enroulé à l'annulaire gauche de Michèle signifie la promesse. Il n'y a pas d'enfance à oublier, il n'y a jamais eu d'enfance, il y aura peut-être une jeunesse. On est côte à côte, le livre d'images à plat sur les genoux offre des couleurs fanées, *comme tes yeux, Michèle,* et la marmaille à côté crie et pleure, et l'ivrogne et sa mégère se chamaillent, un chat efflanqué traverse

le toit du garage, *ça sent derrière ton oreille le gros savon de lessive.* On n'est pas malheureux, qu'est-ce que ça veut dire? On se raconte une belle histoire, celle de Peau d'Âne, et on est ailleurs, seul en un monde qui bientôt s'évanouira. Mais la promesse, elle, existera toujours. *Tu m'attendras? — Toi aussi? — Chut... — Hier, ils t'ont fait mal, à l'école? — Pas trop. — J'embrasse ta main qui a saigné. — Non, ne fais pas ça, ne fais plus jamais ça.* On est si jeune et si vieux. L'instant fait les cent pas. *Michèle, tu viendras demain? — Je ne sais pas. — Je serai là quand même.* Peau d'Âne s'est endormie sur leurs genoux. Ils demeurent joue contre joue, on dirait que les crieurs d'aubes anciennes vont soudain à l'heure du souper crier leur séparation. C'est fini. Le brin d'herbe a glissé dans la poussière. On s'en va chacun de son côté. Il n'y a pas d'enfance. Il n'y a qu'une détresse muette et qui se met à bruire plus tard, quand il est trop tard.

Toutes sortes de buissons pourtant couvraient leurs têtes ébouriffées. Ils avaient peine à marcher; une esquisse de danse frétillait dans leurs jambes. Par la suite, quand il fréquentera le collège et se traînera dans les couloirs aux odeurs de moisi, une fenêtre lui offrira en perspective, entre deux cheminées d'usines, un coin de champ vacant où l'ortie se mêle au chardon. Ses yeux brouillés reverront Michèle, la maigreur des épaules, la nuque de chevreau, devinées à travers les hautes herbes. Il devra rester ainsi, devant la fenêtre sale, tandis que des camarades dans son dos multiplieront les quolibets. Et le Père Préfet surviendra. Formez les rangs. À l'étude. Version latine. La senteur de l'encre rappellera les devoirs sur la table de cuisine. Les grillons de septembre redoublaient d'ardeur avant l'hiver. La mère reprisait sous la lampe. Il est temps d'aller au lit. Bon. Le noir, ça ne fait pas peur quand on est gris. Mais la douleur revient sur la poitrine, au fond de la gorge. Ça brûle. Les yeux secs. Il n'y a pas d'enfance s'il n'y a pas de larmes. Michèle ne vient plus à la clôture. Michèle a déménagé. Le camion a tout emporté. Peau d'Âne est morte. Hier. J'ai froid. Maman... non, ça ne veut rien dire ce nom, ça ne veut rien dire pour un petit vieux de huit ans. On fera son veuvage des buissons sans se plaindre à personne. On ne pourrait pas expliquer. La brisure, elle est là, promesse déchirée. Les insomnies, déjà. Le cœur ne tiendra pas bien longtemps; lui aussi a horreur du vide. C'est moi qui le dis, j'épouse de très près une destinée qui m'est étrangère. Je m'y reconnais.

Comme dans le cinquième vers qui me paraissait être une cheville ou une excroissance. Lui, en l'inscrivant au tableau, il ne pouvait empêcher sa main de trembler. Son commentaire ce matin-là fut plus bref que d'habitude et passablement confus. Mon impatience atteignit son comble quand il évoqua l'école buissonnière. Association facile, éculée, poncif rhétorique, quoi encore? J'écoutais d'une oreille distraite. Et la magie opéra, un court instant. Un oiseau mourant se refait une enfance, c'est une façon de se choisir une mort décente. Le premier buisson venu conviendra. On y fera son nid définitif. Se cacher pour mourir, suprême discrétion. Les bêtes donnent une leçon aux humains. Non par gêne ou par honte. Rien de plus naturel, après tout, que de faire une fin. En beauté. À l'abri des regards et des questions muettes, des prévenances et des consolations. Toutes ces humeurs tristes ou de circonstance qui dégoulinent et noient la sèche réalité. Les enfants devinent cela, de science infaillible. Ils meurent de plain-pied avec la vie. Sans chercher midi à quatorze heures. Dans les premiers buissons donc, se laisser tomber comme une pierre à bout de course. Il ne parla pas si longuement. Je brode; je glose. D'ailleurs il mit fin au cours brusquement. Nous en restâmes abasourdis. Était-il malade? Un grand gouailleur lâcha, c'était prévisible: *Sa môman le réclame*. Je ris avec les autres et je m'en voulus.

À quinze ou seize ans, il faillit renouer le fil cassé de la promesse. L'anecdote reste incertaine et même controuvée. Le carnet n'offre que peu de repères. Saint-Léonard. Grand froid. Elle était blonde. Je m'avise que depuis un moment je ne me suis pas inquiété de ce qu'il devient. La nuit est avancée; je grelotte. Pause cognac. S'il s'est obstiné à rester sur son banc, il n'y coupera pas; avant l'aube il est mort. Trop tard pour que j'y retourne. Ses histoires buissonnantes m'ont fait perdre conscience du présent. Je ne m'en plaindrai pas.

Un soir d'excursion en plein hiver, il s'égare avec des camarades du collège dans les environs de Rivière-des-Prairies. Ils marchent, suivant ce qui était alors une route déserte bordée de taillis. Aucune lumière en vue. Pour se rassurer et se réchauffer, ils chantent et martèlent le sol durci. On l'envoie en reconnaissance. Il n'est pas costaud, mais sa placidité inspire confiance. Qu'il aille au pas de course et s'il rencontre quelqu'un ou tombe sur une habitation, qu'il appelle à grands cris. Il va. La complète solitude n'est pas pour lui déplaire. Il pense fugacement que sa mère s'inquiétera. Il a l'habitude. Quand il rentrera, elle aura le visage un peu plus fermé. Il finit par trouver. Une enseigne lumineuse annonce un restaurant de routiers. Il prévient ses camarades et pénètre dans la salle où la chaleur lui saute à la figure. Elle est là, derrière le comptoir. Elle a grandi, ses yeux ont gardé leur pâleur. Elle va parler, il va reconnaître sa voix. La promesse retrouvée. Il n'y a plus de buissons ni de clôture à demi écroulée; qu'importe, l'enfance n'a ni lieu ni âge. Michèle. Dis que c'est ton nom, même si ce n'est pas vrai, même si tu n'y comprends rien. Elle rit et passe commande d'un café bien chaud avec beaucoup de sucre. Les compagnons de route rappliquent. Ils sont épuisés et n'ont guère le cœur à la plaisanterie. Elle va et vient, ne le quittant pas des yeux. Ils se parlent en silence. Ils réinventent tout. Il s'en ira, c'est entendu, c'est fatal. À son tour de déménager. Il sait nuitamment qu'il n'y a plus rien à éclairer, que ce n'est plus la peine de désirer. L'attente ne durera qu'une vie d'homme. Un court vagissement. Puis on s'abîme dans un buisson. Peau d'Âne revient d'exil. Il n'y a plus de distance.

Pendant une semaine, un mois, une année, il se laisse porter par cette retrouvaille imaginaire. Il rédige des messages codés, sans attendre de réponses. Chez elle, les parents exercent une étroite surveillance ; il n'est pas question de se trahir ou de courir des risques inutiles. Attendre l'occasion. On fuira vers une autre terre, à l'auberge de la Grande Ourse. On sera bohémien et bohémienne ; et s'il le faut on ira dans un pays d'oiseaux et de chevaux blancs, je l'ai vu dans un film, là-bas l'eau et le ciel se rejoignent partout avec juste assez de terre pour vivre à l'abri des affreux. Ils ne nous trouveront pas, ils ne sauront même pas où chercher. Un matin il a fini de déchirer ses lettres jamais envoyées, il a regardé par la fenêtre et son image à elle s'était volatilisée. Il devait choisir un état de vie, comme on disait dans la parenté. La mère soupirait. Que ferait-il maintenant ? Elle suppliait. Qu'il ne s'engage pas dans l'armée. Il était prêt à tout ce qu'on voudrait. L'enfance ne dure pas. On finit toujours par l'assassiner. On traîne son cadavre au long de l'existence. Le temps s'obscurcit. Il a vingt ans. Il se glisse dans une défroque. Il fait piètre figure, mais il figure. Et ça continue, le temps, ça s'émiette, ça s'épaissit, ça granule, ça se fige. L'indistinct règne. Et le chaos de la guerre mondiale.

Il avait le même âge que moi quand je suivais son cours et que je me promettais de changer la vie. Pour lui, toute promesse désormais était une dérision. Curieusement, cette période de sa vie, je n'arrive pas à mieux l'imaginer. Sans doute à cause de ces fichus buissons où je n'ai jamais pénétré. Je vivais mon content de vie. Comment pouvais-je soupçonner que le pire ne se présente pas à la fin, mais au début ?

PARCE QU'ELLE N'A PLUS DÉSIR

L M'ÉCHAPPE. Il s'estompe. Ça doit être la fatigue. À moins qu'évoquer son retour ne me mette sur la défensive ou en état de rejet. On prétend qu'il est revenu à New York sur un bateau hollandais, rien de plus vraisemblable, qu'il a ensuite fait un détour par Montpelier. Je ne comprends pas ce délai qui m'a tout l'air d'un atermoiement. Qu'allait-il faire au Vermont ? Il savait sa mère gravement malade, il aurait dû rentrer à Montréal par la voie directe. Voulait-il vraiment gagner du temps, se donner un répit avant d'affronter l'inévitable ? Ces suppositions me laissent sceptique. D'ailleurs, sa mère était morte. Il l'avait sans doute appris à son débarquement, ou peut-être même en mer. Après Rotterdam, c'en était trop ou, de façon plus plausible, sa résolution était déjà prise de disparaître dans une autre vie. Il mènerait un reste d'existence ne conduisant nulle part, il ne retournerait pas en arrière, ni à l'université ni ailleurs ; il ne se retournerait pas.

J'ai beau feuilleter le carnet, l'examiner en tout sens, cette histoire de Montpelier, c'est le noir total. Il aurait rendu visite à un collègue, un ami de la famille, une ancienne relation de Columbia ? Non, ça ne va pas. Curieux, quand même, que je n'arrive pas à lever ce lièvre. Fouineur de profession pour un journal à potins, j'ai passé cinq années, avant l'agence de publicité, à faire les poubelles du beau monde. Pas une crasse des importants ne m'échappait. Et ici, je n'éprouve qu'impuissance. Au fond, j'aurais souhaité qu'il reste à Rotterdam.

On colporta encore des rumeurs. C'était deux ans plus tard je crois, je l'entendis raconter par un camarade d'université à sa copine, nous figurions dans une de ces réceptions déprimantes que je courais par devoir, ils conversaient tous deux dans mon dos sans me reconnaître, je tendais l'oreille avec précaution et, souriant à droite et à gauche pour me donner une contenance, j'écoutais de tout mon corps un récit de son arrivée à Montréal qui aujourd'hui encore ne me convainc pas. Il se serait amené à son appartement trois jours après les funérailles, il aurait demandé au propriétaire de tout bazarder et serait reparti en vitesse. Non, c'est impossible. Je ne peux pas l'admettre. Toutefois, un doute subsiste. L'épisode de Rotterdam l'avait sûrement marqué. Puis, une semaine en mer, c'est plus qu'il ne faut pour méditer. Chaque matin, après le petit déjeuner, il marche sur le pont que balayent les vents d'ouest. Il n'adresse la parole à personne ; rares sont les promeneurs ; l'Atlantique est de méchante humeur. Il marche de long en large, tête basse malgré le roulis et le tangage, ne regardant qu'en lui-même. Sans voir. Ses compagnons de table pourraient témoigner de son naturel. Voilà! il s'est donné une contenance naturelle, gentiment banale, qui n'attire pas l'attention. Il retraverse la mer sans que ça y paraisse ; pour lui le monde sera toujours plein du bruit des vagues.

Pourquoi ne se serait-il pas allongé sur un transat, un après-midi de soleil frileux et, enveloppé jusqu'au menton dans une couverture de laine, n'aurait-il pas touché le fond de sa détresse ? Il se remémore Van Gogh, sa face ravagée, il réentend la voix brisée de Tchékhov, pourquoi ces deux-là, ici, sur cette eau qui ne prend jamais de forme fixe ? Il va pleurer. — *Alors je me suis assis, en fermant les yeux, comme ça, et je me suis demandé : ceux qui vivront après nous, dans cent ou deux cents ans, ceux à qui nous avons frayé le chemin, auront-ils une bonne parole pour nous ? Non, mon vieux, ils nous oublieront.* — Il pleure. Sa mère est morte depuis qu'il était enfant. Et voici qu'elle est morte pour la dernière fois. J'ai la conviction que les larmes le sidèrent au point qu'à ce moment précis il éprouve le vrai dépaysement de lui-même. Il tâtonne sous la couverture, cherche un mouchoir, au diable, il n'y a pas un chat aux alentours. Refermer les yeux, renverser la tête, attendre la suite. Car cette fois, la suite va venir. Maman est morte. Il se l'est dit ; murmuré. Il se répéterait, se chantonnerait la phrase, si le désarroi n'accompagnait pas le sentiment de délivrance.

La demi-clochardise vécue dans les années suivantes pourrait confirmer mes impressions. Par-ci par-là j'apprenais à m'étonner. On l'aurait aperçu à des concerts de musique de chambre, à une exposition de peintres avant-gardistes, aux floralies du Jardin botanique. Il semblait surgir aux endroits et aux moments inappropriés. Certaines descriptions le présentaient correctement vêtu, d'autres le donnaient pour un miséreux propre et discret. Il m'échappe. La rumeur n'a fait que glisser sur lui. C'est une onde capricieuse, une eau vaporeuse, et j'aime avoir prise sur du solide.

C'est ce que je lui reprochais tacitement, le manque de solidité. Il professait sa propre faiblesse. Il n'avouait que ce qui faisait évidence. Désarmé, il irritait, il n'attendrissait pas. À bout de colère et de déception, je coulais dans le sommeil, je fuyais ma violence, je me tassais dans le mutisme. Qu'avait-il raconté au sujet du sixième vers, si important pour moi ? Des bribes remontent à la surface comme les bulles de gaz que libère une mare croupissante. Ne plus avoir désir, c'est à la fois chose courante et chose impossible. Sauf si quelqu'un est mort à lui-même ou n'est pas né à lui-même ; on n'échappe au désir que pour être repris par le désir. On va de la chaleur au froid et inversement. On change de désir, on ne change pas. Ce vers est donc incroyable, d'autant plus qu'il se pose dans une tranquille causalité. Pourtant...

Contre toute vraisemblance, il a évité les funérailles et retardé la visite au cimetière. Sa mère morte, il l'avait appelée maman. Une seule fois. Tenir le rôle du fils endeuillé eût été plus qu'une mauvaise farce : un désaveu de soi à soi-même. Il s'est rendu sur la tombe furtivement, peu avant l'heure de fermeture du cimetière, et alors il a pu sans risque lui parler en silence. Je ne suis pas revenu. Je ne t'ai pas écrit. Tu es morte comme il fallait, en mon absence. C'est ce que tu pouvais faire de mieux. Tu étais là ; j'étais là. C'est tout. Nous n'étions pas deux. Nous n'étions pas. Tu t'occupais à coudre, à faire le ménage et la vaisselle, à regarder la télévision, à être malade et parfaitement seule. Ignorais-tu que pour ma part j'étais ton double manqué ? Toi, tu n'as connu aucune promesse. Moi, oui. C'est la différence. Tu es blanche et invisible. Je suis opaque et noir. Et tu es morte. Et j'étais mort. Je ne reviendrai pas. Où je serai n'a pas d'importance. Je n'ai plus désir. Ensuite, il suffit de franchir la grille du cimetière avant que le gardien la verrouille pour la nuit.

DE VOLER

A NUIT à Bruxelles fut affreuse. Il avait échoué dans un hôtel borgne, en plein milieu du quartier réservé. Que faire de mieux, il n'y avait de place nulle part ; les Français paniqués avaient envahi la Belgique. À la frontière, aucun douanier n'avait fait signe au car de s'arrêter ; on avait levé la barrière, tout le monde trouvait ça normal. C'est alors qu'il avait ressenti le premier pincement au cœur. Non, la crainte ou l'anxiété n'y étaient pour rien. C'était l'échec, le maudit échec, qui le rattrapait au delà de l'océan, sur le bord d'une autre vie. Les choses, décidément, n'avaient pas changé. Lorsqu'il était entré dans le taxi et avait demandé qu'on le conduise à un hôtel confortable, le chauffeur avait ricané. Encore un pincement au cœur. Mais le Belge, bon garçon, lui avait promis un gîte, malgré l'heure tardive, pas un palace, hein, nous avons la France entière sur le dos, tu ne sais pas comment ça va se terminer, cette merde, fiez-vous à moi et soyez pas trop regardant, tu veux ? Il n'avait pas regardé où on le conduisait, se laissant ballotter au gré des rues.

Il porta sa lourde valise au dernier étage. La nourriture était mangeable ; il se régala, il avait si faim et soif ; on le servait avec politesse et indifférence. Il fallait remonter sous les combles, se reposer. Pas question de dormir. Le pincement au cœur ne cessait plus. Il s'allongea tout habillé, sans éteindre l'ampoule nue qui pendait au-dessus du lavabo. Un temps, il guetta les bruits de l'intérieur, puis il écouta les rumeurs qui entraient par la fenêtre ouverte. Se distraire de l'insomnie et de l'écœurement qui le tenaille. Fuir l'échec. Il songe à sa mère qui doit se morfondre de contrariété. Elle a beaucoup baissé. Elle ne se plaint plus. C'est écrit dans ses yeux. Toi aussi tu me quittes ?

Comme l'autre? Tu n'as pas pu veiller encore un peu de temps avec moi? Mère, je t'écris, tu vois, je ne t'ai pas délaissée. Rassure-toi: je suis à l'abri, en Belgique, je rentre bientôt en passant par la Hollande. Je t'embrasse. Ton fils. Les yeux brûlants de fatigue, il considère le plafond qui se confondrait avec un plancher de gare, et la fêlure en lui est de naissance. Cette femme s'est ouverte et en gémissant a jeté au monde un paquet de chairs sanglantes. J'aurais aimé... Un bruit contre la porte; la chaise solidement calée sous la poignée empêche toute intrusion. Il retient ce qui lui reste de souffle. Des pas furtifs s'éloignent. La promesse n'a pas eu lieu, il chavire dans un passé lointain, une caricature d'enfance, et son cœur va surgir de la poitrine, bondir sur ses mains, palpiter là, objet inutile, ridicule. J'aurais aimé tellement pleurer, pour une fois, le nez dans tes cheveux, ma... mère. Il l'écrira, cette lettre, brève, propre. Il rentrera. Il reprendra ses cours. Il la soignera. Il continuera de mourir vivant. Et le train l'emporte vers Rotterdam.

Que c'est gentil, la Hollande! Les prospectus n'ont pas menti. Le pays est vraiment plat. Tout en eau et en herbe. Les vaches plus placides qu'ailleurs. Tulipes et fromages en abondance. De grands peintres, de grands penseurs. Spinoza, bien sûr, honni par sa communauté; Rembrandt, bien sûr, failli aux yeux des siens. Le train roule si gentiment qu'il flotte ou vole en rase-mottes. Je me plais à croire qu'il somnole à moitié, le cœur un peu apaisé. Il se refait des forces; je le vois à ses traits qui se détendent. Je souhaite qu'il dorme à fond, ne serait-ce que dix minutes. Le septième vers semblait trop laconique. Pourquoi un oiseau s'opposerait-il à son naturel? Quand un humain refuse de parler, par libre choix, il faut entendre qu'une chose grave en lui s'est produite ou va se produire. Il disait cela sans hausser le ton, presque en s'excusant de paraître à la fois banal et incongru. Moi, je m'étais accroché au «désir» du sixième vers et qui formait le nœud de la question. Espèce d'andouille, fais la liaison, fous-nous la paix avec tes transcendantaux à coucher dehors. Regarde plus loin que ton nez, cet oiseau-là en a marre d'être un oiseau, il n'a plus envie de voler, il veut se renier, se métamorphoser. J'étais fier de moi, de ma trouvaille. Je prenais des notes, fébrilement, et qui n'avaient guère à voir avec les propos de ce professeur de tristesse. Je le regarde à nouveau, maintenant, assoupi dans le train qui se déplace en douceur. Il n'aurait pu s'expliquer. Le désir ne lui avait jamais manqué; un vide en tenait lieu. On ne tombe pas quand on vit en dessous de tout. Revenant en arrière, je lèverais la main et poserais ma question devant la classe. Monsieur, si vous isolez ce vers du précédent, n'est-ce pas parce que la promesse y tient son secret? Le train entre en gare. Que c'est gentil, Rotterdam!

Le lendemain, jour de plein soleil, il déambula paresseusement et parcourut le quartier du centre. Il se sentait détendu. Il entra dans un restaurant où on lui servit une nourriture abondante et lourde. De la détente il passa au vague à l'âme. Était-ce un signe avant-coureur du néant qui viendrait le secourir ? Il reprit sa marche louvoyante ; des piétons pressés le frôlaient au passage. Il ne voyait personne. Un silence vibrant l'accompagnait (avait-il abusé de la bière ?), le protégeait de la cohue. Imaginant au bout de son regard une toile de Van Gogh, jamais peinte, il se délivrait par petites touches violentes, des tournesols piqués d'yeux de corbeaux, il s'allégeait de toute possibilité d'angoisse, avec la gamme complète des jaunes à l'arrière-plan, il avançait ainsi, au hasard, et buta contre un attroupement. Sa distraction l'avait ramené vers l'hôtel, en passant par une place interdite à la circulation automobile et où des garçons et des filles affichant une santé robuste achevaient de dresser un tréteau. Une troupe de comédiens ambulants... Où avait-il assisté à un spectacle en plein air ? Il était revenu à la maison bouleversé, sa mère en avait haussé les sourcils, ce devait être au parc Lafontaine, les marionnettes aux gestes cassés, aux voix nasillardes, et son rire, soudain, qui l'avait presque terrifié tant il était imprévu, incontrôlable. Mais les gens autour de lui se rapprochent, se serrent les uns contre les autres, le sourire aux lèvres, l'œil allumé, ça va commencer, ça y est, ça recommence, et malgré la langue qu'il ne comprend pas, les mimiques des acteurs vont rouvrir la lézarde. Il se sort de là en vitesse.

Rentrer à l'hôtel ne lui disait rien, mais où aller maintenant ? Le tableau de Van Gogh est tout barbouillé. Il aurait dû se rendre à Amsterdam, regarder, en face, son cher Vincent, le seul, non, il y a aussi Rembrandt. La peinture ne l'intéresse pas. Ces deux-là, ce sont ses miroirs. Il a tenté d'en parler jadis à un connaisseur bienveillant ; ça n'a donné qu'une courte conversation polie. Il n'a pas oublié la brûlure au front et comment il a rompu l'entretien. Pourquoi ces coups de vertige dans son habituel ennui ?

Il a pris l'ascenseur. Où finira-t-il la journée, cela me demeure une énigme ; le brouillard s'étend et engloutit le soleil de Rotterdam. Ce mois de mai lumineux s'abîme dans ma fatigue. J'ai de plus en plus froid. L'engourdissement me gagne. Encore un peu de cognac, si je veux aller jusqu'au bout de la nuit. Ne pas l'abandonner ; sur le banc du parc, dans sa chambre d'hôtel. Les poings sur les yeux, je retourne là-bas, tout près. Reviens, soleil de Hollande, refais encore un matin aux ombres d'aquarelle.

Il déjeune de pain bis et de fromage. Le café bouillant est un réconfort. Qu'il fait bon entendre les cloches du dimanche. Il sortira pour le plaisir de sortir, oui, mais actuellement il y a cette perspective d'un temps suspendu.

Rien n'existe qu'un calme à perte de sensation, et la jouissance de savourer ce calme. Tu te prends pour Lamartine. Tout de même! Avoue-le, tu te complais à ton malaise, le moindre bien-être a son envers et c'est ce dernier qui te le rend intéressant. Peut-être; peut-être pas; je m'en fous. Et il poursuivra son dialogue en se rasant. Nul n'aura raison. Les répliques s'enchaînent, invariables, depuis trente ans.

Bordé de maisons anciennes, couvert en son centre de pelouse et d'arbustes, le square n'est pas grand. Sous un peuplier, un banc de bois; personne; silence. Il n'a guère marché depuis l'hôtel. Il allait sans but. Le voici à l'entrée d'une place déserte où le calme a quelque chose de palpable. On dirait que l'air ici a pris de la densité, sans devenir oppressant. C'est soyeux, et la clarté matinale se désagrège en finesse poudreuse. Avant de s'asseoir sur le banc, il éprouve presque l'envie de vérifier de la main si la poussière lumineuse n'a pas poudré le bois. Il se sourit et, assis, ne bouge plus. Il est comme rarement il fut. Il est. Où donc? Qu'importe.

Cette histoire de banc me bouleverse. À cause de l'autre banc, où il se trouve peut-être encore. J'ai la certitude que je ne retournerai pas au parc. La nuit va vers son achèvement et m'emmène au mien. Je n'ai plus froid; je suis au delà du froid.

Il ne l'a pas vue venir, il ne l'a pas entendue s'approcher. Seule une presque insensible sensation de présence toute proche a fait tressaillir celui, inconnu, qu'il est depuis son arrivée au square. Une voix d'abord, une voix étrangère, veloutée, un peu rauque dans les basses, lente, subtilement modulée. Les mots ne font pas sens, ce doit être la langue du pays. La voix existe comme par elle-même, détachée de sa source humaine, il jurerait que c'est il y a très longtemps, du côté de Saint-Léonard en hiver et encore plus longtemps, à l'abri d'une vieille clôture de planches, et la voix porte ces deux voix enfuies, avant blessure et promesse, à l'encontre de ce qui était prévu, arrangé. Il éprouve une révolte absurde, une montée de colère. Il n'est plus. Ici ou là, au diable. Il crie muettement. La voix d'aujourd'hui se tait. Il tourne la tête et regarde. Une Hollandaise, sans doute. La trentaine. Chevelure brune, yeux bruns pailletés d'ocre jaune. Il demande si elle parle anglais. Son visage se couvre de perplexité, ses doigts triturent la courroie d'un sac en simili-cuir fauve. *Je sais le français, un peu. — Ah! vous parlez français? — Oui, pas bien. — Vous êtes de Rotterdam? — Non. Je suis avec ma mère. À la maison. — Je comprends.* Ensuite, qu'ajouter? La voix n'est plus ce qu'elle était. Il se sentait si bien, sur son banc, à ne plus exister. Partir en s'excusant, ce serait simple. *Vous êtes longtemps à Rotterdam? — Non, je prends le bateau dans quelques jours. Je retourne à Montréal. — Ah... Montréal...* Il rassemble ses illusions dispersées, il s'apprête à regagner l'hôtel. *Restez, s'il vous plaît. Encore un petit temps. Je... je vous regarde tout à l'heure et vous avez un air mort. Je viens proche. Et vous avez encore, comment vous dites?... un air pas bien... — Je faisais un petit somme.* Pourquoi ment-il? Elle sourit, ses deux mains sur la poitrine, en un geste cocasse. Puis, la mine grave: *Non, vous avez été dans un autre monde. — C'est un peu ça, dormir. — Pas dormir. Mourir... avant mourir.*

Ils se dévisagent longuement. Un silence descend sur eux. Et ils parlent de nouveau, sur leur banc, sous le peuplier entouré de pelouse, dans le square bordé de maisons anciennes. Le matin est encore jeune; la paix de l'instant perdure. C'est trop loin à imaginer, il m'est impossible de croire qu'il se transforme et dépouille sa grisaille si facilement. C'est ce qui se produit, toutefois. Après une voix, un regard l'entraîne au fond d'un lac glacé du Népal ou dans un vol fracassé de bécasse. Le dépit d'avoir échoué là où une pure inconnue a réussi me les a fait perdre de vue. Où sont-ils passés? Ils quittent le square. Vite, les rattraper.

Elle est grande et mince. Vêtements corrects, de bon goût, mais peu coûteux. Ils marchent comme s'ils avaient des vies à traverser. *Aujourd'hui, c'est le congé. Ma mère a vu le soleil et a dit va au soleil. Tu reviens quand il n'y a plus de soleil. Je suis allée à l'église, celle-là, vous voyez. J'ai demandé où il est mon petit Jan. Personne n'a répondu. Alors, j'étais triste et je suis retournée au soleil. J'ai marché avec mon ombre. Et j'étais encore triste, plus triste. Mon ombre a entré dans le square. J'ai vu vous sur le banc. Alors, je ne voulais pas, plus pleurer. Vous, c'est ma réponse. Mon petit Jan, il est ici et pas ici, vous comprenez?* Oui, et il en frissonne. Il est Jan qui n'est plus. Ou plutôt, un embrouillamini l'aveugle, il trébuche sur le pavé. Elle le retient en prenant son bras. Sa main ne se retire pas. Il voudrait dire merci, mais c'est stupide, ce n'est pas ce qui serait de mise. Et puis il n'y a plus de mise. Ils marchent sans but, le soleil s'échauffe, la ville s'anime, il se donne congé, ses lèvres bafouillent avant qu'il en prenne conscience: *Jan est en vous, il vous est revenu, vous le portez à nouveau et jusqu'à la fin quand vous reviendrez à votre tour...* Qu'est-ce que ce charabia? Ses yeux se mouillent de confusion. Elle s'arrête brusquement et lui fait face. *Vous dites des choses folles.* De ses doigts elle essuie ses paupières. L'idiot, il sourit, il contemple à travers elle Andromaque sur les remparts de Troie. La scène des adieux, Homère, «Iliade», chant... et au comble de son vertige, il l'embrasse sur les lèvres. Elle ne bronche pas.

Ils se remettent en marche. *Écoute. Ce méchant bateau, il va t'emporter avant la semaine finie. Ensuite, tu n'es plus là. Plus jamais. Non, tu ne dis rien.*

Après, tu parleras. Mon petit Jan, j'ai pas perdu. Tu m'as fait cadeau. Et toi, après, je ne perds pas. Tu me fais encore cadeau. Tu es savant et professeur. Tu sais toutes ces choses compliquées. Moi, si tu veux, je t'aime. C'est mon cadeau. Et je reste avec toi toujours, je suis et je suis pas là aussi. Je suis femme invisible. Elle rit sous le soleil et soudain elle ne fait plus d'ombre sur le trottoir. Il rit. Il a quinze ans. Il a huit ans. Et de mémoire d'homme aucun bateau n'est sorti ou ne sortira du port de Rotterdam.

Le carnet ne précise pas la suite de leur déambulation à travers la ville. Ils ont dû sentir la faim. Ils ont parlé encore et encore. Mais lui sentait rôder sous sa peau un malaise indistinct. Quelque chose qui le prenait au dépourvu. Ce n'était pas l'imminence du départ, ni la gêne d'une affection subite, à consommer à la hâte, c'était, ce devait être, je le devine, un étonnement radical, une manière d'exil de son quant-à-soi. Un voyage qui ne s'achève pas en un songe durable est comme un rêve interrompu ; il laisse un goût d'amère dérision.

Après le restaurant, elle le mène sans prévenir au monument de Zadkine. Un corps supplicié symbolise le destin de Rotterdam écrasé en 1940 par les bombes incendiaires. Cette figure qui se détache sur fond de banques et de grandes compagnies tient aussi d'Icare au moment de prendre son vol. Ils considèrent, main dans la main, une horreur qui s'illusionne. Ils vont s'aimer ; l'horreur ne désarme pas. Le blanc et le noir s'additionnent, se mélangent, on va et on vient de gris en plus gris. Tant mieux et tant pis. Plus besoin maintenant de courir à Amsterdam. Van Gogh et Rembrandt resteront des images de papier, ils s'estomperont peu à peu dans la mémoire vieillissante, se rideront, se craquèleront, s'émietteront ; un peu de poussière les confondra plus tard, un jour de jeux d'enfants sous un soleil piailleur, et tout recommencera dans une cour à l'abri d'une clôture fatiguée quand un petit garçon et une petite fille ouvriront à plat sur leurs genoux un album où Peau d'Âne n'en finit pas de se défraîchir.

Elle chuchote à son oreille qu'elle doit retourner chez sa mère. Il offre de la raccompagner. Non, c'est mieux pas, et elle lève son beau visage nappé de lumière couchante. Sa mère chercherait à savoir. Il faudrait expliquer alors qu'il n'y a rien à expliquer. Il comprend. Quand la reverra-t-il ? Demain, après le travail. Elle trouvera une excuse pour sa mère. Elle viendra au square. Il l'attendra. Elle court à la rencontre de l'autobus.

Il reporte son regard vers le Zadkine. Il voit Icare. Voler. Tomber. Même chose. Sa vie est morte, non pas à cause d'une vaine promesse, non, elle est morte sans cause. Aimer. Façon de mourir. Il soliloque en marchant. Il a envie de se moquer de lui-même. Des piétons se retournent sur son passage. Il hèle un taxi. Encore l'hôtel. La soirée sera vide et légère. Au bar, un Américain se plaindra de la qualité des steaks et, d'aloyau en chateaubriand, lui racontera sa vie. Deux biographies en un jour, ça fait beaucoup. Bah! le bateau partira : c'est écrit sur l'eau.

Les jours suivants filèrent à la vitesse d'un bonheur fou et fragile. Le square garda son charme discret et insolite. Que se disaient-ils ? Des riens. L'essentiel. Ils s'aimaient ainsi, côte à côte sur un banc de bois, ils avaient des gestes rares et libres. Ils se savouraient. Ils se savaient condamnés. *Vous savez, ce banc ici, je reviendrai pas. Je sens pas chagrin, pas regret. Mais c'est pas nécessaire revenir. Tout, il va déménager en moi.* Il voudrait enchaîner sur la même note. Les choses ne sont pas si simples pour lui. Un tremblement de tendresse parcourt son bras, sa main, ses doigts, tandis qu'il caresse infiniment sa nuque de roseau. Elle sourit de ses yeux assombris. Le soir s'amène entre les arbustes. *Vous, le cœur il est lourd.* Elle touche sa poitrine. Il hoche la tête et regarde le sol à ses pieds. *Comment vous faites ? Vous donnez et vous avez pas.* Elle a un geste d'enfant fautive, une main devant la bouche entrouverte. *Ach! grosse bête! demain, dernier jour, et toute la semaine, nous dehors...* Il fronce les sourcils. — *Non, je vous en prie, tout est bien comme ça.* — *Demain soir, je viens à votre hôtel.* — *Pourquoi ?* — *Je passe toute la nuit.* — *Pourquoi ?* — *Je veux toi avec Jan dans moi. Le méchant bateau, il va emporter un fantôme.* Elle rit. Et le soir qui s'approchait du banc se retire à la limite du square. Il la regarde les yeux dans les yeux. Cette idée de venir s'échouer à Rotterdam! De croire que peut-être... Elle lit derrière ses yeux, paisiblement ; elle approche ses lèvres de ses lèvres, elle ne les touche pas. *Jan, parti vite, et mon mari, pfuitt! parti plus vite. Ma mère, elle est là plus beaucoup de temps. Écoute. Oublie le bateau. Oublie toi et moi. Je dis comme ça. Je fais pas de jurement.* — *De serment.* — *Bon. De serrement.* Il sourit. Elle l'imite. Elle se lève et l'oblige à demeurer assis. Elle s'assoit par terre et pose sa tête renversée sur ses genoux. Elle contemple les étoiles encore pâles. Et le soir se décide à les envelopper.

À l'aube du surlendemain, ils ne dorment pas. Une lueur verdâtre teinte les draps froissés. Ils gisent côte à côte. Ils n'ont pas échangé deux paroles durant la nuit. Par la fenêtre aux rideaux tirés un pan de jour naissant s'incline et vibre à peine. Elle remue et se tourne vers lui, sur le flanc. Il se souvient qu'hier soir, alors qu'il attendait dans la chambre, il a perçu venant du couloir une courte conversation entre elle et un inconnu. Quand elle est entrée, elle avait l'air autre, elle ne se ressemblait pas. Il s'est d'abord mépris, croyant qu'elle regrettait, qu'elle avait un accès de timidité. Il avait pourtant deviné obscurément dès le début. Qui elle était ou n'était pas. Le mari, la mère, Jan, qu'ils soient inventés ou non, quelle importance ? Ils ont tous deux joué le jeu à la perfection. Au moment de se séparer pour de bon, il ne lui offrira pas d'argent : elle en serait blessée. Mieux valait ce silence, jusqu'au bout. Et cette immobilité. Du côté du port mugit une sirène de bateau. Elle marmonne dans sa langue, un voile léger éteint son regard. Elle ne l'embrasse pas. Il ne l'attire pas sur lui.

Se lever, se laver ; s'habiller, s'en aller. Où sera-t-elle ? Avant de quitter la chambre, comme il bouclait sa valise, elle est allée à lui, ils se sont serré la main, et d'une voix de petite fille elle a dit : *Merci*. Elle n'est plus là. Elle n'est plus. C'est à ce moment qu'il commence à constater qu'il ne l'oubliera pas de sitôt. Et la blessure s'élargit par où suinte un semblant de vie.

MAIS NON PAS
VIVRE DE PLAINTES

E GRAND REFUS s'est creusé en lui au fil des années récentes. On imaginait toutefois que dès son retour d'Europe et la mort de sa mère il était entré dans le silence, un silence infissible, en même temps qu'il se retirait de toute existence sociale. Le froid de la nuit me gruge les os. Je laisse ouverte la fenêtre, de crainte d'étouffer. Les rumeurs de la ville s'atténuent. Tel est mon silence à moi. Une demi-absence de bruit. J'ai la certitude d'avoir vécu hors de mon être. Suspendu à une chimère maintenant fatiguée, rabougrie. Pourquoi est-ce que je m'attache à cet homme qui ne m'est rien ? En souvenir de mon père bafoué ? Pour racheter la honte qu'il m'inspirait ? Je n'ai jamais aimé, je n'ai jamais eu souci d'être aimé. Il aura fallu que ce petit homme gris trottine comme une souris dans quelque recoin de ma vie, et me voilà face au néant, un néant falot, un néant de doux raté. Je me plains... Souvenir de l'avant-dernier vers. Ça tire à sa fin. Ce n'est plus l'heure de se lamenter. Il en fit la remarque en même temps qu'un curieux rictus plissait ses lèvres. Mais, je le jurerais, ses yeux gris avaient alors une lueur froide. Non, ne pas vivre de plaintes. Gémir, se frapper la poitrine, exhiber son deuil, ça n'arrange ni les choses ni les gens. Et c'est ridicule. Les bêtes blessées se cachent dans un trou pour y guérir ou mourir. Le carnet n'offre pratiquement aucune indication sur ces années de repli. Je ne lis que le grand refus sur des pages salies. Les autres n'y sont pour rien, ou presque. C'est dans la tête et la poitrine que le bruit fait son ouvrage de distraction. Ça parle, trop et trop souvent. Tu refuses pour refuser, avoue-le donc. Oui, je fuis, au fond, à supposer qu'il y ait un fond. Qu'importe.

Qu'est-ce qu'il a fait, tout ce temps? Et moi? Une goutte de cognac, juste une goutte que je roule sur la langue, histoire de me donner le loisir d'oublier et de me souvenir. Quelle nuit! Il faut que j'aille jusqu'à sa fin. Voyons, ce jour-là j'avais un début de grippe. Maussade, et avec une envie accrue de dormir, je m'étais traîné à son cours par défi ou par habitude ou par désœuvrement. Son attitude restait la même et pourtant quelque chose en lui trahissait un durcissement. Mon malaise me distrayait. Et lui, il m'irritait au point de m'empêcher de dormir. Que racontait-il encore, que voulait-il avec ses considérations moralisantes sur le refus de s'apitoyer sur son sort? De qui s'agit-il à la fin? Vivre de plaintes, bien sûr, ce n'est pas une vie, pas la peine d'insister, on s'en doutait. Et il s'attarde sur chaque mot, il s'appesantit, il martèle les syllabes. «Mais»: l'opposition se manifeste, le texte tourne sur lui-même, et bientôt l'infinitif «vivre» répond en écho à l'infinitif «mourir», oui, c'est ainsi exactement, à cause de la négation fortement marquée l'équivalence vivre/mourir est claire et nette. Le déterminatif, ces plaintes plurielles, n'ajoute ni n'enlève quoi que ce soit à l'effet synonymique, a-t-il employé cette expression douteuse? Toujours est-il que ces sacrées plaintes, moi j'en avais plein la tête à me la faire éclater. Quelqu'un releva qu'il n'y avait pas de verbe principal dans le poème. Il se contenta de répondre avec une espèce de brusquerie que nous étions en présence d'un constat, et non pas d'une réflexion, encore moins d'une interrogation. On voyait les choses et on en dressait procès-verbal. Moi, je n'y voyais plus, et si j'avais été conséquent, je serais sorti. Mais je voulais connaître le fin mot de l'affaire, tout en sachant qu'il n'y en aurait pas.

Son refus, d'après ce que j'ai pu apprendre à travers les branches, s'exprima par son comportement. Il glissa graduellement jusqu'à la complète clochardise. D'abord, il s'engagea comme garçon de ferme du côté des Cantons de l'Est. Levé à cinq heures, il allait à l'étable nourrir les bêtes. C'était le plein hiver. La neige crissait sous les bottes, la bouche et le nez s'ennuageaient, le ciel demeurait au levant d'un gris glauque. Il s'adressait affectueusement aux vaches et aux chevaux, s'attardait volontiers à flatter les naseaux et les encolures. Il buvait son café debout puis allait fendre les bûches ou réparer les clôtures. Sa besogne terminée, il mangeait la soupe en compagnie des fermiers, s'en tenait à des propos anodins, donnait le bonsoir et montait à sa chambre. On le trouvait étrange, mais fiable et gentil. Gros travailleur avec ça. Au dégel, ni les offres d'augmentation ni les promesses de toutes sortes ne le fléchirent. Il jeta son sac sur l'épaule, dit merci et adieu, prit la route. À la barrière, toutefois, il hésita. Se retournant vers la maison, il laissa errer son regard paisible où souriait le matin d'une belle journée. Le tournant du chemin l'invitait. Il disparut.

Plus tard, il fut cueilleur de pommes. Les autres le jugèrent taciturne, trop zélé; ils le boudèrent. Ils haussaient les épaules quand, à l'heure du midi, il s'éloignait du groupe et s'enfonçait dans le verger, toujours en silence. Au retour, son visage rayonnait sans raison apparente.

L'hiver revint. Et le printemps. Puis l'été. Il surgissait ici et là au gré des brusques saisons. Avec le temps, il se dépenaillait. On le vit déblayer les rues enneigées, ratisser les pelouses d'un cimetière, ramasser les ordures ménagères, distribuer des prospectus. Il finit à l'Œuvre de la soupe, en compagnie des clochards professionnels. On l'appelait le philosophe. Une vieillesse précoce lui donnait des airs de sage. Il souriait des yeux. Le plus souvent, il s'exprimait par signes. On le prenait à partie ou à témoin, rarement, car pour l'ordinaire nul ne tenait compte de son inexistence. *Pourquoi tu veux pas parler? T'as peur qu'on te mange la langue? — Y paraît que t'as fait des études, dis-nous quelque chose, garde pas tout ça pour toi.* Comme dans la comptine, il mettait les mains sur ses oreilles, ses yeux, sa bouche, et il s'éloignait. Son corps se dégradait. Le manque de sommeil et de nourriture le rendait transparent. Il s'illuminait. Il titubait dans sa nuit comme la flamme d'une chandelle. Quiconque l'approchait par accident, c'était généralement le cas, s'étonnait de ce visage raviné dont chaque creux semblait un refuge pour la lumière ambiante.

On s'habitua. On l'oublia complètement. Son refus avait porté fruit. Dans une cour de triage, à l'écart, il trouva un wagon désaffecté, bon pour la casse, et s'y installa. Les cheminots le laissèrent tranquille. Il vivait de presque rien, il ne mendiait jamais. Et le silence en lui devint total, un silence à vrai dire dont je n'ai pas idée, quelque chose qui doit tenir plus du vide corporel que de l'absence à soi-même. Ou encore: un endormissement perpétuel, un délestage même de l'impondérable, une sublimation si légère que là où il n'était plus il n'avait pas été. Ces choses qui résistent à ma compréhension et à mon expression, je les avais pourtant perçues sans m'en rendre compte et comme en un rêve prémonitoire, durant les semaines qu'il fut mon professeur. Voilà l'origine de mon malaise, et si par cette nuit finissante je frissonne, ce n'est pas tant à cause du froid que par la stupeur où je me trouve de voir confusément qu'il n'enseignait rien hormis cela. Qui n'a ni mots ni sens.

Je m'égare à force de souhaiter l'impossible. Lui, il avait fini par retomber sur terre. On le ramassa près d'une voie ferrée. Il avait eu une attaque. Dans l'ambulance qui fonçait vers l'hôpital, l'infirmier s'acharnait à lui redonner un peu de souffle. La mort sur ses lèvres bleuies esquissait un sourire timide. L'infirmier, pour sa part, était au bord des plaintes.

COMME UN
CHARDONNERET AVEUGLE

'AI VIDÉ la bouteille de cognac. Le froid s'est emparé de la cuisine où je suis attablé, dévidant ma rengaine. L'alcool ne me trouble pas l'esprit. Rarement ai-je été aussi lucide. L'ankylose me procure une aisance à voyager en imagination. Je vais au Népal, je perce à jour les images qui en jetaient plein la vue. Sa présence au Plateau n'était pas fortuite. Il bouclait la boucle. Les bonzes et bonzesses officiant aux sacrifices compliqués, les dieux et déesses statufiés de façon quasi caricaturale, tout ce falbala mystique ne rimait à rien pour moi. Quant à lui, en fin de course, il s'offrait un dépaysement, par une ironie insondable. Il m'a certainement aperçu du coin de l'œil, sinon je ne m'expliquerais pas à en crever avec ce damné carnet. Je vais au parc, je lève les yeux vers le blanc du ciel échancré entre les masses et les lacis sombres des arbres, je scrute le clair-obscur qui m'éblouit par une nuit d'octobre au bord d'un étang boueux. Et je ne comprends toujours pas. Quelle bouchée pourrie de sa vie est-il en train de ruminer sur son banc ? Par quel fantasme de taupe s'est-il obligé à l'enfouissement ? Pourquoi ne s'est-il pas suicidé, tout bêtement ? Et moi, qu'est-ce que je suis venu foutre là-dedans ? Bon dieu ! une nuit dont je ne me remettrai pas, c'est évident. Un cri d'oiseau, près de la fenêtre. Un cri d'aube. Nous allons bientôt nous séparer, mon ami.

Lorsqu'on sortit la civière de l'ambulance, son état était désespéré. On l'examina dans le corridor des urgences. Le médecin diagnostiqua les sept plaies d'Égypte et, à l'étonnement de l'infirmière qui l'assistait, commanda qu'on l'emmène dans une chambre de son service. *Un cas intéressant.* On le piqua, le baigna, le transfusa, le mit au chaud. Une garde le veilla sans désemparer. De temps à autre une jeune étudiante s'offrait à prendre la relève. L'ancienne mettait un doigt sur sa bouche et ne quittait pas sa chaise. Il délira, évoquant le delta formé par la Meuse et le Rhin, répétant un nom bizarre, Lijnbaan. Les infirmières s'interrogeaient sur sa nationalité. On n'avait trouvé sur lui qu'un vieux carnet écorné à couverture grise. Quelque chose d'indiscernable sur sa figure intriguait le personnel et surtout le médecin. *Ce patient m'intéresse beaucoup.* Il ouvrit les yeux bien après avoir entendu autour de lui et sur lui des voix basses, des froissis de vêtements, des appareils grésillants, il ouvrit les yeux où s'était accumulé une espèce d'amusement intrigué. C'était au tour de l'étudiante de le veiller. Elle lui apparut sur un écran flou. Elle poussa un petit cri et pressa le bouton d'appel. Il lui sembla qu'il y avait foule auprès du lit. Puis la vieille infirmière fit sortir tout le monde. Elle s'assit à son chevet, tâta son pouls, l'ausculta, releva du pouce, délicatement, ses paupières, sourit aux anges. *Vous revenez de loin. Maintenant, vous allez dormir. Ne craignez rien, je reste ici.* Son amusement redoubla. Elle eut l'air interloqué. *Le docteur a raison. Vous n'êtes pas comme les autres.* Elle songea qu'il ne comprenait peut-être pas le français et se tint coite.

Les premiers jours furent un délice. On le traitait comme un bébé. Il s'abandonnait avec bonheur aux soins les plus intimes. Les infirmières parlaient peu, de crainte de le fatiguer. Le médecin passait chaque matin. *Étonnant comme il récupère.* Il allait mieux en effet. Le service et les soins se modifièrent subtilement. Alors qu'au début on entrait d'autorité mais doucement, on passait maintenant la tête par la porte entrebâillée et on vérifiait s'il reposait. Il ne disait mot. Le moment vint où on cessa de le faire manger. Il dut s'asseoir, calé sur des oreillers, et se nourrir lui-même. On le laissait seul de plus en plus souvent. Il n'appelait jamais. Il fut autorisé à se rendre jusqu'au fauteuil. On lui avait procuré un pyjama et une robe de chambre. On frappait légèrement à sa porte avant d'entrer. Peu à peu il passa la plus grande partie de ses journées sans aucune compagnie. Il guérissait. *Mais le cœur reste fragile.* Le médecin prescrivit divers médicaments et un régime approprié. Il signa son permis de sortie. Il en éprouva du regret. On lui remit ses affaires. Il endossa sa vieille défroque. Une infirmière s'amena, poussant un fauteuil roulant. *Un taxi va vous prendre. C'est payé. Où allez-vous ?* Il allait répondre il ne savait trop quoi quand une jeune femme s'arrêta sur le seuil et sourit. *Une aide bénévole va vous accompagner.* Il se figea sur place. Il se revoyait, tous les deux, dans la rue de Rotterdam : la « Jeune fille au turban » de Vermeer, aucun doute possible, c'est elle ! Ses yeux se noyaient. Il maugréa : *Mon carnet, vous n'avez pas égaré mon carnet? — Mais non, il est dans votre poche de manteau. Comme ça, vous n'êtes pas muet?* — Elles rirent de concert. Il remercia et assura qu'il pourrait se débrouiller tout seul.

Le quartier de l'hôpital ne ressemblait pas à Rotterdam. Ses pensées, tandis qu'il marchait lentement, ne quittaient pas la vision d'une tête enturbannée, perle vivante et aimante, il y avait dix ans, tableau d'une extase tranquille, personnage réel, touché, entendu, promesse possible, illusion croyable, et l'affiche arrêta son regard. Ce soir, à la salle du Plateau, un film sur le Népal... Sa décision fut prise.

Le peintre de Delft aurait eu pour maître un certain Carel Fabritius, affirme mon encyclopédie. Mon ivresse latente me décourage de lire la notice; seule mention que je pique au passage : Fabritius a peint une toile intitulée : « Le chardonneret ». En a-t-il eu connaissance? Probablement. Le tableau se trouve à Rotterdam. Je rêve qu'il anticipait cet épisode de sa vie pendant qu'il présentait le vers final. C'était son dernier cours. Nul ne s'en plaignit. Il procéda d'abord à une rapide synthèse sur ses sacrés transcendantaux. Et il retourna au tableau. Pourquoi un chardonneret aveugle? À cause de la prédilection de cet oiseau pour les épines. Ce jeune serin ou passereau chanteur, au plumage rouge, noir, jaune et blanc, aime à se nourrir des graines du chardon. Son cri en vol ondulé est une succession soutenue de courts trilles énergiques et de gazouillements entremêlés d'interjections plaintives. Voilà le lien avec le huitième vers. Et le paradoxe : le naturel plaintif semble être la conséquence d'un accident. Ou faut-il comprendre qu'il y avait là comme une fatalité d'aveuglement? On peut aller dans un sens ou dans l'autre; le résultat reste inchangé. C'était écrit bien avant que le texte ne s'écrive. Il se promenait de long en large devant le tableau et monologuait sans se préoccuper de notre présence. Il n'échafaudait pas de théorie ni ne jouait avec les symboles. Il en revenait sans cesse à son chardonneret aveugle, au fait posé dans sa neutre évidence. Bien entendu, je luttais contre le sommeil. Moi aussi je m'aveuglais. Inutile de consulter le carnet. Cette centaine de feuillets ne comportent que des notes brèves, rédigées au crayon, effacées par endroits, à peu près illisibles. Il appelle justement une lecture aveugle. Ne pas voir; ne pas parler, ne pas écouter. Le retrait intégral. Tout se tient et s'ordonne. Oui, je commence à comprendre.

Affalé sur la table, j'écoute les oiseaux qui s'excitent et s'affairent. Il doit s'agir de moineaux. Les chardonnerets ont émigré là où un soleil tonitruant assourdit leurs plaintes. Il n'a pas mentionné les yeux crevés d'Œdipe. D'ailleurs, je dormais déjà. L'âme nomade parcourt son désert, chemine de mirage en mirage, se blesse aux buissons épineux, s'acharne à la déchirure qui la sépare de son corps. Dors à présent, petit homme tué de naissance, dors, cœur éclaté, va, dors et ne sois plus en souci. N'aie cure de beauté, c'est une fausse représentation, un mensonge qui masque la vacuité de tout.

Il est mort, à présent. Ses mains rougeaudes aux doigts carrés n'échapperont plus la craie ou la brosse, ne farfouilleront plus les papiers sur la table, n'essuieront plus les verres des lunettes en un geste rituel qui nous faisait présager une réflexion incongrue. La nappe cirée me rafraîchit le front. Perdu, orphelin, je suis à bout de souvenirs et de désolation. Je pouvais le haïr et l'aimer, le perdre et le retrouver, je pouvais me pendre à ses basques et me laisser tomber. Je pouvais... Lui ne pouvait plus rien ; depuis le début, avant l'éveil de la conscience. Pourquoi n'a-t-il pas commenté le titre du poème ? Je dormais tout en restant aux aguets. Qu'a-t-il exactement dit ? Répondait-il à une question ? Désirait-il conclure sur une note provocante ? Lançait-il hors de lui, devant lui, des mots qui l'entraîneraient loin de toute prévision ? Et moi, m'étais-je à dessein enseveli dans l'hébétude du sommeil pour ne pas entendre, pour ne pas recevoir comme un appel, en être chargé ? Nous sommes allés au Népal, puis au parc. De cela, je suis certain. Nous nous sommes reconnus sans le manifester. Il se mourait. Moi aussi. Chacun à sa manière. Tous deux ensemble. L'espace d'une minute, nous avons formé un lieu de connivence, un pays. Une promesse ? Non. Nous sommes tous des exilés. Nous ne rentrerons pas au pays. *Il n'y a pas, il n'y a jamais eu, il n'y aura jamais de pays.* C'était, textuellement, la phrase. Le lieu n'est que d'angoisse, une étroitesse, un resserrement d'être. La lutte, inutile, se donne des airs d'y croire, d'espérer que la vie triomphera. Mais il est sur son banc, défait, décomposé. Il n'attendait rien d'autre. Je n'irai pas au bureau. Ni sur sa tombe, si on lui en donne une. Je n'irai pas. Je mourrai sans mourir. Alouette, caille, chardonneret, quand vous reviendrez du soleil, quand vous rentrerez au pays agonisant, vos ombres se déchiquetant aux aspérités du sol, chantez, je vous prie, chantez à vous étouffer.

LA POUSSIÈRE DU CHEMIN

Essais

*Nous faisons nos chemins
comme le feu ses étincelles.
Sans plan cadastral.*

RENÉ CHAR

AVERTISSEMENT

De quoi pourrais-je bien vous avertir ? Et de quel droit me prendrais-je pour un signal d'alarme ? Pas question de faire accourir les pompiers. Il y a belle lurette que le feu analphabète a terminé son œuvre. Mon livre n'est donc plus bon à brûler. On peut le lire sans craindre de perdre sa réputation. Quant à y perdre son temps, pourquoi pas ? C'est un luxe rare, de nos jours, que de s'ennuyer par trop de littérature et de philosophie. D'ailleurs, celles-ci en ces pages demeurent modestes, en tout cas fort incertaines. Qui sait ? Peut-être qu'une ou deux petites poussières vous resteront dans l'œil assez longtemps pour que vous voyiez autrement : vous-même, votre entourage, et quelque lointain devenu trop proche. Mais cet espoir vient de ma vanité d'auteur. Ça m'apprendra à me préfacer. On a beau enlever ses masques jusqu'au visage, il reste qu'on a oublié d'ôter ses gants. Tout cela pour vous dire, sans rapport aucun, que je me suis toujours étonné qu'on taxe de paresse quiconque publie un recueil d'articles. C'est d'une part affaire de préférence entre le pavé ou le mille-feuilles. Et d'autre part, un faux problème, dans la mesure où écrire et penser n'a guère à voir avec la continuité apparente. Enfin, vous apercevez d'ici les sueurs d'angoisse où manquerait de se noyer mon éditeur si je vous offrais un gros traité sur les métamorphoses de la métaphore ? Ou une étude exhaustive des anacoluthes dans l'œuvre de Saint-Simon ? Les critiques, alors, ne m'accommoderaient-ils pas à l'étouffée ? Bref, nous sommes tous avertis : voici un livre qui est plusieurs pour le prix d'un seul, qui ne m'a pas coûté beaucoup d'efforts et dont vous pourrez aisément parler à vos amis — ils ne l'auront pas lu.

I

LETTRE

À DES AMIS INCONNUS

Vous me demandez ce qu'est mon pays. Je vais sans doute vous décevoir par mes propos à bâtons rompus. Mais en témoignant avec toute ma subjectivité, je me dis qu'au moins je ne vous mentirai pas.

Début mai. À Montréal, on sue à grosses gouttes. Hier, on claquait des dents. C'est le printemps, notre printemps : bref, soudain, brutal même. Tout pourrait s'expliquer (on l'a tenté maintes fois) par les saisons. L'hiver qui n'en finit plus et qui nous oblige, sous peine de macérer dans une rumination paralysante, à nous secouer, agir, créer. L'été nous semble si loin que déjà nous le réinventons, nous le mettons en histoire et en légende, toutes deux bien emmêlées, allez donc vous y reconnaître, et la mémoire se mue en vision d'avenir, oui, nous projetons sous une poussée rétroactive. Nous ne disons pas : «Je ferai», mais : «J'aurai fait». Une partie de notre vie se déroule au futur antérieur. Nous ne risquons guère le sur-place, le froid nous force d'avancer — les yeux derrière la tête ; comme des Orphées rusant, mi-moqueurs, mi-nostalgiques, avec les codes, les formules, les décrets, les interdits. Nous nous découvrons patients et anxieux, graves et légers, prompts à la familiarité, vite oublieux de ce qui nous émouvait. L'automne, ah ! l'automne est notre espoir, notre naissance et notre révolte. Tout le branle-bas (et le brouillamini) se passe de la mi-septembre à la fin d'octobre. Nous rentrons hors de nous-mêmes, nous occupons les lieux publics — et les lieux communs : nous promettons de tout changer. Nous nous mettons à l'œuvre sans tarder. Vient novembre. Le vent coupant, la pluie rageuse, la neige molle. Nous frissonnons, est-ce de peur ? Non, d'étonnement. Une horreur lente et tranquille nous apparaît peu à peu plausible, puis inévitable. Nous hivernons. Une fois de plus, nous n'aurons pas eu d'été, ou si peu. La douceur de vivre, abandonnés à nous-mêmes et aux autres, ce sera pour dans très bientôt et très longtemps. Après l'hiver.

Les saisons passent. Nous demeurons. Notre courte histoire ressemble à un album de famille. Nous nous connaissons tous, du manœuvre au premier ministre. Nous nous accordons une âme collective. Quelle est-elle ? Nous l'ignorons. Nos romans et nos chansons, nos films et nos tableaux, nos façons de bâtir, de manger, de jouer, de souffrir, d'aimer, tout notre être répandu en ouvrages et en activités n'a de cesse qu'il n'ait esquissé une réponse qui n'existe pas mais qui, pendant que nous la cherchons, donne le sentiment d'exister.

Existons-nous vraiment? Nos poètes, d'Émile Nelligan à Michel Beaulieu en passant par Saint-Denys Garneau et Gaston Miron, reprennent inlassablement ce thème problématique. Parfois dans la dérision, parfois dans l'amertume. Notre tendresse native n'a pas le temps, n'a jamais eu le temps de s'épanouir et de s'affermir. Nous devons sans cesse résister, protester, calculer, refuser. Pourquoi? Le temps nous manque; nous avons l'impression qu'il ne nous fait pas confiance. Et nous ne comprenons pas. Une culture, nous le savons, s'élabore avec le temps (dans et par le temps), et si notre passé ne pèse pas lourd (ce qui est une occasion de liberté), notre avenir semble plutôt précaire. Nous nous rabattons sur le présent, presque au jour le jour. C'est qu'il y a beaucoup d'espace, beaucoup trop d'espace entre nous — et en nous. L'espace nous tient lieu de temps. Nous avons gardé de nos ancêtres l'habitude de prolonger les soirées fort avant dans la nuit. Être ensemble, partager la chaleur entre amis ou parents, nous rapprocher, nous confondre presque, c'est abolir l'étendue qui divise et esseule, c'est aussi magnifier l'instant vécu et faire du temps qu'il fait, le seul temps que nous ayons, un moment de bonheur et de vraisemblance. Alors, nous voyons les uns dans les autres qui nous sommes. Des courants de rire et de parole nous tricotent serré une affectivité commune.

Peut-être que je rêve. Pourtant, je vois cela dans les films de Jean Pierre Lefebvre et dans les livres de Réjean Ducharme. Ce n'est pas une affaire d'optimisme ou de pessimisme, non, c'est une question de métaphysique quotidienne; il s'agit pour nous, naïfs et volontaires, de tourner à notre avantage notre sentiment de petitesse et de fragilité. La contingence du monde (et celle du moi), nous l'éprouvons si profondément (et obscurément) qu'un rien nous rassure. Le roman de Gabrielle Roy porte bien son titre: *Bonheur d'occasion*. Encore le temps avec qui nous devons ruser. Et l'espace sauvage qu'il faut apprivoiser. Des bois gravés de René Derouin donnent une vue angoissante des étendues nordiques; on jurerait devant ce tellurisme tourmenté qu'ici rien n'arrive par les voies d'un naturel bienveillant à l'humain. Le fleuve Saint-Laurent reste une blessure béante et qui emporte vers la mer le souvenir des glaciers. Nos montagnes attestent d'une grande vieillesse. Et nous nous sentons si jeunes, si en appétit de vivre. Notre fond de prudence paysanne se heurte à l'instinct du coureur des bois. Villageois et voyageurs, nous voulons tout connaître du monde, pourvu que soit assuré le retour à la maison. La chanson québécoise célèbre ainsi des épopées imaginaires; et il se trouve que nos écrivains se montrent plus volontiers raconteurs que penseurs. Les poètes pullulent et les philosophes brillent par leur rareté. Nous ne sommes pas brouillés avec la pensée spéculative, nous en sommes encore à nous éprouver dans la sensation, nous n'avons pas vraiment opéré le passage du sensible à l'intellectuel par quoi ce qui se gagne en capacité d'abstraction se perd en faculté de s'émouvoir. Je m'explique ainsi que nous ayons été si perméables à des phénomènes comme le surréalisme (dernière manière), l'existentialisme et la contre-culture américaine, alors que toutes les dérives du structuralisme ont l'air chez certains d'entre nous diablement artificielles. Mais c'est encore une façon de se rattraper, moins sur le temps perdu que sur le temps qui a passé tout droit.

Peut-être que j'exagère. Je ne crois pas forcer le trait quand je considère à quel point nous sommes des êtres simples et complexes dans notre recours au langage. On nous a longtemps persuadés que nous parlions mal, que nous avions transformé le français en une espèce de jargon local. Certains auteurs se réclamèrent du *joual* (contraction de *cheval*) pour mieux affirmer, avec toute l'agressivité nécessaire, la profondeur à laquelle nous atteignait cette agression culturelle. Nous avions toutefois la certitude que notre langage était conforme à notre vie : direct, concret, désarmé, sans fioritures. Ainsi parlent les personnages de nos films, de nos romans, de nos pièces de théâtre. Il advient qu'à la radio et à la télévision la surenchère avilisse cette authenticité. La question de la langue n'est finalement pas réductible à une rapide psycho-sociologie. Le mouvement féministe, très dynamique, nous a confrontés avec les sous-entendus, les déviations de sens. Notre façon de vivre le langage tient du refoulement et de l'exhibitionnisme. Non, il n'est pas entièrement vrai que nous parlions selon notre être. Les nouvelles écritures littéraires prouvent sans conteste notre errance langagière. Nous commençons à peine à nous convaincre que notre littérature existe. C'était lancinant, cette incertitude, au point que chaque année nous guettions le chef-d'œuvre, le livre définitif. Il nous reste des séquelles de ce traumatisme : un écrivain montre-t-il quelque talent, vite nous le couvrons (au risque de l'étouffer) d'honneurs, de prix et même de thèses universitaires. Nous ne voulons pas rater la circonstance. Le bonheur d'occasion. Les grands modèles classiques ne nous guident pas ; ils ne nous intimident pas non plus. Sans héritage et sans possession, nous sommes condamnés à l'invention. À une responsabilité langagière sans commune mesure avec la réalité linguistique. Chacune ou chacun qui prend la parole prend toute notre existence à témoin ; sur-le-champ. Cela donne une littérature qui parfois bafouille ou se guinde. La légèreté, l'ellipse, la limpidité, l'humour, toutes les valeurs transparentes d'une conscience non dominée, nous les dévaluons souvent. Divisés contre nous-mêmes, nous restons incapables d'extrémisme ; nos œuvres et nos actions les plus débridées n'excèdent guère l'audace ou la fièvre passagères. Nous préférons nous confiner à notre habitude d'accueillir les contraires et de les faire cohabiter. La tolérance n'est pas une médiocrité qui se donne des airs entendus, c'est une conduite culturelle qui requiert le courage plutôt que l'héroïsme. Notre langue, douloureuse et savoureuse, marquée de plaisanteries et de jurons sonores, malhabile selon les normes classiques et bourgeoises, primesautière — les baroquismes y coulent de source —, notre langue écrite et parlée trahit notre secret : notre être à nous-mêmes et au monde est de nature problématique. Et telle notre culture.

Dans son beau livre *Salut Galarneau* (bonjour soleil), Jacques Godbout a parfaitement romancé notre façon de vivre, de sentir, de penser. Voilà un jeune homme semblable à tous les jeunes gens des pays occidentaux. Il mange et boit à l'américaine, il s'amuse à la canadienne, il parle aussi bien à la française qu'à la québécoise ; bref, à travers diverses modalités d'être, il se cherche une identité. Il finira par s'emmurer, lui, si apte à l'altérité. Aveu de défaite ? Névrose irrépressible ? Le soleil tirera la conclusion cachée en pénétrant à l'intérieur des murs, de la maison, du corps, de l'esprit. Les impertinences du personnage se subtilisent jusqu'à l'imperceptible. Le livre est fini depuis belle lurette, mais la lecture rêvante et méditante continue. Nous sommes à cette image : avec un complexe de vaincus, de laissés pour compte, de rebuts de l'histoire — et une confiance intuable, qui colle à la peau, amoureuse de tous les possibles.

Cette permanente contradiction engendre une culture, on l'aura deviné, aussi ouverte que fermée. Nous tenons mordicus à nos manies journalières. Le théâtre regorge de situations qui nous représentent à nous-mêmes, souvent avec un comique féroce, et qui dévoilent l'envers des petites choses où se trame le train-train de nos vies. Par ailleurs, la peinture, depuis Pellan, Borduas et Riopelle, nous fait violence, débusque notre apparent confort et nous jette en pleine confusion. Le risque ici ne manque pas, ni même le désir de choquer ou de séduire, selon les styles et les tempéraments. Lorsque Fernand Toupin, travaillant une pâte épaisse et craquelante, peignait ses séries d'automne, de nuit, de blancheur, il inscrivait sur la toile notre violence rentrée. S'en rendait-il compte ? Filles et fils de personne, nous n'avouons pas ouvertement notre bâtardise ; celle-ci forme de nos œuvres le noyau matriciel. Nous gardons encore le sentiment d'avoir été abandonnés en ce pays un matin de rupture et de fuite. Cela se retrouve dans le roman d'André Langevin, *Une chaîne dans le parc*. Et, paradoxalement, cette privation parentale nous délivre de la nécessité du culte, de la crainte et de l'adoration. Nus et neufs, muets et braillards, nous voilà sous un ciel vide et proche, perdus dans nos songeries adolescentes, éperdus de partage et de communion. Nous n'avons pas d'histoire? Tant pis et tant mieux. L'histoire ne nous aura pas. Albert Dumouchel, maître graveur, a fait comme si avant lui nulle part on n'avait incisé le bois ou mordu le métal. Il a recommencé l'aventure. Avec, bien sûr, des emprunts (et même des larcins) à ses devanciers, mais mine de rien, l'air de ne pas y toucher. Cette façon de ruser a permis que la violence ne nous détruise pas. Quand nous en faisons trop, quand nous nous affichons avec jactance, c'est que nous oublions (ou méprisons) les richesses que recèle notre pauvreté.

J'irai plus loin en soutenant que notre insignifiance devant le monde nous permet de ne pas être dupes. Les idéologies d'emprunt nous arrivent, comme les bananes, ou trop vertes ou défraîchies. Et puis, nous sommes lents à comprendre, c'est à travers les émotions vives, et à leur faveur, que notre intellect se met en branle. Un peu comme les Amérindiens, qu'a bien sentis le romancier Yves Thériault, nous mesurons toute chose et tout être à sa résistance aux intempéries (intérieures autant qu'extérieures). Les modes, nous les adoptons et nous les portons, mais en nous disant qu'elles ne passeront pas l'hiver. Influençables et butés, nous allons au monde le sourire aux lèvres, le cœur sur la main, et les pieds prêts à la fuite. Compter pour peu dans la hiérarchie des importants, c'est ne pas être dans l'obligation de jouer un rôle. Ne pas avoir de place définie évite d'apprendre à la tenir. Et le reste à l'avenant. Donc, notre culture, selon l'ancienne étymologie, nous est une manière inaliénable d'habiter ce monde en squatters.

Il faut en revenir au temps. La façon de le vivre caractérise notre culture profonde. Si nous désirons follement nous délimiter un territoire, une aire d'existence, c'est pour jouir enfin de ce temps qui nous manque. Pour sortir, si peu que ce soit, de l'hiver psychique. Pour vivre et pour mourir, et pour que ça fasse sens, chaque jour, chaque nuit. Dans nos œuvres artistiques alternent ou se combinent l'enthousiasme et la morosité, la bravade et le ton feutré, la couleur et la grisaille, le bavardage et la réticence. Notre culture tente par tous les moyens de ne pas en rester au problématique et d'arriver au symbolique. Apprivoiser le temps, lui laisser une place dans notre espace d'enfermement, celle qu'il préférera, et toute la place au besoin; il faudra bien qu'au bout du compte il nous accueille dans son mystère et sa banalité. Nous n'en deviendrons ni plus heureux ni plus malheureux; simplement, nous serons au monde, nous aurons loisir de nous inventer une généalogie fabuleuse comme tous les enfants de la temporalité. Tel me paraît être l'enjeu caché de notre culture et des œuvres qu'elle suscite actuellement. Je le perçois partout comme naguère dans ce que nous appelions avec ambiguïté *Poèmes et chansons de la résistance*. Ce quasi-slogan connotait un malentendu. À qui, à quoi résistons-nous ? Les idéologues à la petite semaine souriaient d'un air entendu ; ils n'y entendaient goutte. Sans nous en douter, nous résistions, par la voix des poètes, au dégoût de nous-mêmes, à l'à-quoi-bon corrosif, au désir sans objet, fatigué de son vagabondage, tenté de s'établir dans sa frustration en la sacralisant. La conscience mystifiée s'invente des droits sacrés qui de toute évidence seront violés. La faute alors, toute la faute, est mise sur le dos de l'Autre. On s'allège ainsi, et on se justifie de vivre mal. Et l'on n'a plus charge d'actualiser les possibles. Une culture, habitation du temps qui s'en va et qui s'en vient, tourne le destin en choix historique. Nous n'avons pas élaboré de systèmes philosophiques sur nous-mêmes, nous avons plutôt, dans le concert des peuples, parmi la grandeur tragique et la bêtise ricaneuse, laissé une chance, et ce n'est pas la dernière, à notre bâtardise de parler sa langue bâtarde, de dire en mots, en images, en gestes, en musiques et en matières et manières de toutes sortes, de crier-murmurer que, ma foi, une identité ne se déclare qu'à elle-même. La liberté se prend dans la non-liberté. Comme le temps, que l'on finit par trouver là où il semblait manquer. Là, c'est ici. Notre culture n'est peut-être pas très réussie. Qu'importe. Nous continuerons, nous travaillerons, et soudain le repos nous prendra dans ses bras, lentement, avec une douceur parentale, il nous portera au lit de notre vieille enfance. Nous aurons vécu.

Le futur antérieur ne nous lâche pas d'une semelle. Il s'y connaît en bonnes affaires. Sans doute me suis-je abusé. Le temps ne nous a pas abandonnés. L'histoire du monde tremble au coin de la rue où j'achève ma méditation. Fin décembre. Ai-je bougé depuis six mois ? Les gens rentrent à la maison. Le froid règne. L'hiver vient d'avaler l'automne. Où est-il passé, mon bel été ? Je vous en ai fait cadeau.

1982

II
ÉCARTS

DRÔLE DE MÉTIER

Ça n'y paraît pas ; mes mains ne sont ni calleuses ni encrassées. Depuis trente-cinq ans que je fréquente assidûment (à peu près) l'école, j'ai toujours pratiqué un second métier : livreur de journaux, messager, porteur de sacs et bâtons de golfeurs, surveillant de tricoteuses (mécaniques), cireur de chaussures, arracheur de clous, débardeur, et quoi encore, en construction, démolition, confiserie, montage à la chaîne, décalcomanie, beaucoup de choses me sont passées par les mains, des grilles de radiateur, des moulinets, des chocolats, des poudres, des pâtes, des poutres de bois, des barils d'essence, de la chaux, du sucre, du mortier, de la peinture, du fer, des briques, de l'amiante, du lait, de l'huile, du pain, de la corne, un peu de sang, de grandes lassitudes et pas mal de savon. Non, ça n'y paraît pas ; mes mains ne ressemblent pas à celles d'un ouvrier. Étudiant à temps partiel, du jour au lendemain je me retrouve professeur à temps plein. Promis à une espèce de « carrière » (ce mot prétentieux n'évoque en moi que les carrières de « Miron et Frères » où j'ai suffoqué, dix heures par jour, pendant une quinzaine, cassant de la pierre avec un marteau pneumatique qui me secoue encore le trémolo, surtout par ces nuits gluantes d'été où je cauchemarde sur ceux qui font carrière au fond de cette maudite carrière), donc accoté pour ainsi dire (et je le dis) au destin type d'un intellectuel québécois, je n'ai pas cessé d'être aux prises avec toutes sortes de seconds métiers. Où je fus toujours malhabile et pourtant (ou justement...) bien chez moi.

Écrire et dessiner, ces passions tout au long des années restent intactes ; je ne les ai jamais « pratiquées », je ne m'y suis jamais prêté. Elles m'ont possédé, elles me possèdent et me posséderont jusqu'au bout de la rue. Curieusement, si l'on m'interroge sur mon « second métier d'écrivain », l'enseignement, je constate qu'en moi toutes ces appellations et distinctions, « travail », « métier », « passion », se mêlent et se confondent, ou plutôt forment un halo vivant, vibrant, autour d'un noyau magique et qui dès mon enfance fut démons et merveilles : un livre. On raconte et répète volontiers que la vie et les livres ça n'est pas pareil, que ça s'oppose souvent. Je n'en crois rien.

Second métier... Non, décidément, écrire n'est pas un métier, conséquemment donc le fameux second métier n'existe pas (parole de professeur). Et enseigner, ce n'est pas non plus un métier. Tâche, travail, service, recherche, engagement, tout ce qu'on voudra, sauf un métier. Bon, je m'empêtre, m'enferre, m'enfarge, m'enfirouape — autant me dédire : en fait, et définitivement comme disent les interviewés, je ne me connais qu'un seul métier. Lire.

Un livre, je prends ça comme mon ami menuisier une bonne planche de pin blanc. Il l'éprouve du bout des doigts pour distinguer son grain, ses passages du lisse au rugueux, il l'éprouve aussi, lentement, du poignet, par une pesée qui mesure sa résistance, son humidité, sa souplesse ; même qu'il la renifle à petits coups, les relents de résine trahissent les secrets du cœur autant que de l'aubier, le friable ou le pétrifié des nœuds, ils rappellent le voisinage d'une écorce juteuse et donnent le goût de travailler avec rythme et plaisir. Tout se passe en une fraction de seconde et bientôt le bois troué, déchiré, charcuté, raboté, se lamente de volupté. Voilà ce que j'appelle un métier. J'aime le bois pour lui-même et pour les livres qu'il nous donne. Les livres, je les soupèse, je hume leur encre ou leur colle fraîche, et la main posée à plat sur les feuilles imite bien l'action de raboter ; une page bouffante ne se lit pas de la même manière qu'une page toute roide. La luisance et la matité des surfaces, l'épaisseur du papier, son degré de saturation en blancheur, tous ces caractères secondaires influent sur la lecture. Et je ne parle pas de la typographie, système sanguin et nerveux, organisme qui affirme son caractère propre. Plaisirs d'esthète ? Raffinements rococo-byzantino-réactionnaires ? Mes yeux ! Quand on s'empresse, comme on dit en langage impeccable, d'aller à l'essentiel, sans taponner, on s'abonne pour la vie à l'abstraction. Lire un livre devrait occuper autant le corps que l'esprit.

Lorsqu'une lecture me laisse sur ma faim ou me suralimente, j'écris. J'écris pour avoir lu et pour mieux lire. Écrivain amateur, je considère l'écriture comme un bricolage, comme une débrouillardise à la fois angoissée et désangoissante, comme un type de communication qui se réalise hors du champ communicatif, comme... mais les «comme» ici pourraient s'allonger à l'infini. Une nuit, alors que je travaillais au bureau de poste à classer les lettres et colis provenant de l'étranger, je m'étais ému (bêtement, car on riait de moi), je m'étais étonné d'un étonnement fou devant toutes ces écritures qui par leur dessin trahissaient les plus grossières et les plus subtiles passions. Je découvrais la poésie calligraphique. Et j'avais encore plus le désir d'écrire comme d'autres l'ont de chanter, de danser, de jouer. Il y avait là, obscurément, une leçon que je n'ai jamais désapprise : quand on écrit, ce n'est pas *pour* quelqu'un (méprise née du mépris), mais *à* quelqu'un (connu-inconnu). Encore plus : on écrit ne sachant pas ce qu'on va dire ni pourquoi on dit quelque chose. Les pseudo-théories de l'engagement et de la responsabilité ne tiennent pas devant ce fait tout simple, désarmant : la parole humaine la plus banale (la plus codifiée) ne se réduit pas complètement au système de la langue. Cette irréductibilité, souvent imperceptible, fonde l'entreprise d'écrire. Et ce qu'il faut bien appeler (ça fait grincer des dents) sa gratuité. Quand les hommes (tous les hommes, chacun des hommes) ne parleront plus que pour dire quelque chose d'utile, d'efficace, de compréhensible, de traductible, alors auront disparu la littérature, la poésie, le théâtre, et aussi le silence. Je crois corps et âme qu'écrire est une dépense absolue, un luxe indéfendable — et que par là le nécessaire prend sens et saveur. Sinon, si nous ne tolérons pas le «jeu» (au sens physique et psychique) entre nous et entre les choses, si nous interdisons aux signes les espiègleries dans le plus grave et les gravités dans le plus anodin, nous clôturons d'insignifiance tout l'ensemble de nos significations. Et la mort, éreintée par la torture, n'est plus que solitude et déréliction.

Je me suis emballé comme un cheval nerveux en fin de course. Mais quoi ! je ne peux admettre qu'écrire soit devenu un métier, je ne peux admettre qu'on terrorise l'écriture sous prétexte de la rendre utile et comptable et qu'elle ne produise plus que des «bonnes œuvres» (quant à l'écriture «politique», pour en rendre compte justement, il faudrait une parenthèse de plusieurs pages — et un déplacement des guillemets). Indécrottable naïf, je crois encore que le pire nous fait signe tant qu'il recèle un possible contradictoire. Autrement dit : le dernier degré de l'horrible reste en deçà du dicible (avec ou sans mots) parce que, précisément, il n'est pas un au-delà. Nous avons été, les uns pour les autres, au cours de l'histoire, d'une cruauté sans borne, nous le serons sans doute encore, mais jamais nous n'aurons réussi à tuer ce minimum de sens : la mort n'existe que par la vie (et pour ce coup-ci Lapalisse peut aller au diable). La mort (collective et personnelle) fait problème, la souffrance fait mal. Un problème, ça se discute, ça pose des questions, ça fournit des réponses, ça reste praticable comme un chemin, mais le mal ? On a vu pourtant, on voit et on verra des êtres et des groupes, immergés dans le mal abject, réussir ce prodige de désinvolture : rire et pleurer, trouvant en eux une source cachée par où coule un diamant liquide, un sentiment né de l'insensible. C'est cela, cette valeur du petit reste, que je revendique pour l'écriture, cette infime possibilité de ressurgir lumineux d'un abîme d'ombre, de décontenancer par une esquisse de danse les démarches les plus sérieuses et les plus importantes. Oui, le poétique porte le politique sur ses épaules d'enfant. Je retrouve dans de vieux papiers quelques pages écrites par un déporté à Buchenwald. Des hommes bannis de l'humain, vidés comme des yeux crevés, n'ayant plus rien à sucer dans leur os, trouvent encore la faiblesse (signe de vie...) de pleurer à cause d'une musique. C'est cela même écrire gratuitement (c'est-à-dire politiquement) : sans métier, sans mission, sans salaire ni statut social et surtout sans tenir un rôle. Mais avec bonheur et simplicité, pour que ce soit beau et vrai, et tous ces mots éculés, rançonnés, traîtres-trahis, qui ont fait partout le pitre et la putain, ces mots menteurs et pourtant de liberté rieuse-anxieuse, je n'ai pas envie de les abandonner à l'impuissance des puissants. Écrivons-les. Écrivons-nous. Écrivons-les-nous. Et téléphonons moins.

1974

EXISTONS-NOUS ?

L'existentialisme... on n'a pas idée, non, de débander une pareille momie ? Si je farfouillais dans les cahiers de mes «Mémoires» (qui n'existent pas), je finirais par trouver une date : 20 février 1951. L'hôpital. J'ai dix-sept ans. Lent réveil, brumeux, douloureux, et puis encore un sommeil de perdition. J'apprendrai plus tard que l'opération a réussi ; on ne m'a pas trop charcuté. Des amis viennent me visiter. Nous parlons peu. J'ai dix-sept ans, j'ai mal de m'éveiller tout à fait à la vie bête, incompréhensible, et savoureuse malgré tout comme une pomme d'octobre, dure, acide, et dont le jus n'a pas son pareil pour imprégner les lèvres, la bouche et la gorge d'un plaisir plein d'appréhension.

J'ai envie de dérailler, j'ai envie encore aujourd'hui d'avoir mal, délicieusement, à ma jeunesse, et que tous les importants aillent se faire voir, montrables ou pas, j'en ai par-dessus l'escabeau de ces terreurs de paroisse qui parlent haut pour mieux donner dans la bassesse, qui vous intiment l'ordre d'être à l'ordre du jour ; c'est vrai que je suis «kétaine» (ou «quétaine», en tout cas ça revient au même, ça intimide ceux qui ont peur d'être dépassés par leur ombre). Bon. La vie, la vie quotidienne, celle qui jamais ne compte plus de vingt-quatre heures et dure parfois un couic ou une éternité, c'est faux qu'elle soit moche, triste, ennuyeuse, et tout le bataclan des batraciens télévisuels ; difficile, exigeante, oui, demandant plus de courage que d'héroïsme, oui-oui. Je l'aime ainsi. Vieille et toute neuve. Seul lieu habitable. «Le fait d'exister nous a été confié comme bien et comme corps pour réaliser notre substance originelle. » Jaspers écrit cette phrase en 1937, veille de Munich, avant-veille d'une tuerie qui a bafoué définitivement tous les programmes de bonheur collectif.

Encore un jour, encore une nuit, mais pas les mêmes qu'hier et demain. Le chien de la voisine d'en arrière, côté ouest-nord, et le vent souffle de là, sans se presser tant il a envie par cette tiédeur septembreuse de marcher un bon coup, de pincer les hanches des arbres, de flairer les poubelles rejetées sur le flanc par les boueurs de l'aube, bref ce petit râleux de chien blanc-caille jappe et rejappe à s'époumonner et à me faire grimper dans les rideaux — ou aux murs, chez moi quand je suis parti pour l'hôpital il n'y avait pas de rideaux à cause de l'hiver et du chômage; les fenêtres givrées, je continuais à les égratigner de l'ongle, textes et dessins d'un enfant tapi dans l'adolescence s'évanouissaient au soleil de midi comme s'évanouit tout un monde au tournant de la quarantaine. Pour l'instant, je me marmonne que voilà mon premier con de la journée, mais lui, ce gueulard sur quatre pattes, il a au moins l'excuse de ne pas se donner pour un homme. Il existe, le pauvre, il n'en sait rien, le chanceux.

Un ami m'avait laissé, à l'hôpital, un exemplaire de la *Revue de la pensée française,* un affreux « digest » à couverture jaune pipi et où je trouvai, signé Jean-Paul Sartre, un texte énigmatique: *Qu'est-ce que l'existentialisme?* Ah mes aïeux! que j'ai peiné sur ces explications compliquées, des plans pour qu'on m'expédie aux « soins intensifs »; un infirmier, mi-gorille, mi-frère enseignant, me lorgnait de loin chaque fois que je plongeais le nez dans ma revue. « Tu lis des histoires cochonnes ? » Mon voisin de lit, qui jouait les mourants chaque nuit pour attirer l'infirmière le plus près possible, me considère avec des yeux larges comme des soucoupes prêtes à s'envoler jusqu'audessus de mon épaule. « Non, c'est de la philosophie, ça parle d'existentialisme. » Ma réponse a failli le rendre comateux pour de bon. Et moi, je n'en mène pas large avec le Jean-Paul qui vous enfile les concepts, à croire que ce sont des lapines. Dix ans après, je tomberai en arrêt devant une affirmation de Jaspers (« Il n'y a pas d'existentialisme, il y a Sartre. »), qui me laissera sceptique. La philosophie existentielle a tout de même ses lettres de noblesse et des ancêtres respectables: Héraclite, penseur de la mouvance; Lucrèce, qui a vu dans le désespoir un effet de la lucidité (comme Hamlet); Augustin (mais je préfère l'autre Augustin, un Anglais, à cause de son humour: « Seigneur, rendez-moi pur, mais pas tout de suite! »); Abélard, Kierkegaard et même Nietzsche. Sartre, après Chestov, Jaspers et Heidegger, avec Camus et Marcel, privilégie le vécu par rapport au connu. Tout cela finit par me rendre inquiet et inquiétant et par hâter ma sortie de l'hôpital. J'irai faire un tour à la Petite Europe, haut lieu de l'avant-garde montréalaise. C'est là qu'un soir de désœuvrement j'échouai à une table vide comme le non-être; devant moi, une grande fille, noire de cheveux et blanche de peau, se balance lentement, sur un pied, puis sur l'autre, j'en ai le vertige, tenant ouvert dans ses mains un gros livre. J'apprendrai par la suite que c'est *L'Être et le néant.* Une vraie bible, à l'époque. L'exemplaire de la fille n'était pas coupé. À mon regard interrogateur elle avait simplement répondu: « C'est pas nécessaire de tout lire; il suffit de suivre le fil ». Ce sacré fil, je ne l'ai jamais démêlé. À l'hôpital, mon ami m'avait assommé avec une espèce de cours sur l'angoisse existentialiste; comme la plupart des lecteurs de Sartre, il n'avait guère lu que l'*Introduction*. Oui, je me souviens qu'il s'était longuement étendu sur une histoire de petits pois, qui constitue le morceau de résistance (le plus facile à gober) de cet almanach du penseur-pas-comme-il-faut.

Il fait décidément sombre là-dedans. La journée sera mauvaise, je le jurerais. Mon petit chien a fini de japper. Et moi je n'ai pas fini de m'interroger. Jusqu'à quel point ceux qui ont quarante ans ont-ils été marqués par l'existentialisme ? Quel existentialisme ? Celui de Boris Vian, de Juliette Gréco et de Mouloudji ? Ou celui de notre automatisme québécois ? Ou celui de Camus, le Camus de *L'Étranger* que tous les collégiens lisaient, ouvertement ou clandestinement ? Si on m'avait gardé plus longtemps à l'hôpital, j'aurais peut-être pu répondre à ces questions. Mais non. Voilà qu'un beau matin d'hiver où il fait froid à écorcher les pierres, je me retrouve tout perdu parmi mes camarades. Nous faisions alors nos « classes parallèles » avec Grandbois, Hébert, Ferron, Langevin, nous discutions à bout d'haleine et de la guerre de Corée et du maccarthysme américain. Duplessis régnait. Mais, curieusement, nous n'éprouvions pas le sentiment d'appartenir à quelque génération perdue ou sacrifiée. Bien au contraire. Nous n'étions qu'appétit de vivre, de savoir, de savourer, d'agir, de rêver, de faire des tas de choses, et puis de les défaire pour en refaire d'autres. C'est pourquoi je me sentais si bien à l'hôpital, et pourquoi je ne me fichais pas de répondre aux fichues questions d'un existentialisme venu d'ailleurs — et d'ailleurs mal venu.

Les caves de Saint-Germain-des-Prés, était-ce des lieux ou des personnes ? La nausée qui naît de l'englument dans une existence bouchée, nous l'ignorions. Dépaysé, à la lettre, notre malaise restait innommable. Et qui d'entre nous aurait pu débrouiller les rapports subtils de l'en-soi et du pour-soi ? En tout cas, pas mon emmerdeur de chien qui s'est remis à japper. Je reste à la fenêtre, songeur dans mon âge d'homme, et depuis vingt ans j'ai beaucoup lu, beaucoup appris, mais je n'ai pas beaucoup compris. J'ai trop manqué au silence, au vrai, celui qui suggère, doucement, et par les choses les plus simples, d'accueillir l'évidence d'être, de la recevoir comme une bonne nouvelle, un « bonjour » en passant, vous savez, ce genre de nouvelle qui n'augmente pas le tirage des quotidiens. Bon. Où en étais-je ? Tout cela est déjà si loin, tout cela est encore trop près.

Une chose me frappe, m'étonne. Nous allions avoir vingt ans et, naturellement, sans même y penser, nous évitions la plupart des « pièges à croyants ». Pour parler net : nous n'avions pas le goût du pouvoir, nulle orthodoxie ne nous enfermait dans ses dogmes, ne nous dictait ses interdits. Nous ne suivions guère l'inconditionnel, nous plongions au centre de la mêlée, nous choisissions pour ou contre, mais les valeurs humaines ne le cédaient pas au sectarisme ni même aux nécessités du moment. Un chien qui jappe, la moiteur d'un lit d'hôpital, entre ces deux sensations je me tiens à la fenêtre et je rêve que pour ma part je serai resté fidèle à cette jeunesse anxieuse et généreuse, brouillonne sans doute, et incapable d'apercevoir les implications proprement politiques de ce qu'on appelle «humanisme» (avec un sourire en coin). L'existentialisme diffus dans lequel nous baignions accusait sa faiblesse : nous demeurions des proies faciles pour les idéologies séduisantes ou engageantes. Mais, par un juste retour des choses, cette philosophie du vécu, et plus vivante que les religions socio-structurelles, nous rendit toujours capables de nous ressourcer, de rafraîchir notre vision du monde. Le substrat phénoménologique des œuvres existentialistes n'émergera qu'après 1960. On voudra en faire, hélas, une épistémologie rigoureuse bien que subtile, apte à épouser les circonvolutions de l'ambiguïté qui marque les opérations de la connaissance. L'analyse discursive estompera la synthèse d'une pensée sauvage et donc ouverte à l'être brut, à l'irruption du désir, à la liberté nue.

Oui, je crois toujours que l'essentiel se joue à la surface des hommes et des événements. À force d'être fascinés par la «profondeur», nous nous laissons absorber par le souci du savoir, d'un savoir théorique et où la théorie, plutôt que de se jeter en avant, de prospecter l'inconnu et l'impensé, s'installe, ordonne, délimite, et bientôt rejette tout ce qui n'arrive pas à s'enfermer dans ses règles impérieuses. Je vais quitter la fenêtre, oublier le chien, l'hôpital et le reste. À qui ai-je parlé, tout ce temps ? Qui peut bien se sentir concerné par une époque bougeant au fond de nous comme un corps étranger ? Tout glisse, tout s'estompe, tout disparaît. Ne demeure qu'un sentiment du tragique — rires et larmes y ont même source — sentiment un peu dépassé maintenant que les pires horreurs trouvent des commanditaires pour nous être offertes en spectacle. L'individuation, le plus précieux rappel de l'existentialisme, est politiquement suspecte. Et pourtant. Aucune collectivité ne peut *tenir ensemble* ou se tenir avec les autres sans cette individuation, cœur secret et mouvant de l'acte d'exister. Nous — qui est ce «nous» ? — n'aurions gardé de notre première jeunesse que cette conviction : nul n'est irremplaçable, chacun est nécessaire, vraiment, nous n'aurions pas vieilli en vain. Je ne connais aucune théorie ni aucune pratique sociale qui vaille la peine qu'on en meure.

Je marche dans la rue, con parmi les cons. Et la vie, qui ne nous ménage pas le pire, nous prodigue le meilleur. Vivre, encore un peu, simplement, vivre dans un espoir fou de ne plus qu'être, ensemble et non confondus, vivre, quelle merveille méconnue. J'en ai presque envie de japper.

1974

JUSTE AVANT 1984

Voici bientôt 1984 ; et je m'interroge. Ne s'est-il donc rien passé depuis que je lisais le roman de George Orwell ? J'avais alors quinze ou seize ans, je rêvais sur des vies de poètes (Rimbaud, Lorca, Nerval) et je ne me sentais nullement attiré par l'histoire. Encore que... ma fascination angoissée à la lecture de *1984* devait correspondre aux obscurs remuements d'une mémoire enfantine. Il y avait eu la guerre, le mélange de chagrin et de pitié, l'incroyable conférence de Yalta ; et peu à peu, sous les apparences d'une scission, d'une nette division idéologique, le monde entier semblait se projeter vers un avenir invivable. Orwell annonçait l'abolition de toute liberté humaine par la plus simple des techniques : on récrirait, au fur et à mesure des besoins politiques, les archives mentales, oui *mentales,* car les témoins, les documents, les pièces à conviction n'ont de pertinence et de crédibilité que par leur insertion dans une stratégie historienne. La chaleur historiale, l'immense mémoire imaginaire qui relie les origines aux commencements, qui peut faire de chaque matin un équinoxe affectif, l'instant vertical où tout finit et tout commence, cette chaleur par quoi, heureusement, l'histoire demeure une science inexacte, par quoi aussi le passé n'est pas forclos, ne cesse pas de passer, cette chaleur venue d'âges sans fond, cette chaleur aimante et souvenante qui redessine inlassablement la figure du monde dans la bouche d'ombre, on allait rigoureusement l'exiler dans le hors-sens.

Voilà quelle fut ma première rencontre avec ce qu'on appelle l'histoire. Une blessure. Une confrontation à la bêtise dont je mesure aujourd'hui qu'elle est infinie. Une obligation subséquente de me retourner, de sauter dans le refus risible et salutaire. 1984 s'amène par le chemin de mes rides, et *tout* ce qu'a prévu Orwell s'est réalisé, se réalise encore. L'histoire, notre histoire plutôt, se répète comme un vieillard pris de confusion.

Jeune étudiant à Paris, j'étais allé voir le film sur la destruction du ghetto de Varsovie, où la voix de Maria Casarès nous pressait de ne pas oublier. Vingt-cinq ans plus tard, Israël se commet dans les massacres du Liban. Ce n'est là qu'un exemple parmi cent mille autres. L'horreur de l'oubli, n'est-ce pas ce qui, paradoxalement, m'a détourné du travail historien ? Que pendant des années j'aie œuvré sous l'étiquette officielle de médiéviste ne change rien à l'affaire. J'ai beaucoup lu les historiens, consulté les «sources», annoté les ouvrages d'historiographie et de philosophie de l'histoire, à vrai dire je n'ai jamais pu être historien, sauf une fois, au cours de mes études — et ce fut un amusement.

Sur les conseils de mon professeur, je me livrai à la chasse au manuscrit, réputé perdu ou caché, de la chronique rédigée par le moine Hélinant de Froidmont au début du treizième siècle. Il s'agissait d'enquêter avec prudence du côté de Beauvais, de remuer l'affaire Combes, de consulter les expertises de Deslilles et, à la Bibliothèque nationale, d'inventorier certains catalogues du département des manuscrits. L'érudition tournait à la partie de plaisir. Bien sûr, les résultats furent négatifs. Mon professeur à qui je remis un volumineux dossier se consola en m'expliquant que la discipline historique avance autant par les échecs que par les réussites; que l'essentiel, c'est de ne pas forcer les faits; que... je ne sais plus. Je n'écoutais guère. Je me remémorais avec gourmandise des sensations de bonheur intellectuel : comme une chronologie pouvait soudain devenir suggestive; comme, sous le fracas des discontinuités événementielles, l'eau du temps coulait, s'insinuait partout, créant une invisible continuité, ironique par cela même qu'elle noyait les contradictions.

Ce fut le seul moment de ma vie où je donnai congé à mon horreur de l'oubli. Le mot «horreur» n'est pas trop fort. Encore maintenant, je reste sidéré devant la fumisterie du *progrès* mis au crédit de la conscience et des sciences dites humaines. Comment admettre que nous avons progressé, au spectacle des techniques de l'avilissement planétaire? Pensée banale, banalisée, justement, par ces techniques aptes à domestiquer même les futuribles. Les historiens actuels prennent en considération leur propre temporalité. Ils n'ont pas suivi la mode structuraliste qui voulait se débarrasser de la diachronie et contribuer à épaissir la couche d'oubli. Ils ont réaménagé leurs tâches d'historien comme travail distancié. Ils ont surtout redéfini l'événement historique comme indéfinissable, comme mouvance mémorable. Ainsi ont-ils réanimé la mémoire. Sans craindre d'échouer ou de se tromper. Sans fermer les possibles. D'autres viendront qui poursuivront le chemin en retournant d'abord sur leurs pas. C'est là la seule façon efficace et honnête de sauver la mémoire de l'asphyxie à laquelle la condamnent les pouvoirs de toutes sortes, de contrer le désir autiste (qui fortifie ces pouvoirs) d'être le premier, le nouveau, le seul; d'être la rature qui progresse vers un avenir assuré. Le triomphe de l'entropie. L'uniformité sans pluriel, sauf celui des uniformes. 1984.

L'histoire, petite ou grande, me passionne. Je n'ignore pas que la biographie est un leurre ; un miroir aux alouettes. Mais je m'y laisse prendre avec une jouissance perverse. La mémoire est trompeuse. Comme les contes d'enfance. Nous fabulons sur notre vie. Les mythes sont l'oxygène de notre imaginaire. Le progrès nous a fait passer de la caverne de Platon aux discothèques stroboscopiques ; y voyons-nous plus clair ? La connaissance historique ne prétend pas nous doter d'une belle psyché à toute épreuve ; elle offre à notre rêverie un savoir mystérieux et qui résiste, qui accuse son altérité. Voilà une bonne manière de dérouter le désir, de l'égarer, de le rendre chercheur et non plus propriétaire et dominateur. Que le Progrès aille rhabiller sa majuscule ; nous n'avançons ni ne reculons. Nous sommes illusionnés par le temps qui nous apporte, nous emporte, et toujours nous déporte. Nous n'avons pas le temps, c'est lui qui nous a. Le néant ricane sous le masque de l'oubli. Le recommencement perpétuel nous guette. Alors, pour rompre le charme mauvais, nous projetons, nous rétrovisons ; nous nous racontons des histoires.

C'est ainsi que Philippe Beaussant, dans un livre passé inaperçu, *Le Biographe*, réinvente l'histoire qu'on n'enseigne jamais parce qu'elle ne fait pas autorité, celle qui musarde, buissonnière, parmi les menus riens dont sont tissés les grands moments. L'étude scientifique du Traité de Vienne vire, à force d'imagination créatrice, d'émotion mémorielle, à la petite anecdote d'un amour déçu, à moins qu'il ne s'agisse, comment savoir, d'une simple déchirure dans l'étoffe impeccable du Savoir historique ?

Le vieil Aristote avait raison : la fable est plus vraie que la réalité. Nous ne voulons savoir que pour mieux croire. Je n'ai jamais rencontré un historien désabusé de ses songes. C'est une chose qui ne s'oublie pas.

1983

SUR LE BOUT DE LA LANGUE

Les métaphores sont l'une des choses
qui me font désespérer de la littérature.

KAFKA

Je me rappelle un coin de rues désert, un matin d'été à Montréal, dans le quartier Rosemont. Tombé de mon enfance sous le soleil, j'ai quinze ans. Je ne me sens plus le fils de personne. Je suis pauvre, et surtout de langage. Ma détresse n'a pas de mots. Un seul désir me possède, et qui m'est inexplicable : étranger de naissance dans ma langue, je veux devenir écrivain, à tout prix. Pour payer ce prix, je devrai me faire riche, le plus possible et le plus tôt possible. J'aurai une langue, toute une langue à moi tout seul. Grammaires et dictionnaires, traités de rhétorique et de stylistique, lectures annotées de ceux qu'on appelle «les maîtres», tout y passera, comme le temps, comme la vie. Et c'est ainsi que je m'éloigne à mon insu de la vie, la quotidienne, celle des origines indélébiles, celle des croissances imprévisibles. Cet éloignement m'a tout de même rapproché des autres. Dans une certaine mesure. Aujourd'hui encore je connais mal les littératures frisonne, sorabe, dalmate, bantoue, carpatorusse, turkestane et mauricienne.

L'ange boutonneux que j'étais se mit à tenir les comptes de ses connaissances littéraires, et la question des littératures nationales n'eut bientôt plus de secret pour lui. Ces littératures existaient, elles formaient des *corpus* de textes ou de traditions orales ; elles étaient nées, pour ce qui concerne l'Occident, au moment où l'Europe médiévale avait besoin d'un contre-poids à l'impérialisme du latin. Comment s'étonner que les consciences nationales et les langues vernaculaires se soient épanouies d'abord dans les Îles de l'ouest puis chez les Scandinaves et chez les Germains, là où l'existence collective se définissait par sa «basse» latinité ? Les mystères de la linguistique ne m'effrayaient pas. Parlait-on de langue véhiculaire, je trouvais sur place la réalité correspondante, c'est-à-dire l'anglais. Je m'appliquais à m'approprier la langue référentiaire, langue de culture savante, langue du sens orienté vers un là-bas nostalgique. Je ressemblais à ces écrivains en exil et qui écrivent pour la traduction. Mais moi, je me ferais en écrivant mon propre traducteur. Oui, comme Kafka, écrivain juif et tchèque de langue allemande et comme Beckett, écrivain irlandais de langues anglaise et française.

J'avais quinze ans et d'un coup de langue livresque je venais de cracher l'amertume d'une vie encore à vivre. Oui, je serais riche, j'aurais deux ou même trois mots pour chaque chose, des tournures de rechange quand ça ne tournerait pas rond, bref je me métaphorisais. C'est mon père et ma mère, ces muets, ces «empêchés», qui seraient fiers de moi, qui prendraient leur revanche à travers moi...

Un jour, à l'heure de midi, j'ai vingt-cinq ans. Je me retrouve au coin de la rue. C'est plein de bruits et d'odeurs qui me font mal. Et ça n'arrête pas de parler. Dans diverses langues. Je les reconnais, ce sont de vieilles rencontres. Mais j'éprouve toujours ce mal étrange. Parmi toutes ces langues, il y en a une qui me frappe au cœur et au corps. Je m'appuie à la devanture d'un magasin, je ne ferme pas les yeux, non, je regarde et je vois clairement devant moi ma mère et mon père, je les entends. Ils parlent cette langue, ils *me* parlent. Et je comprends soudain pourquoi je suis resté pauvre malgré toutes mes acquisitions. J'étais étranger dans ma langue; je suis devenu familier dans une langue étrangère. Alors je décide mon rapatriement; j'écrirai désormais ma langue, sur toute ma langue. Au diable les livres et les études et les exercices répétés; vive les richesses naturelles, vive l'achat chez nous! D'un coup de langue maternelle je ravale ce que j'avais craché. L'humiliation se retourne en satisfaction et la médiocrité prend des allures patriotiques. J'écris la complainte du pays, j'écris «moi», mais pour dire «nous», et inversement. L'enfant tué va renaître, le bâtard va trouver père et mère. Et comme écrivain, je me métaphorise à nouveau. Artisan d'une littérature qualifiée, je travaille, je fais des heures supplémentaires, je m'enrichis, je réponds aux offres de service, je remplis une fonction, je porte un titre, et dans mon sommeil je rêve d'un certain Pouvoir...

L'après-midi s'achève au coin de rues inconnues. J'ai quarante ans, et je me sens aussi perdu qu'à l'âge de l'adolescence. Avant de poursuivre ma route, je dresse le bilan de mes richesses acquises à même les ressources nationales. Travailleur de notre langue, j'ai fini par savoir que toute langue et particulièrement la mienne est le produit d'une histoire et d'un usage collectifs, que ses utilisations sociales, dont la littéraire, font en sorte que le signifié n'est pas fixé une fois pour toutes mais qu'il est sans cesse repris et refaçonné par le jeu des multiples énonciations. Oui, par sa littérature, mon pays prend une signification toujours possible et jamais certaine. Car la polysémie s'ouvre dans le temps comme dans l'espace. Et je me répète les propos de Régis Debray :

Pas plus que les hommes, les textes ne naissent d'eux-mêmes. D'autres textes les ont précédés, il n'y a pas d'*incipit,* nulle part, ni dans l'histoire des sociétés ni dans celle d'un individu, ni dans la genèse d'un livre. En amont, il y a l'anonymat de la langue ou de la vie, d'où je procède tant bien que mal. Je ne commencerai jamais rien. Ni personne. On n'inaugure pas les chrysanthèmes, ce sont les chrysanthèmes qui au nom de l'immémoriale famille des dicotylédones gamopétales se donnent le plaisir, de temps à autre, d'inaugurer les présidents des Républiques successives[1].

Et contre toute logique, une fêlure en moi se creuse et s'élargit. «Je ne commencerai jamais rien», cela veut dire : je ne finirai jamais rien. Autant me l'avouer : j'ai laissé se confondre la langue nationale avec l'idéologie nationale. La littérature nationaliste m'a proprement nationalisé, mis en gage. Et une fois encore, croyant m'enrichir, je me suis appauvri. J'écris, de moi à nous, et de nous à moi, mais dans l'esclavage imposé par un surmoi de commande, car *ça* ne parle pas dans mon écriture, *ça* est refoulé comme un bonheur honteux, comme une langue apatride.

Le soleil baisse à l'horizon. Mon père, ma mère, vais-je une fois encore vous tourner le dos ? Pour aller où ? Pour devenir qui ? Et l'ombre d'un érable, tout près, s'allonge. Entre les racines enfouies qui le portent, le nourrissent, et les feuilles qui parlent son nom dans le vent, un tronc rugueux, une matière de pauvre apparence. C'est là qu'est la réponse. Et j'en trouve confirmation dans un livre ouvert au hasard :

— Bonjour, fis-je.

Il me jeta un regard étonné, sans rien dire.

— Guten Tag ! Dobry dien ! répétai-je en allemand, puis en russe.

— Dzien dobre, répondit-il en polonais[2].

Ce petit dialogue traduit de l'italien me signale l'erreur de la métaphore universelle et de la métaphore nationale, ou plutôt de toute entreprise littéraire qui se fonde sur la métaphorisation idéologique de la langue. Cette métaphore, c'est la richesse même, c'est l'encombrement et l'oppression, c'est le pouvoir écrasant pour soi-même de cogner des clous d'or au lieu de simplement dormir sous les étoiles.

---

1. Régis Debray, *Journal d'un petit bourgeois entre deux feux et quatre murs,* Le Seuil, 1976, p. 138.

2. Franco Lucentini, *Ruines avec figures,* Le Seuil, 1975, p. 70.

J'ai soixante ans. La nuit s'avance à ma hauteur dans la rue où je me suis attardé. Je rentre à la maison et je fais commerce avec la pauvreté en écriture. C'est un étranger en moi qui m'a guéri de l'étrangeté dans ma langue. Quand on est vieux et pauvre, on peut, par intensité qualitative, tout rendre jeune et riche, mais d'une jeunesse et d'une richesse qui resteront opprimées par les puissances du moment, puissances nationales et multinationales. Dans la nuit et dans la soixantaine, j'écris, non plus des mots, un lexique garanti par la tradition ou par la dernière révolution, mais une maigre ligne syntaxique, une phrase mal filée, rugueuse comme un tronc d'érable et qui s'enfonce vers de lourdes racines et qui s'enlève vers des feuilles transparentes. J'écris dans une responsabilité insondable et dans une insouciance « exposée ». Ma langue n'est ni souple ni rapide, elle n'est ni chargée de sucs ni gourmande de sensations rares. Elle est lente, embarrassante, mais désirante. C'est une langue de jeûneur volontaire et forcé pour qui un verre d'eau fraîche est enivrant. Dans ce dénuement langagier qui sert de conducteur entre les richesses enfouies et les richesses étalées, une écriture opprimée ne dit rien d'autre que l'inaliénable liberté de son anonymat. Suis-je un écrivain québécois ? Ce n'est pas moi qui pose la question. Ce n'est pas moi qui ai choisi mon nom. La réponse, ma réponse, je la dirai peut-être le jour où la question sera vraiment mienne.

Ce jour viendra. Il est venu. Je n'ai plus d'âge ; je n'ai jamais été aussi pauvre. Je vais bientôt retomber en enfance, pour toujours. Au plus noir de la nuit le matin s'annonce par un tremblement fugitif de l'air. Je ne me tiens plus debout au coin de quelque rue, ici ou ailleurs, je repose sur un lit, seul dans un désir fou d'être écrivain, menteur qui dit vrai. Et j'écris une dernière fois, avec mon petit reste de langue. J'écris sans espoir, sans douleur, sans joie, sans peur. Sans image. La vie, la mort, les nôtres, ce ne sont plus des métaphores. L'une achève, l'autre commence d'écrire mon nom, ce sens maintenant tout proche du silence. Ce nom qu'on m'a donné et redonné, je me l'accorde enfin, histoire de le goûter, ni plus ni moins, à sa juste saveur — sur le bout de la langue.

1976

MÛRIR ET MOURIR

La vie m'aura été, comme à beaucoup de gens, douce et cruelle. Elle m'aura fait, bon gré mal gré, mûrir. Aujourd'hui, je songe tout haut que la maturité, selon l'étymologie, provient de la bonté, qu'elle est ce qui se produit au bon moment. Et ce moment a toujours l'air d'un matin inattendu ; il se lève avec le commencement d'un monde. L'existence individuelle et collective peut ainsi connaître plusieurs maturités, dans la mesure où le temps psychologique ne se confond pas avec le temps historique et biologique.

Il est difficile de juger une vie, encore plus difficile de juger sa vie. Est-ce possible seulement ? Tant de choses nous échappent ou nous reviennent à la conscience après avoir été tamisées par une mémoire trompeuse, complaisante ou mélancolique. Et puis, est-ce bien nécessaire de juger, de s'accorder ou de se refuser un certificat de conduite exemplaire ? Je crois que la réflexion continue toujours à baigner dans les humeurs — quand elle ne s'y noie pas.

C'est ainsi que notre pensée sur la littérature, se voulant critique et rigoureuse, construit des systèmes et des mécaniques, dessine des tableaux et des graphiques, dresse des chronologies, formule des critères, et finalement se retrouve naïve et bafouillante devant un livre venu, semble-t-il, de nulle part et qui parle, simplement, naturellement, de ce qui fascine et angoisse l'être humain. Les questions académiques ne tolèrent que des réponses académiques ; en somme, des académiciens parlent à des académiciens, chacun se prend pour l'autre et tout le monde est satisfait d'échapper à la menace de l'imprévisible. Se demander s'il existe une littérature canadienne ou québécoise qui puisse être comparable à toute autre littérature, se demander si les meilleures œuvres de notre littérature valent les meilleures œuvres de la littérature mondiale, cela ne trouve aucun écho chez moi. Chaque fois que je lis un livre et que ce livre m'occupe corps et esprit, toute la littérature tient dans ce livre comme toutes mes lectures, passées, futures, tiennent dans ma lecture présente.

Lorsque, à l'âge de seize ans, après avoir fréquenté Baudelaire et Nerval, Rimbaud et Verlaine, je lus par hasard les poèmes de Saint-Denys Garneau, mon petit univers poétique fut modifié de façon radicale. Pas un instant ne me vint l'idée d'établir une hiérarchie entre tous ces poètes et encore moins m'inquiétai-je de savoir si le Québécois était ou non l'égal des Français. C'est que dans ma bienheureuse ignorance je lisais uniquement pour le plaisir profond et décisif de me connaître moi-même. Je lisais, contrairement à ce que m'enseignait l'école, avec lenteur, application et désinvolture, laissant aux mots porteurs d'images et de concepts le temps d'émouvoir tout l'être, d'y faire leur travail d'embellissement et aussi de dérangement. La vraie lecture, je veux dire la lecture totalisante et dont la finalité reste sans fin, quand elle s'accorde intimement au livre lu, fait de ce livre qu'il est sans âge et sans lieu. Les plus grands écrivains nous sont alors plus proches que nos compatriotes et que nos parents ; ils comptent parmi nos intimes ; ils nous incitent à découvrir au fond de nous-mêmes une vie autre, plus vaste et plus savoureuse.

J'ai choisi, conscient des risques de malentendu, de parler à découvert, sans cautions rhétoriques et sans ordre logique. La littérature restera jusqu'au bout la passion de mon adolescence, et que j'en fasse métier ou profession ne change rien à l'affaire. Il m'est impossible d'envisager l'écriture et la lecture autrement que comme les complémentaires d'une quête à la fois folle et sage, vouée à l'échec et à la trouvaille. Je pense, comme Joubert, que « notre sort est d'admirer et non pas de savoir ». Et je me fie à l'intuition de ma jeunesse qui a perçu à quel point les poèmes de Saint-Denys Garneau, surgissant à la bonne heure, étaient irremplaçables. Dante, Shakespeare, Lorca n'auraient pu, dans cette instance de maturation, me montrer le chemin de moi-même comme le fit un jeune Québécois dont la langue, certes, était la mienne propre, mais dont l'inquiétude navrée, gardant aux entournures un reste de naïveté juvénile, ne correspondait pas à ce qu'obscurément j'attendais de la vie. Et par cette familiarité jointe à l'étrangeté, je pouvais, lecteur dépaysé et rapatrié, entendre la justesse du langage, pour la première fois, et qui authentifiait mon identité aussi bien que mon altérité. La rue Saint-Denis, à Montréal, s'ouvrait au monde entier, un monde qui d'ailleurs me comprenait davantage que je ne le comprenais en moi-même.

Toute préoccupation de littérature nationale est piégée. Elle part d'un principe qui privilégie les effets de miroitement du langage et ses concrétions socio-politiques. Les historiens peuvent en faire leurs délices. Les critiques, les professeurs, les théoriciens, les spécialistes de tout acabit trouvent leur justification — et parfois leur promotion — dans des débats où l'intelligence se contorsionne pour démontrer l'indémontrable. La littérature ne se contente pas de refléter ou de traduire ; elle explore, elle prospecte, elle s'égare. Si nous avons écrit, si nous avons lu, si peu que ce soit, avec le sentiment irrépressible d'y perdre et d'y trouver à la fois le sens qui gît au fond du non-sens, si vraiment un jour, une nuit, en un moment furtif nous avons éprouvé dans notre chair la certitude affective d'être au monde grâce au langage des hommes, grâce à quelques mots fragiles emportés par le vent et par la mort, et grâce au silence langagier qui par son vide permet aux mots de ne pas se souder et se figer mais les relie et les compose en un chant d'espoir désespéré traversant les frontières du temps et de l'espace, alors, oui, chacune des littératures et toute la littérature se réalisent en un livre, une écriture, une lecture. Pourvu qu'advienne, par la seule vertu du langage, la justesse, ce ton unique en ce lieu précis et en cet instant précis par quoi deux êtres humains, qui ne se connaissent pas et sans doute ne se connaîtront jamais, font amitié à une telle hauteur et dans une telle immédiateté qu'on jurerait, à l'instar des enfants, qu'un peu de parole abracadabrante a changé la vie en une autre vie. Prosaïquement, ce procédé s'appelle mûrir.

Le Tombeau des rois d'Anne Hébert a-t-il une résonance québécoise et vaut-il le *Requiem* d'Anna Akhmatova ? *Rue Deschambault* de Gabrielle Roy, est-ce une chronique régionale ou provinciale de la famille canadienne-française, et doit-on placer ce livre au-dessus ou au-dessous de *The Garden Party* de Katherine Mansfield ? Quelles curieuses questions ! Qui les pose ? À qui sont-elles posées ? Où se situent les interlocuteurs ? Pourquoi s'adonnent-ils à ces recherches futiles et bavardes ? On disserte sur les grandes et les petites littératures, sur les vieilles et sur les jeunes ; on les compare, on suppute la décadence des unes, l'émergence des autres. À quoi bon ? Pour ma part, je ne fréquente guère les institutions ; je me méfie des appareils. Je n'entretiens de commerce qu'avec des œuvres littéraires. Qu'elles me viennent de tout près ou de très loin, peu m'importe à vrai dire — et même à ne rien dire.

Pourquoi ne pas l'avouer en toute franchise : la plupart des gens qui ont fait de la littérature une spécialité s'intéressent davantage aux problèmes littéraires qu'aux œuvres vives ; le connaisseur chez eux a pris la place du lecteur. Et quand ils écrivent, c'est plutôt en érudits qu'en essayistes. Les questions théoriques les mobilisent et sitôt qu'ils ont acquis une suffisante maîtrise du vocabulaire pseudo-scientifique de la « littérarité », il leur semble qu'ils dominent la matière. Mais un écrivain, un lecteur, ne dominent pas le langage du texte ; ils ne s'y soumettent pas non plus. Ils font corps et âme avec lui, pour le meilleur et pour le pire, selon la désormais antique formule du mariage. J'aime beaucoup cette réflexion de Proust : « Ne vient de nous-mêmes que ce que nous tirons de l'obscurité qui est en nous et que ne connaissent pas les autres. Les vrais livres doivent être les enfants, non du grand jour et de la causerie, mais de l'obscurité et du silence». Ou encore ce quasi-soupir de Thomas a Kempis : «J'ai cherché le repos partout et je ne l'ai trouvé que dans un petit coin avec un petit livre». Inutile d'ajouter qu'un petit livre qui procure à son lecteur autant de joie indéfinissable est toujours un grand livre. Voilà quelques années, j'ai lu un de ces petits livres ; traduit de l'italien, il situait l'action quelque part en Autriche et mettait en cause des Polonais, des Tchèques et des Hongrois. Le traducteur avait laissé les dialogues dans leurs langues originales. Je n'y comprenais rien. Et pourtant, l'art du narrateur parvenait à me faire sentir, éprouver, à mon entier étonnement, la tristesse (car c'était une histoire triste) sans borne, incurable, d'une mère polonaise et d'une fillette hongroise. Ces «ruines avec figures», depuis, habitent ma conscience et, s'il existe, mon inconscient. Il n'y a pas trente-six mille façons, quand on lit un texte, de savoir intuitivement et invinciblement si l'objet de lecture transcende l'individualité de l'auteur et du lecteur sans toutefois verser dans la généralité banale. Ce n'est pas une affaire de contenu ; ce n'est pas une affaire de forme. Tout tient dans la vertu concrète d'un langage qui opère l'échange, le passage simultané d'un ici vers un ailleurs et d'un ailleurs vers un ici.

Autrement dit, le concept même de littérature nationale est anti-littéraire. Bientôt on glissera vers la littérature provinciale, régionale, municipale, paroissiale, pour s'enfermer dans la littérature du journal personnel qui ne s'adresse à personne sauf à celui qui le rédige. Nous avons atteint le fond de l'intransitivité par quoi un langage ne se détache pas de lui-même et tourne inlassablement sur ses gonds. Mais le paradoxe qui complique les choses veut qu'en effet l'entreprise littéraire comporte une certaine dose d'intransitivité, de fermeture des signes, d'autosuffisance du langage. Sinon, personne n'écrirait ni ne parlerait. À l'opposé, l'écriture littéraire n'arrive à rien si elle ne communique aucunement, si elle ne se risque pas hors d'elle-même et ne laisse pas aux signes quelque air de familiarité par quoi le lecteur le moins prévenu ou le moins initié se retrouve en une certaine complicité avec ce qu'il n'est pas par lui-même. Sinon, personne ne lirait ni n'écouterait. La tension qu'engendrent ces opposés donne lieu au langage littéraire ; tension qui approche la rupture, qui doit seulement l'approcher, sous peine de tomber dans les ratiocinations ou dans les conversations climatiques. Gabrielle Roy propose cette belle et succincte définition de l'art du conteur :

Les yeux d'Éveline brillèrent de bonheur. Oui, elle comprenait très bien ce que disait madame Leduc. Elle-même, ça lui était déjà arrivé de retrouver ainsi une partie de sa vie en entendant quelqu'un raconter la sienne. Quelle merveille que cela : quand on exprimait bien quelque chose de soi, ne serait-ce qu'une émotion, du même coup on exprimait une part de la vie d'autrui.

Jusqu'à maintenant j'ai adopté surtout le point de vue du lecteur. Pour une raison qui me paraît évidente : c'est le lecteur qui permet à l'écrivain de vivre (maigrement) et même de se survivre (rarement). Lorsque j'écris, je n'ignore pas, malgré toutes les mises entre parenthèses auxquelles je procède, que mon hérédité, ma naissance, mon éducation, les divers incidents de ma vie personnelle, mes études et mes efforts de réflexion, bref que mon idio-syncrasie détermine ce que j'écris et la manière dont j'écris. Je peux faire semblant d'être un autre. Je ne peux pas l'être réellement. Se choisir consiste à se refuser ici, à s'accepter là. Au bout du compte, un écrivain, s'il a de la chance, vit dans sa langue comme un poisson dans l'eau. Mais cette eau gardera ses propriétés, comme le poisson son identité, jusqu'au moment où on le pêchera. Les pensées qui se forment dans mon esprit et que je tâche de pousser jusqu'à la plus subtile abstraction adhèrent toujours aux fibres de ma chair et par là elles ne cessent pas de tenir à la réalité de mon pays.

Cette réalité reste problématique et variable, réfractée par une mémoire incertaine et par des projets précaires, mais elle colore mes nuits et mes jours, elle musicalise mon écriture de telle façon que, à moins de m'en faire accroire et donc d'être faux, tout un jeu de connotations s'imposent dans ce que j'entends et donne à entendre, dans ce que je vois et donne à voir, dans ce que je touche et donne à toucher, dans ce qui m'échappe et me donne à cher-cher. Par exemple, j'habite la campagne, mais j'ai grandi à Montréal. Récemment, un ami en compagnie duquel je contemplais mon horizon quo-tidien, des champs ondulés que surveillent de lentes collines, cet ami s'écria : « Regarde, le beau monarque ! » Il désignait un papillon qui a fière allure et qui affectionne les asters sauvages. Moi, j'ai vu dès l'abord dans le dessin des ailes du papillon la figure d'un jeune roi, figure aperçue sur une page de journal quand j'étais écolier et qui me faisait rêver ; une ruelle sale et déserte était alors mon royaume. Un mot, un seul mot, soudain vaguant me reporte à une errance lointaine, à la fois délicieuse et douloureuse. Malgré ma nou-velle personnalité bucolique, je continue à écrire avec les réflexes d'un citadin. C'est ainsi que je demeure québécois. Non pas en me donnant le ridicule d'y croire comme à une mission sacrée, non pas en me donnant la misère d'y croire comme à un destin fermé. Non, c'est ma manière d'être au monde et à moi-même, c'est ma façon d'être dans la langue de plusieurs, et c'est parfois tant mieux, et c'est parfois tant pis.

Aux bonnes heures de mon existence, quand je m'abandonne à l'utopie intérieure, quand tout l'extérieur s'évanouit pour que ne subsiste plus qu'une sensation unique, vibratoire et déréalisante, je me murmure (mais est-ce bien moi qui produis ce langage mourant?) que la voie de l'écriture ne mène à l'autre vraiment autre que dans la mesure où, au lieu de s'évader de ses particularismes, on les traverse, on s'y laisse couler par une sorte de petite descente aux enfers. Alors, dans cette obscurité de silence, l'inouï commence sa vieille complainte, on ne sait plus rien, on n'est plus personne... et voici que la clôture de bois grise et délavée où j'appuyais le front en pleurant parce que l'amour d'une vie, la voisine du haut et qui avait sept ans, s'en allait, cette clôture de planches disjointes tendrement boit mes larmes et, pliant sous mon poids, me porte vers un premier âge mûr, un plaisir au sein de la souffrance de sentir soudain que j'ai mal, très mal, au bout du nez où je me suis fait une écharde.

Que conclure de ces propos débridés? Que la littérature est à la fois singulière et universelle, sans quoi elle n'est que nationale et ne subsiste que par une référence qui en elle-même n'est pas littéraire. Giono ne m'intéresse pas parce qu'il est Provençal, mais parce que sa langue est aussi ma langue. Lui écrivain et moi lecteur, nous consonnons juste. Toute le reste sert de médiation, nécessaire et transitoire. Le soleil blanc de Manosque ne ressemble aucunement au soleil rubicond qui se couche sur le lac Champlain. Mais la chaleur chantante dans les mots et les phrases de Giono, elle, oui, m'impressionne directement comme des caractères typographiques lavés d'une belle encre impressionnent le papier, pour la plus grande joie des arbres qui, on le sait, sont analphabètes.

Ainsi en va-t-il pour moi avec le tout début du livre de Colette intitulé *La Naissance du jour*:

Monsieur,
Vous me demandez de venir passer une huitaine de jours chez vous, c'est-à-dire auprès de ma fille que j'adore. Vous qui vivez auprès d'elle, vous savez combien je la vois rarement, combien sa présence m'enchante, et je suis touchée que vous m'invitiez à venir la voir. Pourtant, je n'accepterai pas votre aimable invitation, du moins pas maintenant. Voici pourquoi: mon cactus rose va probablement fleurir. C'est une plante très rare, que l'on m'a donnée, et qui, m'a-t-on dit, ne fleurit sous nos climats que tous les quatre ans. Or, je suis déjà une très vieille femme, et, si je m'absentais pendant que mon cactus rose va fleurir, je suis certaine de ne pas le voir refleurir une autre fois...

Je ne connais rien aux cactus. Et pourtant, ce cactus rose m'émeut si étrangement que je me demande si je n'ai pas passé les bornes du ridicule. Mais non. Colette, la Bourguignonne d'un autre siècle, rejoint au plus impénétrable un Montréalais de trois générations son cadet. Pourquoi? Comment? Je l'ignore. Serait-ce à cause de la sobriété du texte qui met en relief le pathétique de la situation? Ou serait-ce à cause de l'ironie à peine perceptible qui dote la nostalgie d'une admirable pudeur? Toujours est-il que ce fichu cactus me pique l'entendement et me donne des démangeaisons métaphysiques. Cette lettre, qui témoigne d'une ultime épreuve de maturation, rejoint dans le sublime inapparent un haïku anonyme :

La fin de ta chanson
Je l'écouterai dans l'autre monde
Coucou

Nous avons franchi la barrière du raisonnable. Mûrir, mourir, comme ça se ressemble. Écrivain ou lecteur? On ne s'y reconnaît plus. Qu'est-ce qui nous fait vivre et revivre en dépit de tout? Un peu de parole, un peu de silence, un inavouable au sein de l'aveu, par quoi, séparés, nous demeurons ensemble. Car il vient un temps où toutes les cendres sont mêlées.

1982

CONGÉ

Je vous écris pour prendre congé. Oui, je m'en vais. En vous quittant, je me quitte moi-même. Enfin... ce n'est pas encore chose faite, bien sûr, mais je vais essayer, j'essaie déjà de partir, de me départir d'un encombrement qui dure depuis une trentaine d'années. Depuis que j'ai voulu, un jour d'adolescence, devenir écrivain.

Ne me pressez pas de questions, je ne trouverais aucune réponse satisfaisante ; je resterais là, devant vous, les bras ballants et la gorge nouée, avec un rictus en guise de sourire. Et nous nous laisserions aller de concert à cette mauvaise émotion qui se nourrit d'abord de reproches rentrés puis de mensonges accommodants.

Non, ce n'est pas cela que je voulais vous dire, ce n'est pas de cela que je voulais vous parler. Vous m'avez accueilli en toutes saisons du cœur et de l'esprit, par temps lourd et par beaux jours, vous n'avez pas fait d'histoires avec mes dérobades subites, avec mes absences inexpliquées. Vous vous êtes réjouis de mes bonheurs, vous vous êtes affligés de mes malheurs. Vous m'avez invité dans la famille sans me demander de retour, croyant avec raison que j'y trouvais et y occupais ma place, naturellement. Parfois, mes très chers, je vous ai un peu étonnés par des accès de silence, je vous ai peut-être blessés par des indifférences non feintes à l'égard de ce que nous tenions pour primordial. Mais vous évitiez avec tact de laisser paraître votre déception. Et moi de mon côté je souffrais de vous aimer mal en vous aimant trop.

Car, et j'ai envie de tourner le dos à toute pudeur, je vous aimais vraiment, avec cette folie autodestructrice qui pour les soigneurs professionnels est un syndrome pathologique et qui pour les êtres entièrement donnés, pauvres de complications, est l'aboutissement de la passion. Vous m'arrêterez ici dans ces transports affectueux et vous me demanderez le plus doucement du monde : « Mais, à la fin, de quoi s'agit-il ? »

Il s'agit d'une chose si élémentaire qu'elle en est navrante de banalité. Comment dire ce qui ne se dit jamais ? De quelle façon signifier ce qui n'a pas de façon ? Une espèce de nuit d'hiver sans lune étale autour de moi son velours violet et me murmure de me taire. Cette nuit où s'arrondissent les aspérités, où se brouillent les lignes et les volumes, cette nuit est bonne et secourable, à n'en pas douter, mais elle ne porte pas conseil. Nous ne sommes qu'au matin de nous-mêmes. Tout reste possible. La partie n'est pas jouée, à peine est-elle engagée. Alors, pourquoi partir? Pour tenter d'écrire, puisqu'il le faut, le seul nécessaire. Vous savez, mes amis, souvenez-vous, notre recherche éperdue d'un lieu habitable nous a mobilisés au delà de toute expression. J'éprouve justement le besoin de prendre du recul et d'interroger l'impénétrable de notre désir. C'est là sans doute une grande prétention et qui ne se peut vivre qu'avec beaucoup d'humilité. Et beaucoup de lucidité.

Je me demande: qu'y a-t-il, en dernier recours, sous nos apparences codifiées, institutionnalisées, qu'y a-t-il au bout de nos urgences et de nos proclamations? Quel est le sens de la sarabande des signes qui nous énerve et nous abasourdit? Est-il bien vrai que la vie fuit de toute part et se perd nulle part? La transcendance correspond-elle uniquement à une coquetterie de vieux style plus ou moins professoral ou à une de ces anomalies lexicales dont les penseurs scolarisés se montrent volontiers friands?

Si, derrière nos entreprises, au terme de nos luttes, à l'horizon de nos projets, au réveil de nos rêves, si dans les silences de notre langage, au creux de nos vertiges les plus secrets, si dans nos amours incertaines et dans notre mort certaine, si à la racine même du désir, nous ne parvenons pas à déceler ne serait-ce que le début ou l'amorce d'un semblant de désillusion, alors convenons-en, bon gré mal gré, avouons l'inavoué avec courage: nous ne sommes rien, absolument rien d'autre qu'un léger remuement de matière, une furtive distraction du néant. Et l'histoire, notre histoire, se présente sans conteste comme un récit absurde raconté par un idiot à d'autres idiots. Depuis la trouvaille du premier silex jusqu'à la mise au point du plus complexe des ordinateurs, depuis le premier couple jusqu'aux sociétés les plus organisées, depuis le premier mot jusqu'aux idéologies les plus élaborées, rien ne s'est passé qu'une délégation de notre pouvoir biologique dans notre savoir symbolique. Et c'est là-dessus, sur cette espèce de carapace épaissie par nos mythologies successives, que nous fondons notre certitude machinale d'échapper à l'attrait du vide et à la succion du non-sens.

Que de grands mots, que de longues phrases pour masquer une fuite sans éloge! Je vous entends, je nous entends disputer du pour et du contre au cours de conversations tantôt feutrées, tantôt bruyantes. Les hommes vivent et meurent, et ils ne se paralysent pas de frayeurs sidérales avant de modifier leur destin personnel et collectif; l'action est fille de la pensée, mais pour se rendre efficace elle doit quitter les jupes de sa mère et courir ses propres risques. Les exemples probants là-dessus ne manquent pas. J'entends aussi les reproches de songe-creux, d'épousseteur de concepts. Je consens avec vous (ah! demeurer ensemble jusque dans le désaccord, quel bonheur!), je consens que ma rêverie inquiète comme un lièvre surpris à découvert ne sait plus dans quel trou se fourrer pour y rester avec la peur de son ombre et s'oublier et dormir enfin à l'ombre de nos ombres emmêlées. Voilà que, même dans les accommodements que je vous ménage, la manie me reprend de me fier plus aux mots qu'aux événements. Je vous l'assure, il vaut mieux que je me retire et que j'aille, oh pas bien loin, me refaire une conscience sortable.

Mais vous êtes patients et compréhensifs. Vous me retiendrez en chemin, vous me suggérerez, mine de rien, de rester encore un peu, de laisser à mes phantasmes le loisir de se tourner vers les choses toutes simples de la vie quotidienne. Vous iriez même jusqu'à me conseiller, par allusions discrètes, la chaise longue, l'air de la mer, les promenades en forêt, l'observation des oiseaux et, c'est le chic du chic, la cueillette des herbes médicinales.

Je ne me moque pas; je vous aime tant que j'ai failli me prodiguer à moi-même ces fictifs conseils susceptibles de me réengager dans le mérite civique. Mais, que voulez-vous, c'est plus fort que la raison, c'est plus haut que la déraison, ce *je* qui n'en peut mais s'il ne devient un autre. Écrire exige ce prix. Écrire, surtout quand on est écrivain amateur, demande qu'on reparte sans cesse à zéro. Écrire dépayse. Écrire exile. Et l'on part, et l'on s'en va, et l'enfant quitte ses parents. Non pour aller réussir, mais pour revenir. Et non pas pour s'installer, jouir de sa réussite au loin, mais pour se refaire des forces afin de repartir dans le dénuement. Pourquoi ce quasi-mélodrame?

Mes amis, songez qu'un pays même problématique ne se compose qu'avec des patries diverses et toujours impossibles à répertorier. Nous n'allons pas nous mentir, n'est-ce pas, nous n'allons pas nous mépriser sous couvert de nous ménager une bonne entente de surface? Donc, si vous me demandez où je vais, comme ça, si tard dans une vie si courte, où je vais par ces temps difficiles à la rêverie métaphysique, où je vais par ce monde surclôturé de bassesses, je ne vous répondrai pas vraiment, je me contenterai de vous serrer la main comme autrefois on «serrait» dans une armoire ce qu'on avait de plus précieux. Et j'irai malgré tout vers cette patrie fallacieuse, vers cette poésie cachée dans la prose des jours, vers l'éternel qui habite l'instant et lui donne par manière d'ironie et de paradoxe un air fugitif.

Cette patrie intérieure, je pressens que je ne la trouverai pas ailleurs qu'ici, je veux dire: dans la mesure où ici est capable de se vouloir un ailleurs. Je veux dire encore: qu'ici devienne notre maison, une vraie maison avec des pans de lumière et des coins d'ombre, une maison ouverte à tout venant comme à tout partant de bonne volonté, une maison où l'on est libre de circuler d'une patrie à l'autre patrie et sans chaque fois s'obliger à une profession de foi ou à une déclaration douanière.

Notre époque n'en a plus que pour les systèmes de force ; j'ai, par contradiction moqueuse, mis en relief cette faiblesse qui consiste à douter, à pousser le doute jusque dans ses derniers retranchements, là où il s'avoue, non pas vaincu, mais en paix profonde avec sa disparition prochaine.

Et moi (le « moi » est haïssable, c'est le « je » qui répand cette calomnie), moi je crois, contre toute évidence bien portante, qu'une transcendance inconnaissable fonde le sens du meilleur et du pire et que dans l'ordre du langage ce qu'on appelle poésie figure cette transcendance. Celle-ci, que je m'accorde pour patrie, ne se manifeste qu'à la faveur de nos courages quotidiens, sans éclat, dans l'ordinaire de nos travaux et de nos repos, tout comme la poésie porte en silence la parole donnée, la plus belle sans doute puisque par elle *je* devient aussi bien une autre qu'un autre.

Voilà, mes amis mal-aimés, ce que je voulais dire ici, ce que j'essayerai de dire mieux, je l'espère, dans l'éloignement d'une solitude chercheuse, un peu égarée, dans la proximité aussi du besoin que j'éprouverai toujours de votre clairvoyante amitié.

1979

III

BIFURCATIONS

MESURE DE CIORAN

Soudain, c'est à Queneau que je pense, celui de *L'Instant fatal,* dont est sans défaut l'érudition sur l'ennui d'être, et d'être humain par surcroît :

si la vie s'en va c'est qu'aucune est proche
alors on s'en va tout philosophant
tout ça c'est véloce aussi bien qu'atroce
malgré ça tout ça s'en va continuant

Cioran tombe évidemment d'accord avec le poète de la désespérance ironique. Il ne s'agit pas pour lui de se montrer complaisant à une suprême dérision, mais de congédier la réflexion flasque qui sous couvert de chercher une issue enferme dans le banal en ravaudant les déchirures qui nous ahurissent. Quoi ? nous sommes nus jusqu'à l'os, entièrement exposés à l'inévitable ? Oui, ne nous en déplaise. Les commentateurs de Cioran, y compris ses contempteurs, abondent en jugements de même poil : « négateur universel, sombre et suicidaire », « un nihilisme destructeur », « un pessimisme fondamental », « maître ès décadences », etc. Lui-même, un sourire en coin, ajoute : « vous savez mon faible pour l'horrible ». Ce moraliste insortable ne serait-il qu'un rhéteur lugubre, une espèce d'Alain vinaigré ? Certains l'affirment et s'en gaussent. Pour l'intellectuel fatigué, d'autant plus fatigué que parmi nos décombres idéologiques il doit sans cesse établir sa nécessité, paraître plus audacieux, plus original que sa dernière originalité, Cioran n'a guère de tendresse. À quoi bon ces « amas de concepts fracturés » ? Car il reste persuadé, à son grand déplaisir, de l'insignifiance accomplie de toute chose. L'humain n'existe que coincé entre l'être qui lui est accordé (ce qui est trop) et le néant qui lui est promis (ce qui compte pour trop peu). Voilà l'horrible et qui rend Cioran non pas mécontent mais furieux. Le temps d'une vie, dans sa finitude, demeure de bout en bout posthume. Il n'y a rien, décidément, et s'il y avait quelque chose ou quelqu'un, « ce serait une tragédie stupide ».

Comment avoir du goût pour cette horreur ? C'est ici qu'intervient, comme chez tout penseur *détaché* de soi, risqué hors de son assurance négatrice, de sa connaissance désillusionnée, le refus d'un arrangement, d'une négociation avec le *malgré tout.* D'où la douleur lucide : « ce n'est que dans la souffrance que nous avons conscience de vivre». Cioran ne s'installe pas dans l'amertume; il constate que ce que nous tenons pour vérité, c'est du vent. On sait des carrières de sceptiques patentés qui se sont bâties là-dessus. Peu importe. Notre philosophe à son corps défendant traverse les ruines, apparences ou pas, il rumine ses idées humorales, vaines ou pas, et continue sans jamais se retourner. Il ne pratique pas le désenchantement actif du désespéré de profession, il se bat en étranger amoureux avec une langue apprise sur le tard (à trente ans...) et qui lui inflige les mêmes brûlures que notre monde frigorifié.

Voici donc un homme dissocié, écrivain affronté à la philosophie, philosophe obligé à l'écriture. On ne s'étonnera pas de ses violentes suspicions à l'égard de ce qui nous semble appeler quelque concordance. Mais à ses yeux, écrire et penser s'opposent, se combattent, se détruisent même. Pareille conviction s'enracine dans une double réprobation : littérature et philosophie se trouvent à l'heure actuelle chacune dans son auto-négation.

Avec la philosophie, Cioran n'y va pas de main morte : «elle nous gonfle d'orgueil, elle nous rend mégalomane». À défaut de méditer, elle jargonne, elle s'octroie des dimensions obscènes à propos de tout. Pourquoi vitupérer ainsi? Réponse d'un passionné déçu : «Je me suis détourné de la philosophie au moment où il me devint impossible de découvrir chez Kant aucune faiblesse humaine, aucun accent véritable de tristesse; chez Kant et chez tous les philosophes. En regard de la musique, de la mystique et de la poésie, l'activité philosophique relève d'une sève diminuée et d'une profondeur suspecte, qui n'ont de prestige que pour les timides et les tièdes. »

Voilà qui consonne, en moins élégant et en plus vigoureux, avec les propos de Valéry sur les «abus de langage» attribuables aux philosophes. L'affaire n'irait pas plus loin si Cioran n'examinait pas son acte de rejet. Car un Kierkegaard, un Nietzsche, quelques autres aussi, ne se sont pas vendus à l'Idée, ils ont mis l'expérience de l'insoluble au-dessus de la réflexion sur lui. Qu'est-ce à dire? Édifier «ce petit univers invraisemblable qu'est une doctrine philosophique bien articulée», cette occupation de nos modernes écolâtres ne dérange rien ni personne. Là où les choses se gâtent, c'est quand on prétend enseigner quelque science de l'esprit et, encore plus, quand on annonce l'accès à une supposée sagesse. Cioran, toutefois, se traite comme partie prenante de ce qu'il maltraite. «La haine de la philosophie est toujours suspecte», avoue-t-il; et il ne s'arrête pas en si bon chemin : «Prestige de la rigueur, de la pensée *sans charme!* Si les poètes y sont tellement sensibles, c'est par une sorte de honte de vivre sans vergogne en parasites de l'improbable ».

La littérature n'est pas en reste ; elle aussi se trahit. Cioran s'empresse d'abord de régler son compte à un véritable cancer de l'écriture moderne, ce fléau «qu'est toute prose trop ostensiblement poétique» et dont il attribue la paternité à Rousseau. Chez celui-ci les côtés douteux ne manquent pas, qu'on retrouve amplifiés chez Chateaubriand et poussés à bout chez Barrès. Par ailleurs, nombre de «praticiens textuels» donnent tête baissée dans une géométrie ronronnante ou balbutiante. Mais encore ici, les charges de Cioran sont l'indice d'une critique approfondie. Tout comme lui est insupportable le sophiste, l'alexandriniste lui paraît dévoyer la littérature. Le romancier sans matière et le poète idolâtre du langage raffinent tellement qu'ils finissent dans une lassitude où l'esprit et le verbe, exaspérés, s'avalent et s'évaporent. «Le véritable écrivain écrit sur les êtres, les choses et les événements, il n'écrit pas sur l'écrire, il se sert des mots mais ne s'attache pas aux mots, n'en fait pas l'objet de ses ruminations. Il sera tout, sauf un anatomiste du Verbe. La dissection du langage est la marotte de ceux qui n'ayant rien à dire se confinent dans le dire. »

Finalement, la figure de Valéry devient exemplaire d'un radical détournement de sens. Cioran, dans un texte vengeur mais d'une minutieuse attention à l'œuvre, dégage l'essentiel (comme naguère Paulhan) : Valéry, plaçant la poétique au-dessus de la poésie (un vague accidentel...), consacre le meilleur de son temps à se commenter, à s'expliciter ; il se fait son propre glossateur et justifie à l'avance la masse de textes qui s'écrivent encore et qui prononcent la vacance sinon le congédiement de toute altérité au langage, de toute résistance de ce que l'on nomme le réel sans trop savoir ce que c'est et que pourtant l'on éprouve, par sensation, chaque jour, chaque nuit, dans une monotonie énervée, dans un ravissement inespéré. L'écrivain selon Cioran devrait écrire à même son ignorance, ses coups de sang, ses préjugés intenables, ses naïvetés qui le rendent inapte à *servir* efficacement.

Il est piquant de se demander si notre moraliste pourfendeur ne se range pas du côté des réactionnaires. Il connaît fort bien la chanson. Il n'ignore pas non plus la querelle sempiternelle des anciens et des modernes. Là n'est pas l'enjeu de la partie. S'il paraît mesuré, dénonçant les excès de la prétention philosophique et de la surconscience littéraire, c'est qu'il a dissipé la savante confusion en laquelle on se conforte pour se faire accroire que critique et création, c'est du pareil au même, que l'écriture peut, de son seul mouvement, instaurer sa théorie et qu'inversement le processus de pensée peut du même coup engendrer sa juste forme expressive. Bref, écrire *et* penser irait de soi. Cioran ne gobe pas cet à-peu-près sans s'étouffer. Dans un premier temps, il a recraché le brouet indigeste. Puis il a dénoncé l'incroyable amalgame où triomphe notre «débilité omnisciente». Mais je systématise là où Cioran note, remarque, en des aphorismes lapidaires ou des séquences qui de loin en loin se font écho. S'il s'adonne volontiers au sarcasme, Cioran ne se donne guère la peine de polémiquer. Malgré son désabusement, il cherche à comprendre, à sonder ce qui se révèle sans fond.

La question de l'écrire et du penser reste double ou partagée en deux instances. Nulle stratégie théorique ne se dispense sans inconvénient de vérifier l'antagonisme qui oppose deux entités pratiques et notionnelles. En termes moins obscurs, il suffira de marquer que Cioran ne s'intéresse ni à la littérature ni à la philosophie comme telles. Ce qui le requiert, c'est de mesurer l'écriture à la pensée (et inversement), de les choquer l'une contre l'autre.

À une époque épigonale correspond un engouement pour la glose et une dissémination de la méthode exégétique. C'est de cela que d'abord Cioran s'avise. D'où son impatience à l'égard des littérateurs qui encombrent la scène de l'écriture et son rejet d'une philosophie qui clôture partout en se réclamant d'une errance illimitée. Cuistrerie et préciosité s'entendent, toute différence abolie, pour décréter (à leur profit seulement) une ère nouvelle, curieusement anhistorique, façon hypocrite de nous ramener la totalité hégélienne. J'interprète librement (et peut-être abusivement) une critique qui se déploie en direction d'un «art de penser purement verbal» et d'une esthétique de l'intellect exacerbé.

Cioran pose des jalons: l'esprit est professeur — nous sommes nés pour exister, non pour connaître — nos vérités se distinguent à peine de nos fonctions — l'écriture de l'écriture finit par enfermer dans le même — les œuvres de langage se réalisent en dépit du langage. On pourrait allonger la liste de ces assertions hors contexte. En vain, puisqu'une récurrence s'impose: et dans l'écriture et dans la pensée, c'est la matière brute et brutale qui est fuie. Pour ne pas couler dans le vertige, pour se protéger du mutisme lourd, écrasant, de la matière, on écrit, on pense en un seul système clos, gommant les incompatibilités, érigeant de formidables barrages entre, en amont, un réel invivable et, en aval, des modes d'écrire et de penser désormais tenus pour archaïques. Là-dessus, Cioran ne proteste pas; il passe outre, renverse les barrières et, nouveau paysan du Danube, s'affirme résolument daté, dépassé.

«Maintes fois j'ai rêvé d'un monstre mélancolique et érudit, versé dans tous les idiomes, intime de tous les vers et de toutes les âmes, et qui errât de par le monde pour s'y repaître de poisons, de ferveurs, d'extases, à travers les Perses, les Chines, les Indes défuntes, et les Europes mourantes, — maintes fois j'ai rêvé d'un ami des poètes et qui les eût connus tous par désespoir de n'être pas des leurs. » À l'encontre du coup de force derridien, soutenu par un impressionnant arsenal lexical, Cioran ne se résout pas, pas encore, au jeu unique d'écrire et de penser. La création, noématique ou poématique, persiste pour lui dans une pluralité qui vient d'une concomitance difficile à vivre entre l'écriture et la pensée[1]. Il éprouve trop vivement ce qu'il y a de naïf, d'irreprésentable, dans la poésie, laquelle bien entendu n'a rien à voir avec un genre littéraire. Quant à la pensée non tributaire d'une philosophie déclarée, elle adhère si étroitement au corps, elle s'y empêtre si spontanément, que seule une violence abstraite peut prétendre l'en décoller. Comment, dans les deux cas, se libérer du discours ? La question se complique du fait qu'il n'existe pas un code, mais cent et mille. Comment déchiffrer les semblables que confondent nos approximations et nos décevantes analogies ? Peut-être seule la connaissance artisanale (corporelle, justement) de l'intimité des mots, la perception complice de l'aura invisible autour d'eux, préviennent le délire interprétatif en nous avertissant à coup sûr du pouvoir et de la portée de chaque propos ? Pour cela, il faudrait être investi, par mégarde, du nombreux et du complexe et, rareté entre toutes, savoir également, et au même moment, entendre et exprimer. Est-ce réalisable ? Oui, en partie... Quand on pâtit de « cette agonie souterraine dont émane la poésie », où se forme donc le concept ? Et le concept de poésie ? Et le concept du concept ? Pourtant, à n'en pas douter, l'expérience l'impose, il y a une poésie du concept, il y a l'exception fulgurante au sein de

1. La plupart des propos que je tiens dans cet essai reflètent ceux de Cioran. Je crois cependant qu'il faut préciser le difficile rapport écriture/pensée en des termes et selon une perspective qui, s'ils ne dérivent pas des textes de Cioran, en sont quand même inspirés. La figure du chiasme donnerait une image assez fidèle au sujet de la concomitance qui manque à l'exercice de l'écriture et à celui de la pensée. Que celle-ci et celle-là nous adviennent au premier chef sans le concours de la volonté, il est facile de l'admettre. On ne s'applique qu'après, pour faire œuvre, pour proférer. Le processus de pensée est inverse du déroulement de l'écriture. On ne pense pas et on n'écrit pas sans aucun objet, certes, mais il apparaît plausible de considérer que la pensée afflue au langage alors que le langage reflue vers la pensée. Dans les deux cas, il y a possibilité d'un manque, d'un vide, et ce vide varie de position selon que la préforme incline d'elle-même soit au notionnel, soit au verbal. En ce sens, l'écriture et la pensée ne sont pas vraiment concomitantes. Plus : penser l'écriture et écrire la pensée ne coïncident pas si toute écriture tend à l'expulsion et si toute pensée se partage en un dedans et un dehors. Le langage conceptuel et le langage littéraire s'attirent et se repoussent dans la mesure où le dire s'impose comme un *d'abord* ou comme un *ensuite*. Sur ce sujet presque abyssal, il faudrait rédiger un gros volume qui consacrerait tout un chapitre au point nodal du chiasme, quand par chance (le désir est aveugle...) écriture et pensée se croisent, enroulent et enserrent leur langage distinct (formes virtuelles) pour produire un seul et même langage (forme réalisée). Je n'ai tenu ici qu'à expliciter la question de la concomitance que Cioran laisse dans l'ombre.

la pensée la plus monocorde. L'interrogation de Derrida, Cioran la ferait sienne : « Ne peut-on affirmer l'irréférence au centre au lieu de pleurer l'absence du centre ? » Mais notre homme, pratiquant la mesure dans la démesure, a déjà répondu : « On ne fait pas des poèmes avec de la poésie. »

Nous voici parvenus au rien. Tôt ou tard nous devions en passer par là — qui n'a pas de lieu. Je regarde Cioran prendre sa propre mesure. Écrivain *ou* penseur, cela ne l'oblige aucunement à choisir ; écrivain penseur, cela lui est de la dernière futilité. Ce qui l'atteint : « Une œuvre surgit d'un appétit d'autodestruction et s'édifie au préjudice d'une vie ». Voilà qui signe l'opération (pensante, écrivante, quoi encore ?). Toute création reste crédule et abusée. Oui, c'est par faiblesse de pensée qu'on écrit, c'est par faiblesse d'écriture qu'on pense. La réversibilité elle-même n'opère que par cette faiblesse, distraction de notre mort, gratification du temps qui met du temps à nous achever à coups de boutoir quotidien. Que les ratiocineurs de temporalités s'effilochent l'esprit et réduisent le dictionnaire en lambeaux, si ça leur chante, pour l'instant j'avance dans le vide, me tuant toujours trop tard, en proie aux troubles, aux hontes, aux effrois dont nulle thérapeutique à système ou à déconstruction ne me dépossédera, car c'est mon patrimoine d'impressions et d'expressions, avers et revers d'une pensée acide qui gruge le papier où j'écris. Cioran, ainsi, traverse son néant, avec tout le sens du ridicule qui afflige un pauvre bougre à demi végétalisé par sa « délectation dans l'hébétude ». La morale ontologique de Cioran finit par accepter l'indémontrable, l'idée qu'un presque quelque chose existe. Et notre clochard philosophique maugrée : « Le Rien était sans doute plus commode. »

Écrire et *penser* ne font pas le poids comme doublets d'une perplexité. Une science de l'esprit téteuse de vocables grotesques a cru trancher un débat qui laisserait pantois les angélologues du Moyen Âge. À la fin des fins, la santé d'un Cioran miné de non-être éclate en un hymne revigorant : « Quelle démonstration, quelle preuve pourraient cependant prévaloir contre la persuasion intime, passionnée, qu'une partie de nous échappe à la durée ? (...) Et ce saisissement, ne l'eussions-nous éprouvé qu'une seule fois, qu'il suffirait à nous raccommoder avec nos hontes et nos misères. (...) C'est comme si *tout* le temps était venu nous visiter, une dernière fois, avant de disparaître. » C'est un peu cela, écrire-penser. Par une futilité consentie, dont le caractère désuet, imbécile, est indéniable — et imperturbable.

Il reste que Cioran ne se réconforte pas à bon compte. Ses outrances cernent une mesure toujours précaire. Il n'est pas indifférent que son humour ne se démente pas au fil des pages écrites dans un style prêt à éclater, toujours contenu. Lui qui sait «distinguer entre les nuances du pire», écrivain d'idée qui n'interrompt ni ne compromet le lyrisme de la pensée par une écriture en retrait de l'écriture, par ce qu'on appelle une distance critique, il s'enfouit dans ses textes comme une taupe, aveugle à toutes les sollicitations de l'extrémisme. Voilà ce qui échappe à ses détracteurs et même à ses laudateurs. Cioran ne vise pas la conservation et pas davantage la révolution (gagnante, elle conserve). Il sape ses propres positions. Il moque ses croyances. «L'absolu? Une question de régime.» Et surtout, il emprunte la voie royale et souterraine de l'ironie la plus amère: «Ce petit bonhomme aveugle, âgé de quelques jours, qui tourne la tête de tous côtés en cherchant on ne sait quoi, ce crâne nu, cette calvitie originelle, ce singe infirme qui a séjourné des mois dans une latrine et qui bientôt, oubliant ses origines, crachera sur les galaxies...» Ou encore, sur un autre registre: «Jamais esprit hésitant, atteint d'hamlétisme, ne fut pernicieux». Et pour cause: «Ce que votre livre sera, je ne le pressens que trop. Vous vivez en province: insuffisamment corrompu, avec des inquiétudes pures, vous ignorez combien tout *sentiment* date. Le drame intérieur touche à sa fin. Comment se hasarder encore à une œuvre en partant de l'*âme,* d'un infini préhistorique?»

La pensée nette et le style droit forment chez Cioran une prose de l'acceptation. Qui l'eût pressenti? Ce n'est pas que le moraliste blessé se résigne. Mais le dégoût de notre condition et l'équivoque de nos vérités lui inspirent ce qu'on ne rencontre que chez très peu de penseurs: la compassion pour la maladie humaine. Nous sommes des bêtes, et nous le savons, et nous souffrons de le savoir. De là nos constructions branlantes et nos entreprises fumeuses. Cioran mesure l'ampleur de notre déréliction et se refuse par probité à la couvrir d'explications rassurantes. Je vois dans la frénésie des théories dites «textuelles» et autres «pratiques signifiantes» qui ont réussi à zombifier de solides tempéraments d'écrivains, une peur panique de se tromper, d'oublier quelque chose, de se faire doubler ou d'être laissé pour compte. On devait *s'acquitter* de quelque accusation tacite de manquer à une orthodoxie discoureuse. Avec comme conséquence les montages effrayants d'intelligence astucieuse où pourraient se raccorder tous les relais de l'écriture et de la pensée. J'exagère à peine. Un mot usuel (non pas innocent) et serviable comme «transparence» est devenu suspect de servir un ancien régime intellectuel et littéraire. J'aime mieux me taire au sujet du magouillage qui a rendu niaise et hagarde une notion complexe et subtile comme celle de *mimésis.* S'il ne s'agissait que de constater une évolution culturelle et de l'inscrire au lexique, il n'y aurait aucun mal, au contraire. Mais quand la pensée, quand l'écriture se donnent pour libératrices en multipliant les interdits, c'est que le pourrissement a gagné la tête et le cœur d'êtres par ailleurs fort brillants.

Cioran, je n'en doute pas, se considère à bon escient comme un pauvre type. Ses sourires navrés ne naissent pas de la feinte. Lui aussi rêve d'«un livre léger et irrespirable, qui serait à la limite de tout, et ne s'adresserait à personne». Mais il éprouve à chacun de ses livres ratés que l'écriture-pensée n'a pas de preuve, qu'elle n'en aura jamais. C'est pour cela que je le lis, même si souvent il m'agace ou m'exaspère; je le lis «pour la sensation de naufrage que me donne tout ce qu'il écrit». Naufrage où nous sommes perdus corps et biens, ensemble.

Mais Cioran, que je mesure mal, ne me laisse pas le quitter de sitôt. Sa modestie enjouée lui dicte un propos qu'il me destine: «On ne peut être content de soi que lorsqu'on se rappelle ces instants où, selon un mot japonais, on a perçu le *ah!* des choses!» Satané Cioran! Lui qui s'est haï dans tous les objets de ses haines, le voici penseur-écrivain sans caution aucune et qui ne s'étonne pas de lui-même mais de choses bonnes tout juste à faire des chansonnettes pour la radio. «Le spectacle de ces feuilles si empressées de tomber, j'ai beau l'observer depuis tant d'automnes, je n'en éprouve pas moins chaque fois une surprise où *le froid dans le dos* l'emporterait de loin sans l'irruption, au dernier moment, d'une allégresse dont je n'arrive pas à démêler l'origine.» Et cette fois, il s'éloigne en silence, claudicant comme un Charlot vieilli.

Soudain, je pense à quelques lignes de Clément Rosset, lues récemment: «Les astres ne parlent pas, ne nous disent rien. L'univers, tel que nous le percevons, est comme une mer de silence bordant de toutes parts un petit îlot bavard, la Terre.» Soit, bavardons un dernier coup. Écrire et penser, c'est être, comme l'Éros antique, celui qui va, qui va cahin-caha, pauvre et inventif, divisé puis réconcilié, encore divisé, cherchant une généalogie introuvable à sa double et même bâtardise. Mais l'espace ne s'ouvre, avec parcimonie, qu'en avant. Donc, on va, sans un regard par-dessus son épaule, on se quitte, on s'arrache à la pesanteur de son identité, on va, on va, tantôt à gauche, tantôt à droite, avec ici et là des moments de stupeur quand au milieu du chemin lourdeur et légèreté s'épousent en un seul envol. Alors pachyderme ailé, on s'étonne de cela qui reste rivé au-dessous de soi et qui parle pour le plaisir de choses graves et conséquentes, et l'on rit au bord de l'inespoir, on s'enfantise, on emmêle tout, les ailes et la trompe, on se dit qu'il y a de l'être dans l'air ou bien de l'air dans l'être, on ne sait plus qui ou quoi et bientôt on se retrouve perdu par terre, fourmi laborieuse, chemineau du hasard, amour trahi par sa dérision et mourant de ne jamais mourir tout à fait.

1987

LE DOUBLE DE LA SIGNATURE

Il existe une idéologie de la signature (celle de l'écrivain) et qui n'est pas souvent critiquée (mise en crise).

Un jour, j'appelle un ami pour lui dire mon désaccord au sujet d'une pétition qu'il avait signée. Il me répond : « Mais je n'ai jamais signé ! » J'observe que son nom figure en bonne et due forme au bas du texte. Il proteste, on l'a consulté par téléphone, à la va-vite, « et d'ailleurs, ajoute-t-il le plus sérieusement du monde, qu'est-ce qui prouve que ce nom-là, c'est bien moi ? » Et il renchérit : « Une signature a tellement peu d'importance que même le code pénal se montre précautionneux à l'égard des confessions rédigées et signées de la main de l'accusé » (main qui souvent a été soutenue, et pour cause, par la bienveillance policière). Je raccroche, perplexe.

La lettre anonyme ne serait pas si méprisable, le plagiat pas tellement réprouvable, et les citations sans guillemets ni références ne constitueraient plus la coquinerie dont s'émeuvent au moins les universitaires. À quoi bon les pseudonymes qui sont indices selon les cas de craintes ou de scrupules ? Un texte se suffirait à lui-même, un texte ne représenterait qu'un fragment de ce fameux grand texte national ou international sur lequel d'ailleurs on théorise à gogo sans pour autant se retenir d'exiger du même souffle que chaque écrivain se reconnaisse responsable de sa signature, qu'il honore sa signature, comme disent les banquiers.

Il y a là quelque chose qui, même si on le tient pour acquis, ne va pas de soi. J'ai lu, dans la revue *Esprit* je crois, voilà vingt ans, une chronique dont à l'époque je ne m'étais guère soucié ; le titre : « Cachez le poète ! » coiffait des considérations assez peu flatteuses sur le cas d'un certain Paul Claudel qui, dans l'exercice de ses fonctions d'ambassadeur, aurait tripatouillé dans des échanges commerciaux pas du tout catholiques. Or, rappelait le chroniqueur, ce même Paul Claudel était le signataire d'œuvres poétiques — et pas toujours catholiques non plus — qui comptent semble-t-il parmi les plus importantes de l'époque contemporaine. D'où l'indignation du chroniqueur, indignation si je peux dire à la deuxième puissance, la signature du diplomate démentant la signature du poète. Contradiction insupportable, recherche de solution : trouvaille assez simple. Abandonnons la signature au diplomate et cachons le poète. Cachons-le sous un déguisement ou, mieux encore, sous un numéro matricule ; et la poésie restera pure.

Les idéologies les plus opposées s'accordent aujourd'hui sur ce procès en ligne continue : la signature manifeste le nom qui manifeste la personne. Signer un texte, c'est poser un acte, c'est se mettre en position de transitivité comme lorsqu'on accorde au verbe un complément d'objet direct ; cette équation sans inconnue, les morales les plus aplaties se dressent devant quiconque la met en doute. Toutes les discussions sur l'engagement et sur la récupération en littérature postulent que le signataire, individuel ou collectif, est celui qui a produit ce texte dont il doit répondre. Jean-Jacques Rousseau, vous avez écrit l'*Émile,* comment avez-vous pu oublier vos enfants à l'Assistance publique ? Federico Garcia Lorca, la garde civile a fini par avoir votre peau, mais c'était couru avec toutes les injures que vous avez écrites sur son compte. Ossip Mandelstam, si vous n'aviez pas commis ce poème sur Staline, vous n'auriez peut-être pas dû aller crever en exil. Et ainsi de suite, avec toujours les mêmes suites attachées à la signature d'un texte, c'est-à-dire : une relation univoque, tout compte fait ou une fois dissipée l'équivoque, une reconduction du moi au nom et du nom à la signature, celle-ci étant par procuration l'épiphanie d'un choix public, conscient et volontaire.

Pour la civilisation de surveillance dans laquelle nous sommes coincés, la signature apparaît comme le concentré de la fiche signalétique. C'est justement sur la signature, attestée comme en Cour de justice, que sont établies les diverses disciplines de la littérature, histoire, sociologie, psychologie et autres, qui interrogent les textes pour savoir de ceux-ci comment répondre du contexte. La politique pour sa part n'avait pas attendu si longtemps et ne s'était pas embarrassée d'un arsenal parascientifique ; les écrivains, elle les a engagés, mis en gage, ou discrédités, rendus insolvables ou tout bonnement supprimés, raturés ; elle couvre leur signature d'un tampon officiel ou même officieux qui les habilite à parler ou à se taire.

L'idéologie de la signature veille sur ces croyances, selon lesquelles la signature équivaut à un titre de propriété privée, confère les fameux droits d'auteur, est un signal de prestige qui fait que l'on tolère le vedettariat, ou une marque de commerce ou un certificat — ça arrive — de bonne mœurs, quand ce n'est pas un diplôme de réfractaire professionnel. Cette signature institutionnalisée est l'assise sociale, culturelle, politique et économique du texte.

Et là-dessus je m'interroge. Si la signature n'était qu'une espèce d'index, un *vrai pseudonyme,* un anonymat différé, « un des lambeaux du texte en lambeaux » comme disait Derrida, si la vraie signature était l'écriture même du texte, son tissu plus ou moins déchiré, si en fait la signature n'était qu'une espèce de points de suspension, un simple signal de discontinu, de mouvant, de fractionnaire, d'un « je » qui n'en finit pas de devenir un autre, et de cet autre, qui commence à peine à devenir un « je » ? Si cette signature, hiéroglyphe déchiffré, sans référence directe au nom, n'était qu'un indice, pas plus privilégié que les autres, un indice textuel comme quoi le texte lu, perçu, se détache, erre, est moins une solitude nomadique qu'une entité nomadique qui tend à l'objectivité par une pratique transformante de ses structures dynamiques ? Si la signature pouvait être retranchée, coupée, pour que toute la responsabilité soit portée, emportée par le texte même dans une intrusion lente ou soudaine du poétique dans le politique ?

Je ne veux pas ici faire une apologie de l'irresponsabilité, bien au contraire. Pour rendre le texte non récupérable, il ne faut pas offrir le prétexte d'une signature qui soit en quelque sorte un hors-texte, mais une signature qui soit incluse dans le texte. En somme, quand on réfléchit sur le double de la signature, on s'aperçoit qu'on a affaire à l'une des relations du poétique et du politique.

Que le politique soit considéré comme la dimension humaine par excellence ou comme l'une des dimensions de l'homme, ce n'est pas mon avis dans les deux cas. Je pense que la dimension fondamentale de l'homme est une relation dialectique, violente et feutrée, du poétique et du politique. Cette nuit de contradiction, il ne faut pas chercher à la « blanchir » tout d'un coup, mais il faut la vivre patiemment, la réactiver même, car elle est féconde, elle empêche que le politique dicte au poétique sa ligne de conduite et que le poétique rende inopérant le politique.

Toute contradiction engendre une nuit, comme dirait Derrida, non pas à résoudre tout d'un coup, mais à vivre, c'est-à-dire à sans cesse réactiver. Il faut que dans cette relation, le politique ne dicte pas au poétique sa ligne de conduite (et inversement non plus), mais que les deux s'interpellent, s'affrontent et se fécondent. La signature, dans ce cas, je ne prône pas sa suppression, mais son inclusion dans le texte.

Dans la mesure où on n'accorde guère de crédit à l'esthétique de l'expression, on ne verra pas dans le texte la pure et simple émanation de la personne de l'écrivain ; dans la mesure contraire où on admet que le procès des productions d'un texte tend à l'*objectivité* et à établir entre l'auteur et le lecteur une médiation ou un intermédiaire, on considérera la signature comme une référence, rien de plus et rien de moins. De ce point de vue, c'est la signature qui en quelque sorte est l'émanation du texte, qui est invitée à rentrer dans le texte dont elle est sortie, à y rentrer comme un corps étranger, de façon que le texte ne se donne ni ne se prenne pour un corps pur, anhistorique. Désormais, la signature sera pour le texte une inquiétude vivace, elle sera une espèce de blessure que j'oserais appeler intratextuelle, elle signalera que le texte cherche à accomplir la traversée de l'histoire même si son projet est transhistorique.

Le double de la signature, ce n'est pas l'auteur, le signataire ; c'est le texte, le signé, le signant.

1974

DÉRIVES

En lisant *Les Chimères, Les Fleurs du mal, Une saison en enfer, Les Chants de Maldoror, Romances sans paroles, Jamais un coup de dés...*, *Les Pâques à New York, Connaissance de l'Est,* et quoi encore, avais-je besoin, pour les entendre mieux, de connaître l'arrière-histoire de ces langages? Non, et d'autant moins que ces livres disparates, dépaysant ma lecture, faisaient de ma propre biographie une tout autre histoire. Lecteur, j'étais traduit en une langue étrangère que je comprenais sans l'avoir jamais apprise.

Mais en lisant *Alcools*? Plutôt: en le relisant, car j'y reviens toujours, comme à une énigme qui me lasse et me réactive, on dirait presque d'un vieil amour soudain reconnu sur un journal jauni un jour de déménagement. *Alcools,* posé sur ma table, puis-je l'ouvrir enfin sans connaissance de cause? Oui, oui, Guillaume, ça va, merci, tu peux disposer. Je t'aime bien, mais aujourd'hui je voudrais lire en paix. Seul. Perdu. Souhaitant (plus tard) ton retour. Pardonne-moi; et n'oublie pas de fermer la porte.

— Quelle porte?

— Celle dont tu écris:

La porte de l'hôtel sourit terriblement

— Tu n'y comprends rien. Laisse-moi t'expliquer.

— Non. Sois gentil. Va et ferme la porte.

— Justement, elle est fermée à double tour, la fichue porte. Si tu étais plus attentif aux concordances, si tu lisais mon livre autrement que poème par poème...

— Oui, j'ajouterais sans ironie:

Ouvrez-moi cette porte où je frappe en pleurant

— Tu n'y es pas. J'allais te souffler:

Toc toc. Il a fermé sa porte
Les lys du jardin sont flétris
Quel est donc ce mort qu'on emporte

— Je connais la chanson:

Tu viens de toquer à sa porte
Et trotte trotte
Trotte la petite souris

Et maintenant...

— Pas si vite. Tu as encore besoin de moi :

Fermons nos portes
À double tour
Chacun apporte
Son seul amour

— J'aurais trouvé tout seul :

Sur mon amour ferme la porte

— Bon. Je m'en vais. Porte-toi bien.

Je ne peux m'empêcher de regarder par la fenêtre ce cher Guillaume qui s'éloigne tandis que demeure tout près son rire un peu inquiet, comme troublé à la source. Décidément, on ne peut le chasser tout à fait de son livre.

Non, l'Apollinaire d'*Alcools* n'annonce pas tant le surréalisme qu'une veine chantante et saignante, une coulée de poésie où le rire a peine à n'être pas mélancolique, où le désespoir se permet de prendre des allures goguenardes. Voici les vrais compagnons de cet Apollinaire : Max Jacob, bien sûr, mais surtout Robert Desnos, Raymond Queneau et, pourquoi pas, Jacques Prévert.

La passion, l'élégance, le jeu du qui-perd-gagne, tout cela convoque aussi Essénine, Lorca, Sylvain Garneau, Jean Charlebois. Et l'impudeur de l'âme, quand elle ne se fourvoie pas dans la complaisance, quand elle ne se masque pas d'érudition livresque, appelle le compagnonnage de René-Guy Cadou.

Voilà beaucoup de monde. Mais ces petites foules bruissantes ne m'incommodent pas. J'aime les cigales et les grillons, rumeurs des villes émigrées à la campagne. *Alcools* en fourmille, aux moments inattendus, et pour l'ordinaire cela fait merveille.

Tu regardais un banc de nuages descendre
Avec le paquebot orphelin vers les fièvres futures
Et de tous ces regrets de tous ces repentirs
Te souviens-tu
...

Te souviens-tu du long orphelinat des gares
Nous traversâmes des villes qui tout le jour tournaient
Et vomissaient la nuit le soleil des journées

S'agit-il, comme disent les classificateurs-nécromanciens, de «poésie mineure»? T.S. Eliot, si je ne m'abuse, voulut jadis répondre à la question. Mal lui en prit. L'inévitable formule, «poètes d'anthologie», le fit errer pendant des pages et des pages, mais au détour de l'une d'elles une remarque incidente me frappa: «Il y a des poèmes dont quelques parties seulement restent vivantes.» Ce qui arrive plus que souvent dans *Alcools*. Et qui explique sans doute qu'on soit toujours attaché à ce livre malgré le grand nombre de mauvais poèmes qu'il renferme.

Où suis-je? Je voyageais en compagnie du «Voyageur». Son propos m'aura égaré. Vraiment? Il m'aura plutôt conduit en lieu sûr, chez cette admirable «Marie» qui est nous, toutes et tous, et ne l'est pas, pas plus qu'elle n'est elle-même. Magie facile d'Apollinaire, qui lui vient naturellement et qui (à son insu?) abîme, littéralement, le banal exquis dans le sans-fond de l'affectivité, dans l'inexistence voilée du désir qui a enfin dépouillé ses airs de matamore.

Oui je veux vous aimer mais vous aimer à peine

Et change la scène, comme la saison, comme le cœur, comme la sensation. Éros quitte le *Banquet,* passe par la chanson de toile, puis se parisianise et, baissant la tête sous le pont Mirabeau, se noie dans l'intemporel:

Je passais au bord de la Seine
Un livre ancien sous le bras
Le fleuve est pareil à ma peine
Il s'écoule et ne tarit pas
Quand donc finira la semaine

«Cors de chasse»: fin d'amour, «fin'amors»... C'est encore un vœu de la poésie verlainienne qu'ici réalise Apollinaire. Le moment de la fin n'est pas momentané; il dure et ne cesse de s'exténuer sans mourir.

Passons passons puisque tout passe
Je me retournerai souvent
Les souvenirs sont cors de chasse
Dont meurt le bruit parmi le vent

Ainsi se termine le poème et commence l'après-culture. Je me refuse au facile désenchantement d'une philosophie convenue. Il y a beau temps que nous savons l'humain privé d'unité, de continuité; que le vide, le nul, le rien forment, en la succession linéaire du langage, une redondance uniquement rhétorique. Non, je ferme les yeux et j'écoute un écho double, l'un venu, je ne sais comment, de Vigny :

J'aime le son du cor le soir au fond des bois

et l'autre, venu je ne sais de qui, par la voie d'une lucidité souriante :

J'aime le son des bois le soir au fond du corps

Le rien se ramène au tout, et inversement. Passons, passants, n'empêche que je me retourne. Illusion orphique. Le souvenir involontaire me convertit, au gré des vents, à cela même qui meurt et, mourant, se donne à la perception, façon de vivre encore et encore. Telle est donc, peut-être, la nostalgie qui baigne le poème en son entièreté inapparente. La sensation vive de l'instant qui meurt reste impensable à la fois comme sentir et comme être-là. Mieux et plus : elle manifeste l'impensé de la pensée. Cette fin d'amour en est le début, mais dans un autre registre : au secret du corps mis en musique langagière.

La fameuse « Chanson du mal-aimé », on y revient toujours, malgré soi. Je me dis « fameuse » parce qu'en la lisant pour la énième fois, je sens par-dessus mon épaule toutes sortes de regards et moi-même, au prix d'un torticolis tout intérieur, je ne cesse pas de me regarder lire. Ce n'est plus possible à la fin, non je n'arrive pas à retrouver ma pseudo-innocence première et en même temps je reste convaincu qu'il le faudrait, qu'à cette seule condition je pourrais me débarrasser d'un mouvement de l'esprit et des yeux qui appréhende les mots à venir. Je ne lis pas pour comprendre, pour savoir, pour juger, mais dans l'espoir d'un étonnement, d'un mirage d'admiration. Alors ? Pourquoi ne parviens-je pas à me réinvestir de l'ingénuité qui caractérise la perception enfantine ? Peu importe que l'on sache tout à l'avance, ce qui compte, c'est le charme renouvelé, aucune usure n'a prise sur cette harmonie répétitive. Mais voilà : on a tellement commenté, analysé, expliqué, justifié, qualifié, disqualifié, j'ai lu tous ces livres parasitaires et mon plaisir en est triste.

Au fond, c'est simple, je n'en démords pas : Apollinaire, en reprenant son poème, a commis une erreur. Le poème n'en est pas mort, et tel est le signe de son extraordinaire charge émotive. Ah ! la discontinuité, la modernité, la rupture ! D'où la nécessité (paraît-il) de l'« Aubade » et de la « Réponse des Cosaques » (insérées après coup). Non, ce n'était vraiment pas la peine d'en rajouter. Déjà les quatorze quintils de la première partie, à même leur enchaînement mélodique, portent leur mesure d'errances et affichent leurs brisures.

La « Chanson » cahote et dérape de sa ligne thématique, le sens obvie se dérobe et parfois cèle les apparences au point qu'on ne peut de ce poème se donner une lecture confortable. Quant aux « Sept épées », je me réjouis qu'elles gardent leur tranchant et qu'on ne puisse encore aujourd'hui décrypter ces strophes lumineuses. Oui, c'est tout simple : il s'agit de les lire littéralement et dans une optique telle que chaque strophe vaille pour elle-même. Par exemple :

> *La sixième métal de gloire*
> *C'est l'ami aux si douces mains*
> *Dont chaque matin nous sépare*
> *Adieu voilà votre chemin*
> *Les coqs s'épuisaient en fanfares*

Faut-il sortir la grosse artillerie de l'intertextualité ? Mobiliser Nerval, Mallarmé, Li Po ou les « Aubes » de toutes les langues et de toutes les époques ? La réponse vient d'abord de la suite du poème, puis reviendra lors des « Rhénanes ». Une seule chanson souvent presque inaudible traverse *Alcools*. Les synthèses de la perception coutumière s'y défont sans effort, quand Apollinaire, justement, ne s'efforce pas au parallélisme ou au simultanéisme. « *Vitam impendere amori* » accompagne *Alcools* et particulièrement la « Chanson du mal-aimé » :

> *La vitre du cadre est brisée*
> *Un air qu'on ne peut définir*
> *Hésite entre son et pensée*
> *Entre avenir et souvenir*

Quel poéticien nous donnera meilleure poétique ? Apollinaire, sensitif jusqu'à l'outrance (hélas), investit le poème du vertige de l'intuition. Il a raison contre toutes les raisons après coup, les nôtres et les siennes. Et il est clair dans l'obscur.

> *Je ne vous ai jamais connue*

Ainsi conclut-il la septième épée. Je le crois sur parole. Cette inconnaissance essentielle à l'écriture du poème s'atteste à la lecture. Les *reines, murènes, sirènes* n'existent ici que par l'absence d'Annie plus tard visitée, toujours en poème, grâce à l'évanouissement des figures rimantes.

Et je poursuis ma lecture, multipliant les contre-sens qui choquent la rationalité, l'éclatent en sensations. Le phénomène alors a chance de se manifester ; ainsi la licorne quitte-t-elle l'abri de sa timidité pour paraître aux yeux de qui l'avait déjà dans sa candeur accueillie. On ne me convaincra jamais que je n'éprouverai pas un bonheur désarmé lorsqu'un matin, au sortir du demi-sommeil, je reconnaîtrai l'inconnue, stupeur paisible, femme de l'indésir :

> *Quand bleuira sur l'horizon la Désirade*

Quand Apollinaire laisse en retrait sa faconde, quand il ne cherche pas midi à quatorze heures, il lui arrive de «rester court». Se produit alors *l'effet haïku*. Il ne s'agit pas d'une semblance ou d'une imitation de poème japonais. Par des voies différentes, deux poétiques s'approchent d'un indicible. Chez Bashō, le but est visé directement; chez Apollinaire, on ne décèle ni but ni visée. *Alcools* offre, non pas à profusion, mais avec une générosité qui s'ignore, des instants de sensation pure et irréductible à l'émotion comme à l'impression.

Le galop soudain des étoiles

reste une image infissible, ainsi en va-t-il pour:

Sur l'herbe où le jour s'exténue

Ce sont des prélèvements de quelque poésie immanente aux choses du monde, poésie inférée, presque présupposée, reconnue pour telle et dûment consignée dans le catalogue indéfinitif de l'imagination déréalisante.

Dans le brouillard s'en vont deux silhouettes grises

n'appartient pas non plus à la poésie haïkiste dans la mesure où le retrait de la vision demeure absolu, ne se donnant de jeu qu'un effet d'écho perceptif par ailleurs assignable à la vraisemblance référentielle. *L'effet haïku* demande à la fois plus et moins. Il résulte d'une traversée de la sensation et d'un retentissement consécutif dans la pensée inchoative et qu'on n'arrive pas à congédier, même en état de rêve ou de rêverie. Car il existe une pensée poétique en prise sur l'impensable. En témoigne ce parfait haïku de Gochiku:

Longue nuit
le bruit de l'eau
dit ce que je pense

Il faudrait rôder lentement dans les «Rhénanes» et dans les poèmes apparentés pour glaner des correspondances au «satori» des poètes japonais. L'immédiateté doucement fulgurante de certaines notations y fait évidence. On se retrouve, transfiguré, dans ce grand courant de la poésie langagière que j'appellerais «transparence perplexe» et où la sensation, ne sachant quel parti prendre, se dépasse sans se délester de son inquiétude ravie, vers le on-ne-sait-quoi d'une illumination partagée entre l'ironie et la naïveté.

Et les feuilles mortes
Viennent couvrir les morts

Toute explication tomberait dans la justification. Ici, la discontinuité si chère à Apollinaire est pourvoyeuse de continuité — et inversement. L'indécis décide. Que fait la vie, sinon mourir ? Impensable pensée. On en reste court.

1982

FIGURES EN RUINE

Qu'est-ce qu'un écrivain méconnu ? La réponse pourrait varier à l'infini, car tout semble relatif dans la notion de méconnaissance. Par exemple, Georges Perros et Robert Marteau, n'ayant pas l'audience d'un Michel Tournier, restent plus ou moins marginaux. Leur œuvre offre pourtant de nombreuses et profondes *possibilités* de lecture. À cet égard, ils sont méconnus, non seulement par défaut de connaissance, mais aussi et surtout par notre façon de passer tout droit et trop vite devant ce qui devrait nous arrêter, nous étonner, nous dévoiler un pan du monde et une partie de nous-mêmes. Mais la lecture littéraire, on ne l'ignore pas, incline à suivre les courants de la mode.

Franco Lucentini, on le connaît comme auteur, avec Carlo Fruttero, de *La Femme du dimanche* et de *La Nuit du grand boss,* deux chefs-d'œuvre du roman policier. Mais qui a lu les trois admirables récits que Lucentini a regroupés en un seul volume : *La Porte, Les Compagnons inconnus, Ruines avec figures,* et que je tiens pour la matière d'un grand livre[1] ?

Lors de ma première lecture, le livre de Lucentini m'a bouleversé ; il a déplacé mes repères habituels. Pourquoi ? Je serais en peine de l'expliquer. Les nouvelles vont dans le sens d'une intensité grandissante de l'émotion. Elles furent pourtant écrites sur un espace de dix-sept années. Mais de l'une à l'autre, des constantes s'imposent qui permettent de lire les trois textes comme autant de chapitres d'une seule et même histoire. Il y a d'abord les ruines, celles d'une Rome encore ravagée par la guerre, puis celles de la Vienne de 1945, enfin celles de l'ancienne capitale de l'empire romain. À ces ruines physiques se juxtaposent ou se surimposent les ruines morales de divers personnages : prostituées, réfugiés, trafiquants, laissés pour compte.

Dans *La Porte,* Adriana, écartelée entre le désir de l'inceste et celui du suicide, décide en un sursaut radical de se retrancher de la vie sociale et d'affronter, seule, "la peur blanche, absolue". Elle quitte tout, s'enfouit dans une cave et se met en attente : « J'attends que tout ça casse. N'importe quoi. Un cri, une crevasse, quelque chose. Quelqu'un ». Sa réclusion n'empêchera

1. Le Seuil, 1975.

pas l'ordre social de la rejoindre et de l'asservir. Nous ne vivons pas parmi des ruines, nous survivons à l'état de ruines.

Les Compagnons inconnus met en scène un Franco perdu et malade qui, au bord du suicide par lassitude, est sauvé, accompagné, par de pauvres hères hébétés de souffrance. C'est le triomphe du partage entre des êtres qui ont moins que rien, qui n'ont plus d'existence que larvaire. Ce récit où alternent avec une virtuosité discrète des répliques en allemand, en russe, en tchèque, en polonais, ne raconte que des banalités, tout le lamentable du «il n'y a rien à dire, rien à faire». Et pourtant lève de ces pages sereinement désespérées l'un des plus purs chants d'amour que j'aie entendus. Comment, avec si peu, avec la dernière des détresses, arriver à une telle hauteur de tendresse? Il faut dire que l'art de Lucentini est minimal, qu'il résulte, comme le souligne Fruttero, d'un bricolage assez prodigieux des ruines que nous appelons nos idées et nos sentiments. Voici Mania et Franco, tous deux au bout du rouleau, dans le sous-sol d'une maison proche de s'écrouler. Ils tiennent encore bon, un dernier coup, ils se connaissent à peine, depuis peu et par nécessité, ils ne savent que dire et que faire, ils n'ont en commun que d'être là, tout juste être, sans regrets, sans promesses, sans désirs. Et pour un instant, à même leur misère, ils créent cette merveille: un échange muet, d'une parfaite transparence. Franco regarde Mania, ses cheveux sans couleur, son visage d'ombre, il touche son déchet de vêtement, il touche son corps usé, regards et gestes étant de la plus grande retenue, et Mania tremble et elle pleure, c'est sa réponse pudique à tant de respect, et Franco se tourne du côté du mur, signifiant ainsi qu'une radicale distance, celle d'être deux, dissipe toute équivoque dans cette promiscuité. Le texte de Lucentini, dans cette scène, s'est davantage simplifié, il s'est comme ralenti, laissant la place à la vulnérabilité d'un amour gratuit et qui fait d'autant plus mal. Ces *Compagnons inconnus,* décidément, m'auront marqué pour la vie. Lorsque Franco trouve le courage de quitter ses chers compagnons, il le leur manifeste dans un au revoir d'une grande douceur alors qu'en lui-même se déchire la dernière illusion, mais était-ce bien une illusion, ce «peut-être» intérieur, souhait désabusé, sourire plus étouffant qu'un sanglot?

J'ai l'air de présenter Lucentini comme un écrivain qui mise sur le pathétique. La réalité est tout autre. Lucentini ne manque pas de drôlerie et d'humour cocasse, il hésite entre la confusion et l'embarras, le moindre trait de la vie quotidienne, machinale, se frayant un chemin presque d'insignifiance parmi nos faiblesses et nos bassesses. Le dernier récit, *Ruines avec figures,* celui que je préfère, réduit à son extrême la pauvreté de langage. Le protagoniste, dérisoirement nommé « le professeur », travaille comme homme à tout faire dans un bordel de bas étage. Le miracle ici, c'est que la narration d'un demi-demeuré conduit le lecteur attentif jusqu'aux sphères métaphysiques de l'indétermination du temps et de la connaissance. Là aussi je me demande : « Comment cela peut-il advenir ? » Lucentini, nous assurent Fruttero et Jaccottet, aurait inventé (en italien) un imparfait conditionnel antérieur-postérieur propre à suggérer diverses nuances du langage de semi-analphabète que se tient le professeur. Par cette brèche langagière pénètre dans le texte et dans la conscience du lecteur une indécision qui remet en cause et en mouvement nos idées convenues. Ruines, la pensée ; ruines, l'action ; ruines, les visages de l'autre et de soi. Mais ruines avec figures qui font signe. On ne sait de quoi, de qui. On ne sait pas ; allez donc savoir ! Les spécialistes, commis au savoir éprouvé, ils supposent, ils supputent. Le professeur se promène dans ce qui reste de la Villa Adriana, tâchant de ne pas oublier son emploi du temps, et bientôt il court rejoindre la Marquise à l'hôpital, pauvre fille entre les plus pauvres et qui a raté sa sortie et qui lui demande de lui tenir la main, et lui, le balourd, le stupide, ne sait que dire ni que faire, il contemple ses chaussettes et s'inquiète de savoir pourquoi les neuves sont aussi trouées que les vieilles, et pourquoi le guide touristique, le livre où les choses sont écrites noir sur blanc, se perd dans des méandres d'incertitude, va d'une ruine à l'autre, dessinant une figure si brouillée du temps qu'on ne sait pas ce que c'est, et encore une fois, et toujours, dans notre intuable et dérisoire espérance, un « il » et une « elle » se mettent ensemble, sans exiger, sans compter, se serrant au plus près à mêler leurs larmes, « à ne plus même savoir où on était ». Tel est l'amour à la Lucentini, décourageant Freud et les chanteurs de pomme, hirsute et cafouilleur, ne se sachant pas, figure d'un Éros inventif à force de pauvreté, figure d'enfants seuls au monde et ruine de toutes les prétentions, y compris les siennes.

Je relis le livre de Lucentini, je réentends sa musique grêle et brisée, je revois ses ombres portées en grisaille, je retouche son tissu translucide d'usure. Et me submerge une douleur de l'intelligence, qui est aussi douceur, indissociablement, on dirait, mais je ne saurais le dire, que j'éprouve dans ma finitude, dans ma singularité, quelque chose de fluide et de rugueux, comme si l'univers me prenait contre lui et m'avalait, comme si l'angoisse de l'inconnaissance n'était soudain que bonté lucide et, par là, infinie.

1986

IL N'Y A PLUS D'ÎLES

Ceux dont le constant souci est de ne pas rater le dernier bateau feraient bien de s'embarquer sur celui-ci. Ils auront tout le loisir de connaître leur condition de naufragés. Un monde, le nôtre, venu on ne sait d'où, s'est trouvé un jour coincé entre quelques planètes, et depuis il s'enfonce, en plein espace, il coule lentement vers sa négation radicale.

Non, je ne lis pas la pièce d'Alain Pontaut[1] comme une fable, un apologue, une allégorie. Littéralement, à fleur d'eau si j'ose dire, ce texte explique ses intentions. Comme le remarque un personnage, Fabert, « y a aucun suspense à attendre de cette histoire-là ». Le drame ici reprend à la fatalité l'inexorable de son déroulement et la certitude, avouée au départ, de sa conclusion. Que faire ? Rien. Sinon faire semblant, jouer à comme si ce n'était pas vrai. Durer. Prévoir aussi, pourquoi pas ? Vivre entre l'ennui et la moquerie, échapper à l'effroi de la bêtise innommable qui porte, pour combien de temps encore, le lieu et le moment de notre définition définitive.

Car tout cela, sous couvert de comédie, reste sérieux, non pas tragique, mais horriblement juste. Fabert, Gama et Pervenche, ridicules noms d'emprunt, s'étourdissent à qui mieux mieux. Ils crèvent de peur. Ils ne peuvent même pas faire face (à qui, à quoi ?). Donc, ils jouent, ils tâchent de remplir leur rôle, à ras bord. Au besoin ils iront plus loin que leur personnage, ils dépasseront l'immédiat, ils se créeront une deuxième, une troisième dimensions. Les « faux » monologues en témoignent. Lorsque Pervenche au téléphone parle longuement avec sa mère (morte il y a un an), quelque chose survient qui déréalise doublement la situation. Pervenche, à n'en pas douter, se raconte des histoires, pour tromper son désœuvrement et aussi sa crainte, car le bateau vient de bouger sur le récif. Cette conversation téléphonique souscrit à toutes les règles du genre, et les circonstances dénoncent, sans outrance, la futilité d'une occupation pour nous plus que quotidienne. D'un côté comme de l'autre, sur scène et hors de scène, naufrage ou pas, l'acte de

---

1. *Un bateau que Dieu sait qui avait monté et qui flottait comme il pouvait, c'est-à-dire mal,* Leméac, 1970.

se relier à l'autre par la parole distante devenue techniquement proche, cet acte dérive sur l'absurde. On en rit volontiers. Ce rire console et ménage une possibilité, faible mais nécessaire, d'espérer. Les gens comme Fabert finissent par se prendre au jeu.

Arrive Gama, «occupé de son ami Sibélius, personnage invisible, avec lequel (il) discute pourtant[2] avec animation». Voilà encore une exagération par laquelle un personnage échappe à sa platitude. Et l'on comprend sans peine que la mort de Sibélius inspire à Gamma une mise en scène involontairement parodique. Capitaine d'un bateau en perdition, mari cocufié en connaissance de cause, réduit à soi, ce non-sens, Gama s'était inventé l'amitié d'un Sibélius avec qui il causait, se querellait, se taisait. Dans ce cas comme dans celui de Pervenche pendue au téléphone, une de nos valeurs solides se retrouve, hébétée, au fond de l'eau. L'amitié tiendrait moins aux personnes qu'à l'imaginaire d'une relation ou, bien pis encore: l'amitié ne ferait loi et ne serait nécessaire que par un détournement de la réalité au profit de la fonction mythique. Que cette fonction cesse ou s'affaiblisse, et l'on retourne à la dérision d'être comme naissent les hommes: nus, laids, seuls, fermés, imbéciles.

Cette dérision, grinçante sous un masque de sourire, on la perçoit tout au long de la pièce. Elle peut s'exprimer dans une simple plaisanterie de Pervenche: «Tiens, je m'ennuie tellement que, hier matin, je me suis mise à penser.» Elle corrode les jeux de mots, calembours et contrepèteries, qui prétendent dégonfler le langage. Elle s'attaque à l'histoire, à la temporalité, à l'altruisme, à la politique, à la vieillesse, à la mort, à l'au-delà de la mort. Le théâtre n'y échappe pas, ni la littérature.

La pièce d'Alain Pontaut, avec, parfois, des échos de dialogues boulevardiers, ne s'en remet à la charge que pour mieux se délester d'une oppression: regarder en face l'insignifiance de vivre, génération après génération, nul (individu ou peuple) ne le supporte longtemps. Le parodique ne sert pas qu'à fustiger des tares sociales ou à dénoncer les abus de l'ordre politique, il donne du champ à la conscience quasi fascinée par l'injustifiable de sa condition, il l'amène à déceler une faille dans le mur d'un horizon fermé. *Après* et *au-delà* existent non pas à titre de consolation bourgeoise ou de feudataires d'une religiosité impénitente, mais comme les signes d'un courage, celui de pousser la lucidité à faire le saut dans l'inconnu. Ce que le théâtre donne à voir n'a

---

2. Je regrette ce «pourtant», même s'il accentue l'ironie de la situation. Car je crois très fort à l'existence de Sibélius.

de sens que par rapport à cet invisible, invérifiable si l'on ne s'embarque pas dans l'aventure de vivre sans prendre garde à son destin. Car l'instant vécu, lui, ne coule jamais ; il n'appartient pas au devenir.

Quand la pièce s'achève, Pervenche crie, non pas « Gama ? », mais « Fabert ? ». Dérision suprême, si l'on tient compte que Pervenche et Gama, après la disparition de Fabert, se sont rapprochés, forcément certes, mais enfin ont remué ensemble de vieilles cendres du bout du pied, avec juste ce qu'il faut de sarcasme pour ne pas inutilement s'attendrir et du coup se mentir l'un à l'autre. Cette scène, que je crois admirable, bascule comme le bateau dans le noir total. D'une certaine manière, c'est une fin heureuse. Et lucide : bonheur triste, à la mesure de notre temps ?

J'ignore ce que cette « partition » pourra suggérer aux interprètes. Le théâtre, on le répète partout, n'existe qu'incarné dans les comédiens, situé dans une aire précise, entouré d'un cérémonial visuel et sonore, bref ailleurs que dans le texte. Moi qui ai dû m'en tenir à la lecture, j'imagine sans contrainte aucune un spectacle sombre, avec des lueurs parfois, une musique de nuit, avec des mutismes parfois. Lueurs et mutismes donneraient du relief au désespoir ricaneur, hâbleur, gouailleur. Un presque rien d'insolite fausserait légèrement le jeu, le sauverait de l'habileté, de la vraisemblance satisfaite. On ne tenterait surtout pas de « faire naturel », genre conversation. La parole théâtrale parle solitairement et de loin, tournée vers ceux qui se sont réunis pour la recevoir et lui répondre, à distance, par le silence. Le théâtre embourgeoisé répugne à ce silence, à cette solitude, à cet éloignement ; il hait le sacral, qui n'entre pas dans son acception du « réel ». Contre ce théâtre dégénéré on veut lutter par sa contradictoire, on s'en remet par exemple à la spontanéité de la rue (qui n'a presque rien de spontané), on condamne le texte et finalement tout recours au langage qui ne soit pas jaillissement pur, flamme de participation quand ce n'est pas feu de camp. Mais on ne peut contester le théâtre que par le théâtre, de l'intérieur, du plus profond, en pratiquant la « résistance » de l'imagination poétique, celle-là même qui ordonne tout dialogue en un monologue « à mi-chemin entre la silencieuse impossibilité des dieux et l'activité parlante et souffrante des hommes » (Maurice Blanchot).

Alain Pontaut, me semble-t-il, a choisi de suivre cette voie exigeante. Il s'est souvenu de l'avertissement que Brecht, au début de *L'Exception et la règle,* fait dire à ses acteurs : « Sous le quotidien, décelez l'inexplicable. Derrière la règle consacrée, discernez l'absurde. Défiez-vous du moindre geste, fût-il simple en apparence. N'acceptez pas comme telle la coutume reçue, cherchez-en la nécessité. Nous vous en prions instamment, ne dites pas : *c'est naturel* devant les événements de chaque jour. À une époque où règne la confusion, où coule le sang, où on ordonne le désordre, où l'arbitraire prend force de loi, où l'humanité se déshumanise, ne dites jamais : c'est naturel, afin que rien ne passe pour immuable. »

À cette règle d'exception se conforme le monologue de Pervenche qui termine la pièce ; il hésite entre le confortable à-quoi-bon et le risque d'un peut-être-que. Pervenche parle, parle, elle dit tout ce qui lui vient à l'esprit, lui saute à la figure, mais elle ne confond pas la nécessité, considérée comme « raisonnable », et la gratuité, folie d'affirmer sans caution la vie au sein de la mort. « On s'attache à des petites choses... »

L'une de ces petites choses qui créent et recréent sans cesse l'avenir englouti dans le passé, c'est une île, possible, improbable, que Pervenche cherche au large avec des jumelles : « Quand je dis qu'il n'y a pas la moindre côte, je me trompe peut-être. Car enfin, il y a ce rivage très vague, au lointain, cette palmeraie toute rose, ces cocotiers derrière la mer... » Gama, lui, avoue qu'à ce sujet il ne sait pas, mais il ajoute : « Je n'ai peut-être pas regardé assez longtemps ». L'ombre d'un doute, comme une mouette, plane sur eux. Plus tard, Pervenche insistera : « Existe-t-elle, cette île, oui ou non ? » — « Le jour venu, est-ce qu'on disparaît tout à fait dans la mer ? » Fabert répond : « En voilà des idées ! » Puis il affirme nettement : « Je vois les arbres ! Je vois l'île ! » Et le dialogue entre lui et Pervenche s'attarde au mirage, avec une espèce de crainte d'y croire et qui se protégera par la moquerie :

> PERVENCHE — Il voit ! Il voit ! C'est notre ciel. C'est de là que tout est parti. Est-ce que tu vois aussi les bienheureux ? Sont-ils des papillons, de purs esprits, des anges ?
> FABERT — Je vois des singes. De grands beaux singes. Ils se lancent gaiement des noix de coco.

La dérision, encore, intervient au moment où la gravité d'une croyance allait peser sur la conscience, la recouvrir d'un voile, la noyer dans un refus de se dépayser totalement. Si l'île n'est qu'une sécrétion de l'insécurité, une assurance sur l'avenir, un alibi propre à laisser aller les événements, alors oui l'illusion est dangereuse et mieux vaut l'obscurcir sinon la dissiper.

Mais il n'y a plus d'îles, mystérieuses, envoûtantes, lointaines, et dont on finit toujours par revenir pour raconter leurs merveilles imaginées. Il n'y a plus d'îles. Il n'y a que des bateaux en partance, jour après jour, vers leur naufrage. Et pourtant, si nous refusions d'embarquer à tout jamais, si nous demeurions, ironiques et résignés, qu'adviendrait-il ? Les continents aussi s'enfonceront. Rien d'impérissable ici, rien d'interminable. Les naufragés n'aborderont pas aux Îles des Bienheureux ni aux îles sans nom. Il n'y a plus d'îles, et c'est tant mieux: la perspective d'une noyade au cœur du néant nous libère du ravissement spectaculaire où nous acceptons de nous perdre pour un peu de magie (d'ailleurs frelatée). Il n'y a plus d'îles, il n'y a que nous, les hommes, vivants parmi les vivants, et donc mortels, et le sachant, et pour cela débordés d'un désir dément: parler, projeter des «paroles en archipel», faire un grand ressassement d'îles modifiables au gré de l'inconnu qui parle en chacun devant tous les autres. Comme au théâtre.

1970

LA VOIX MINIMALE

Maintenant, vous êtes morte. Je vous parle comme si nous étions personne et nulle part. S'agit-il d'une autre convention ? Peut-être. J'ai appris par le journal, c'était en hiver, que vous aviez filé en douce, sans faire d'histoire. De l'autre côté de la fenêtre, la neige tombait elle aussi doucement. Je suis resté là, songeant que nous aurions pu devenir amis, que notre rencontre fut bien tardive, que votre dernière lettre, pleine de douleur et de délicatesse, m'arrivait à la fin de la vie, que... et puis à quoi ça rime ? Vos bons et beaux yeux me signifient de poursuivre mes lectures. Un livre d'Andrée Ferretti, *Renaissance en Paganie* (je n'aime pas ce titre), retrace l'un des destins d'Hubert Aquin. Quel dialogue avec Hypatie d'Alexandrie ! L'ombre de Plotin bouge dans la pénombre qui nous cerne, la lampe et moi. Les *Ennéades,* vous trouviez ça surréaliste. « Tout de même ! Je veux croire que Breton (dans ses *Entretiens*) a intronisé Dante, Uccello, Goya, Gaudi, d'autres encore, mais à ce compte, il faudrait admettre que beaucoup de gens sont surréalistes à leur corps défendant. » À mon algarade, vous avez souri, malicieusement. J'allais être embarqué dans une anthologie du surréalisme québécois... Je protestai. Vous avez insisté, gentiment. Soit. C'était la raison de votre visite.

La Convention[1] somme toute, évoque la visite de la mort à l'amour. Dans ma songerie interminable s'entremêlent mes lectures. Entre deux pages de votre récit j'intercale le dernier poème de l'admirable (et méconnu) livre de Ghislaine Legendre, *Constat 60 :*

Comme des choses à vivre on est pierre passager
des noms de fleurs belles qui gravitent la terre
on va mourir la nuit sans savoir qu'on est bien
dormir le jour l'aube tout le temps d'un hibou

La taupe et le hibou hantent ces quatrains murmurés avec détachement. J'aurais dû vous en parler. Entre hiboux, nous nous serions compris sans peine. Vous auriez aimé, j'en suis sûr, cet autre poème, prémonitoire pour vous et pour Ghislaine (pour nous tous) :

---

1. Suzanne Lamy, *La Convention,* VLB, Le Castor astral, 1985.

On était d'horizon la brume s'est levée
le temps se lèvera on aura tout laissé
des choses inachevées à l'odeur de rance
ce désir passager de froid ou de sommeil

Vous êtes mortes, toutes les deux, tranquillement. Il court sur son erre, le temps, et l'espace s'amenuise. Quand était-ce? Quand avons-nous conversé, complices, de ce qui nous tenait à cœur et qui avait peu à voir avec l'existence anecdotique? Je reprends votre *Convention*. Voyez-vous, avant d'aller à l'essentiel, une histoire de dates me turlupine; c'est idiot, mais je voudrais tirer la chose au clair. Le docteur F. écrit (ou parle?) un an après le premier septembre 1983. Il a reçu le cahier en octobre de la même année. Jusqu'ici tout va bien. Mais là où ça se gâte, c'est quand je reconstitue la chronologie des événements que rapporte la narratrice. Le 8 septembre 1982, c'est la fameuse visite au docteur F. et qui déclenchera ce récitatif d'amour et de mort. Et les dates se suivent. Après le 7 novembre 1982 apparaissent soudain les lettres de François, écrites en juillet 1976. Il s'agit donc d'une citation rétrospective qui à la fois coupe la narration et la brouille. Car après, et c'est là que s'inscrit mon étonnement, on revient au 10 octobre. Or, le 7 novembre, François avait annoncé son désir de s'éloigner, de réfléchir à la décision qu'il devait prendre (opération, ou pas?). Et, selon le cahier, c'est le 30 octobre qu'il rentre, déterminé à souffrir son mal jusqu'au bout. Que s'est-il passé dans ma lecture? Est-ce moi qui m'illusionne? Est-ce vous qui, prise de vertige, avez confondu les dates? Quoi qu'il en soit, le temps qui dans votre livre a l'air de couler uniment se raidit et craque. Vous saviez, j'en mettrais ma main au feu, que vous advenait ce qui allait vous rendre morte, et vous avez comme inversé les références, affolant les données autobiographiques, déportant l'écriture vers ce que vous ne saviez pas. Est-ce que je me trompe? Il y a une fissure dans votre texte, par où je laisse s'introduire entre nous le final d'*Inlandsis*; ce livre de Marie-Claire Corbeil (une cousine à vous, en poésie), brûlant comme les sculptures filiformes de Giacometti, met à nu notre inconcevable prétention de régner sur ce monde et de disposer de la matière.

Il craque, c'est fini. Le plafond craque.
Sous les coudes, les pieds,
les mains, il craque. Sous la tête, il craque.
C'est fini: le vide dehors, la pierre. C'est fini:
moi catapultée et la falaise noire.

C'est un peu par effraction que je suis entré dans *La Convention*. Je vous ai dit: «Parlerai-je de votre livre?» Vous n'avez pas bronché, votre regard espérait que oui et que non. Intimidé, je me suis rabattu sur des banalités. Puis nous avons glissé vers une passion commune : le sentiment de la langue. J'écoutais la chanson de votre accent et aussi votre fatigue, immense, ne sachant rien de votre vie, de vous-même. Votre voix diminuait, s'annulait. Je retrouve un écho à ce quasi-silence dans votre livre. « L'assourdi du ton : la distance, ton mal, le poids de ce que tu tiens à dire ? » (p. 43) ; est-ce vous qui perdiez voix peu à peu, à travers votre personnage ? Autre concordance : « Le silence aussi avait gagné, sur ces affamés de langage que nous avions été. Nous qui avions vécu comme si ce qui n'avait pas tourné en paroles ne pouvait tout à fait exister » (p. 22).

Oui, j'ai violenté votre texte ; je n'ai pu me résoudre à vous en exclure. Pourquoi ? Sans doute parce qu'il me fut et me reste une agression personnelle. J'épouse la révolte de cette Soria, comme moi victime d'une convention inacceptable. « J'ai été dévorée. De soif. Du besoin de savoir, de me faufiler entre. Comment cela s'était passé. À quel moment. En quels mots. Moi, vous m'aviez écartée. Cette entente, elle vous avait liés d'une attache autrement forte que tout ce que j'avais connu. Non, aucun acte d'amour ne peut se comparer à pareille demande, à une telle acceptation. À cet accord à l'autre. J'en voulais ma part, mon dû » (p. 80). Et je n'avais pas raison de vous lire ainsi, supposant une osmose entre Soria et vous. Mais lire n'est jamais facile, avec passion et retenue, dans la présence et la perte de soi. Donc, ce qui me dérangeait et me faisait loucher, c'était la juxtaposition d'un autre texte au vôtre. Georges Perros a écrit, peu avant de mourir, *L'Ardoise magique,* rauque et pudique aveu de perdition. Perros, au contraire de François Hains, accepte d'être laryngectomisé. Votre *Convention* là-dessus m'avait alerté : « Le docteur a mimé le patient sans cordes vocales. Il a produit une série de borborygmes, de bruits, celui strident de la craie sur les tableaux noirs d'autrefois qui nous coulait la glace dans le dos » (p. 25).

L'horreur du mal, ce n'est pas ce qui a déplacé ma lecture. Après tout, comme disait l'humoriste, nul d'entre nous n'en sortira vivant. Et Anne Guigou, plus abruptement, dans son premier livre :

Poudre et crachats
Vie et mort
Ça passera

Non, mon malaise, et c'est pourquoi j'ai fait un sort à cette histoire de dates, venait, je vous le confie en toute indécence, d'un grincement profond du texte et qui se répercutait dans nos conversations. Vos articles, vos activités, vos livres plus ou moins didactiques, tout montrait à l'évidence votre maîtrise critique et théorique. Vous n'ignoriez pas, nous en avions d'ailleurs discuté, qu'un écrivain s'infuse dans ce qu'il écrit pour mieux s'en extraire. Lorsque je vous ai avoué que parfois en votre rire je percevais une rumeur de nuit souterraine, vous avez marqué un temps d'arrêt, puis vous avez soufflé : « C'est une vieille blessure ». Nous en sommes restés là. Mais votre *Convention,* ouverte devant moi comme un jardin plus sauvage que secret, me renvoie le double reflet d'un lecteur perplexe et d'un écrivain aux prises avec « ce qui a été, ce nœud mal compris, qui ne se défait pas » (p. 83). Ainsi s'achève votre livre, hors de toute datation possible. Allons au bout de ma gêne. À la première lecture, *La Convention* m'a presque rebuté. Je déplorais l'insertion de ces lettres, au milieu du cahier, dont l'écriture me semblait artificielle, diablement « littéraire ». Et les dialogues, donc ! Pénibles et contournés. Même la narratrice n'évite pas toujours les outrances du style léché. Je me disais : « Ce n'est pas possible, je lis de travers, elle vaut mieux que cela. » Vous voyez, je n'ai plus de pudeur. La lecture et l'écriture sont à ce prix. De même je vous entends encore énumérer les affres (le mot n'est pas trop fort) de votre enseignement et, en filigrane, de votre vie quotidienne.

Figurez-vous qu'on a un jour tenté de me faire croire qu'Éluard était bête, une espèce de poète sublime et hors de cela ne comprenant rien à rien. Me tenait ce langage un esprit carré, qui fonctionne à l'équerre et au fil à plomb. Par devers moi, je réécoutais la voix pleine de finesse et d'intuition qui ne se dément pas un instant dans *Capitale de la douleur.* Où me conduit cette apparente digression ? Au cœur de votre livre. J'ai fini par entendre sa vraie voix. Étouffée, presque réduite à l'atone, « comme une note tenue au piano » (p. 43), mais le piano est déglingué. Voilà votre livre, non pas histoire (touchante, au demeurant) d'un amour désagrégé par une mort lente, mais soliloque à demi tonal et où une voix blanche s'échappe à peine d'une bouche qui « mâche des confettis » (Perros). C'est là votre poésie, c'est là l'intonation dominante de votre écriture et qui emporte ma lecture au-delà des réserves et des discriminations. J'aime votre livre pour et par ce presque-pas-du-tout. Le docteur F. me confirme que je ne m'abuse pas : « Elle n'a même pas su qu'entre lui et moi, elle avait toujours été là. Que sans elle, tout aurait été autre. Que les choses se seraient défaites au jour le jour, dans l'habituelle gangrène. Que c'est elle qui, tout au long, nous a plus que guidés — tenus. » *Elle...* votre voix d'écrivain, et qui réussit à *tenir* (c'est cela, avoir un ton) le livre et son lecteur ensemble, malgré tout. Votre *Convention* tiendra parmi «l'odeur du temps qui chancit et se referme» (p. 31), elle tiendra grâce à son langage imparfait (blessé, malade), à ses cris fêlés, à ses modulations quasi muettes. Pernette Marty, encore une méconnue, vous a écrit, en parfaite ignorance de vous, un poème intitulé *Proverbe* et dont nous aurions pu nourrir notre dernière conversation, comme une connivence, comme une convention d'amitié poétique :

je souffre en ma tête
chèrement
dit le rescapé de sa naissance
depuis mon commencement elle brûle
elle colle ma mort
je ne sais ouvrir la bouche pour écouter
qui frapper à me répondre
race borgne il vous est donné des poètes
non pléthore
un pour chaque milliard de petits hommes
mort

Maintenant, vous êtes morte. M'entendez-vous, proche et lointaine ? Je vous ai donné un petit concert de voix sœurorales afin d'accompagner votre voix minimale. Quand vous vous êtes levée pour partir, vous paraissiez heureuse, vous ne le manifestiez guère, mais une certaine qualité de silence le disait, par vibrations légères. Maintenant, vous êtes morte, quelque part dans l'en dessous de la vie. La convention n'est pas rompue. Je ne laisserai pas votre reste de voix s'en aller hors d'atteinte. Mais trop de gravité, ici, ferait fausse note. Alors que vous étiez sortie dans le couloir, vous avez entrebâillé la porte et sans que je vous aperçoive, vous avez demandé : «Au fait, quelle date sommes-nous ? »

1987

UNE DOUCE VIOLENCE

Gilles Archambault n'a que ce qu'il mérite : le voici sous les feux de l'actualité, lui qui cultive l'art difficile de la « suprême discrétion » ; voici qu'on lui demande de paraître sur une scène où on lui remet le Prix David, hé oui ! de quoi plonger dans toutes les « stupeurs » cet adepte de la « fuite immobile ». Avait-il idée, aussi, d'intituler un roman : *Parlons de moi* ?

Gilles Archambault est un ami ; et c'est un écrivain qui m'est très cher. Il a enfin ce qu'il mérite, non pas la récompense ou l'honneur, mais l'attention des lecteurs, plus nombreux qu'on ne croit, qui attendent de la lecture une émotion décisive et durable, un étonnement capable d'accompagner toute une vie.

Comment dire, sans tomber dans le convenu ou la complaisance, l'art presque inapparent d'une œuvre où rien ne détonne ? Il me revient à la mémoire une remarque d'Albert Béguin à propos de Nerval sur le rare courage de ne jamais écrire plus haut qu'il ne faut. Les romans de Gilles Archambault, surtout depuis *La Fleur aux dents,* comme les nouvelles d'*Enfances lointaines* et les chroniques des *Plaisirs de la mélancolie,* font entendre une voix grise, légère dans l'ironie et dans le désespoir, tremblante à peine, et on ne sait si c'est un sourire triste ou une tristesse souriante qui donne à cette voix son charme navré.

À une époque où pullulent les effets de style et où les bonheurs d'écriture font des malheurs, un écrivain qui parle à voix basse, qui pratique l'exactitude de l'expression, qui ne flatte pas le désir des sensations fortes, un tel écrivain peut sembler insolite. Et en effet, Gilles Archambault écrit à même la solitude la plus singularisante : celle des stupeurs quotidiennes, vite refoulées dans l'angoisse anonyme, qui nous paralysent quand nous voyons, entendons et touchons notre propre non-sens.

Les personnages de Gilles Archambault ne s'adonnent pas à la métaphysique. Qu'on ouvre par exemple *Les Pins parasols.* Hommes et femmes s'y reconnaissent aisément, les lieux ne dépaysent guère, les objets appartiennent à la vie courante. Tout semble ordinaire. Mais dans le texte, au fur et à mesure qu'avance la lecture, on perçoit une tranquille inquiétude, les mots et les phrases continuent d'assumer leur sage fonction, ils signifient ni plus ni moins que ce qu'ils dénotent, et cependant un doux vertige en émane comme un brouillard translucide, et une fois le livre fermé, cela continue, l'habituel et le familier paraissent voilés d'une imperceptible hantise, ainsi le visage du réveil dans un miroir, et qui porte encore le fin lacis du sommeil. Oui, mine de rien, l'écriture de Gilles Archambault opère une espèce d'envoûtement. Mais pour l'éprouver dans toutes ses résonnances, il faut se faire attentif et démuni.

On le vérifie avec *Stupeurs* où le romancier-chroniqueur confie à de courtes proses le soin de condenser jusqu'au vertige l'irréalité qui habite notre sens du réel. Le langage ne force pas la note, il n'appuie ni ne s'attarde. Il dit l'horreur si paisible d'être là, dans sa demeure ou au coin de la rue, et d'attendre en vain un signe dont de toute manière on pressent l'insignifiance.

Ai-je noirci le tableau? La critique a souvent reproché à Gilles Archambault de n'être pas «positif»... Je crois qu'il y a eu souvent malentendu au sujet d'une œuvre où l'ironie et la nostalgie viennent ouvrir et feutrer le désespoir. L'écriture ici reste toujours proche de la confidence pudique, avec des airs de s'oublier ou plutôt de glisser dans le soliloque. Tel est le courage de l'écrivain Gilles Archambault: il s'adonne à l'intimisme pour ne pas se donner au mutisme. Il sait que le mauvais silence, celui de l'absence innommable, nous agresse moins par des drames que par des bouderies.

On dirait en fin de compte (mais le compte n'y est pas encore) que Gilles Archambault est un écrivain du cœur. De la lucidité affective, cette secrète saveur de vivre en état de sursis. Et tout le reste appartient à l'amitié.

1982

UNE CONVERSATION DANS LE NOIR

*Quelle archilexie pour un futur
bouquet de métasémèmes!*

ANDRÉ BELLEAU

Nous rentrions lentement par les rues du Vieux-Montréal. Quand était-ce?
en quelle circonstance? Je ne me souviens plus, sauf que c'était tard le soir
et que nous empruntions comme par connivence les rues les plus obscures.
Nous n'aurons pas été vraiment des amis intimes. Les événements nous
auront ménagé diverses rencontres, sans plus. Mais nous nous reconnaissions,
sans le dire, compagnons de route. Et au cours de cette conversation lente
nous avons beaucoup marché côte à côte.

«Tu sais, la mort aussi est un jeu.» La phrase mit du temps à descendre
en moi. Lorsque j'appris la mort d'André Belleau, sa réflexion m'apparut à
nouveau, hors contexte, et portée par sa belle voix de baryton. Je ne me
demandai pas: «Qu'a-t-il voulu dire?» Je ne me demandai rien. J'attendis
de toucher un fond de silence. J'ouvris alors ses livres et des revues où figurent
de ses écrits. Je lus.

Nous nous disions peu de choses personnelles, en somme. Il n'y avait pas
de lune, cela me revient au souvenir que sur un vieux mur nous avons cherché
en vain nos deux ombres. Amoureux du «grand style», il me citait gravement
des passages de son cher Rabelais, là où, on l'oublie parfois, le comique tonitruant devient penseur et songeur tout ensemble. Il m'apprenait la lecture.

Ses textes critiques et théoriques lui ressemblent. Oui, leur caractère auto-
biographique est indéniable, en ce sens que, dépouillée de l'anecdote et purgée
de la confidence, l'autobiographie profonde constitue l'implicite de ce qui
est énoncé. Un écrivain se reconnaît à la qualité de ses silences. Un lecteur
aussi. Ce qu'André a écrit au sujet de Gabrielle Roy, particulièrement au sujet
du recours à la première personne dans la narration, témoigne au mieux de
la finesse de sa lecture. Se limitant à l'examen de *Rue Deschambault* et de *La
Route d'Altamont,* il a perçu, presque sans le savoir, le drame intime de
quelqu'un qui écrivait à la fois au plus près et au plus loin des êtres aimés.

Divination d'une sensibilité tout en intelligence, me dis-je maintenant. Notre conversation nocturne nous mena jusqu'à des paradoxes sur le fameux « naturel » en écriture. Il n'aimait guère cette notion suspecte. Je le taquinai sur son sociologisme. Il me reprit sur mon idéalisme. Nous nous fourvoyâmes merveilleusement dans une suite de propositions où ce « naturel » nous revenait au galop. Est-il possible de s'exprimer de telle façon que la pensée se transmette sans figure, sans intermédiaire, éliminant entre le monde et soi l'épaisseur du langage ?

Les pages qu'André a consacrées à la lecture référentielle au Québec me paraissent aujourd'hui lumineuses et irremplaçables. J'ai pourtant médité à plusieurs reprises autour de cette question irritante et qu'on a légèrement supprimée de la critique moderne. André m'enseigna la bonne méthode en tenant les deux bouts de la contradiction. Le langage est entièrement idéologisé, c'est vrai ; la littérature comme telle tend à l'asocialité, c'est tout aussi vrai. Au milieu de la chaîne, une petite incise assure la jonction et ouvre un abîme de perplexité : « être écrivain, c'est être capable, *malgré soi,* de produire un objet esthétique qui soit une critique de ce langage-là et qui en même temps lui résiste assez pour ne pas être récupéré trop vite ».

Malgré nous, l'inévitable « naturel » nous occupa encore l'esprit. Certaines grandes œuvres, en récusant le langage utilisé, font silence sur ce qu'elles disent. Elles cherchent à échapper aux limites de la forme ; c'est pourquoi elles se cantonnent dans la région du neutre, ne s'accordant de manière qu'inapparente ou presque. Je sentais qu'André là-dessus se faisait violence par honnêteté intellectuelle, qu'il se renonçait en ne parlant que pour ensuite mieux m'écouter. Nous allions ainsi, au plus sombre d'une inconnaissance chercheuse et heureuse.

Le relisant après sa mort, je mesure à quel point sa pudeur m'a distrait de son inquiétude spirituelle. Son parcours apparent a-t-il masqué sa démarche véritable ? Je ne trouve pas de réponse. Je ne trouve que les échos d'une conversation complice dans un noir total qui nous tenait ensemble et au plus près comme un seul et large manteau jeté sur nos épaules. Ma pauvre vie me reste. Et lui, sa pauvre mort. Nous continuons à jouer le même jeu.

1986

LE POÈTE ET LE RÉEL

Je crois du réel qu'il demeure une énigme. Tous les efforts de connaissance n'ont pas réussi même à circonscrire l'interrogation simple (et par là vertigineuse) du «pourquoi» de la perception. Pourquoi le monde existe-t-il? Pour exister? Cette question, revenue en écho, fige la pensée dans le psittacisme. Et d'ailleurs, y a-t-il vraiment question? Le doute naît de l'affrontement de deux certitudes contradictoires. Quelle certitude possédons-nous, hormis celle de n'être certain de rien? Voyons les apparences: on les définit comme ce qui s'offre à l'appréhension des sens; on dit aussi qu'elles sont trompeuses, qu'il faut les traverser ou les dépouiller. Mais, depuis longtemps, les philosophies qui se refusent à l'idéalisme et se donnent au réalisme, une fois qu'elles ont dévêtu l'être nouménal ou l'existant brut de son écorce, s'empressent de rhabiller l'arbre de leur connaissance ébahie. Et pour cause: l'écorce, c'est l'arbre entier comme la peau est le corps entier. On en doutait plus qu'on ne s'en doutait. On le croit aujourd'hui, on adhère à la conviction que les apparences ne se bornent pas à l'apparence; qu'elles sont réelles. Que signifie cette redistribution des caractères ontologiques? Qu'est-ce que ce réel, dont on attend qu'il nous confirme et nous réconforte dans notre ignorance savante? Quand le poète, après Novalis et Paul-Marie Lapointe, affirme de la poésie qu'elle constitue le «réel absolu», notre perplexité risque d'être non pas grande, mais énorme. Quoi? Le phénomène, la structure, le noyau, la matrice, enfin cela qu'on désigne à l'aide d'un lexique approximatif, cela resterait impénétrable, puisque du relatif à l'absolu manquent non seulement la continuité, mais encore la moindre commune mesure? C'est à peine si nous savons que nous ne savons pas, et le poète prétendrait de la poésie comme fonction, travail, objet, manifestation, qu'elle est le réel absolu? Non, il doit y avoir malentendu ou supercherie.

Et pourtant, quelque chose nous suggère, de loin et de près, que nous ne posons pas en vain la question du pourquoi des pourquoi. Entre la *mousikè* de Platon ou la *mimèsis* d'Aristote et le *tao* chinois ou le *satori* japonais, la distance reste minime si nous considérons, ne serait-ce qu'un instant, notre inconnaissance du réel comme la seule connaissance viable et praticable.

L'irréel et le surréel, dès lors, prennent un sens, dérobé, pour peu que nous laissions aux apparences leur caractère d'absolu. C'est dire, en d'autres mots, que le réel est absolu parce que les apparences ne sont pas relatives à une forme idéale ; et qu'en conséquence l'irréel et le surréel, eux, sont bel et bien inscrits dans la relativité de l'entreprise épistémologique.

La poésie délimiterait donc son aire d'exploration et de transformation dans le seul champ des apparences et des singularités. Elle viserait par tous ses moyens à voir ce que d'habitude on se contente de regarder : l'absolu est réel, est le réel, et matière vivante, historique, mouvante, contradictoire, opposée à la mort entropique. L'irréel et le surréel, assumant le rôle d'intériorité, ne feraient qu'apparaître à la pensée, ils existeraient comme des effets relatifs à une cause ou comme les dérives d'un courant énergétique qui les produiraient en les abandonnant à leur entité trompeuse.

La poésie, métaphysique matérialiste, qu'elle célèbre la vie quotidienne ou la vie éternelle, qu'elle se brosse les dents cinq fois par jour, qu'elle se mouche avec ses doigts, ou qu'elle s'abîme dans la contemplation d'une totalité parfaite, qu'elle dise l'on-ne-sait-quoi, le presque rien, la poésie glisse à la surface des choses, sur l'épiderme du monde, toujours, et c'est ainsi qu'elle est réel absolu. Le pourquoi des pourquoi, elle l'accomplit comme un geste de jour et de nuit, précisément sans demander : « pourquoi ? », sans s'installer dans la vaine recherche du fond du fondement.

En dernière analyse commence l'analyse. La poésie n'est pas analytique. Ni synthétique. Elle est parole du réel. Elle ne dit pas que ; elle dit. L'arbre ne s'explique pas. Il croît et décroît dans le même élan de vie et de mort. Il est absolu. Quand on l'utilise comme matériau ou comme métaphore, on le déplace, on le relativise. Il devient irréel ou surréel — une apparence trompée. Prétendre faire advenir à la surface le plein caché des choses ou le secret des êtres, c'est avoir préalablement inféré qu'un vide insignifiant les entoure. Mais le vide, oui, n'est-ce pas la chose et l'être même ? Un vide vibratoire et ductile, animé de tous les accidents et incidents que nous tenons pour peu de réalité alors qu'ils soutiennent le poids du réel ?

1979

PETITE SUITE ÉMILIENNE

**Un cercueil
est un étroit domaine**

Le colonel Higginson, à qui en 1867 Emily Dickinson avait écrit : « Ma vie a été trop simple et trop sévère pour embarrasser qui que ce soit », assiste aux funérailles d'Emily, le 18 mai 1886. Il relatera les faits avec une grande précision : « L'herbe était pleine de papillons, de géraniums sauvages et violets ; à l'intérieur il y avait une poignée de pensées, et une poignée de muguet sur le piano. Sur le visage d'Emily Dickinson, un regain de jeunesse étonnant : elle avait cinquante-cinq ans, et en paraissait trente, sans un cheveu blanc ni une seule ride. Il y avait un petit bouquet de violettes près du cou, et un cypripède rose ; Vinnie, la sœur, lui mit deux héliotropes dans la main "pour les porter au juge Lord". Je lus un poème d'Emily Brontë. »

> *Ce n'est pas une âme lâche que la mienne*
> *Ni trembleuse dans la sphère du monde*
>   *agitée d'orages*

écrivait en 1846, année de sa mort, l'aînée des jumelles en poésie.

Ce jumelage, les textes l'imposent. Et la vie. Toutes deux recluses, à l'étroit dans un monde mesquin, en appellent à l'envol de l'âme, à la diffusion du corps. Les poèmes concertent :

> *Âme, cours ta chance,*
> *Être avec la mort*
> *C'était mieux que n'être pas*
> *avec toi.* (E.D.)

> *Mon plus grand bonheur, c'est qu'au loin*
> *Mon âme fuie sa demeure d'argile* (E.B.)

> *... le vent, là-bas,*
> *Accourt en soupirant sur la mer de bruyère* (E.B.)

> *Je n'ai jamais vu de lande —*
> *Je n'ai jamais vu la mer —*
> *Pourtant je sais ce qu'est la bruyère* (E.D.)

Et à quelle Emily tarde-t-il «que la terre humide couvre / Cette poitrine désolée»? Ou désertée... Je me demande si l'une n'est pas l'autre. On m'objectera que tout de même le style, les modalités formelles... Certes. Mais l'écho d'une lecture en moi retentit sur la lecture suivante. Ou sur la précédente. Par l'imagination je me retrouve au chemin du cimetière, portant un cercueil léger; qui donc murmure à mon oreille:

Ce ne sont là que signes de la nuit,
et ceci, *mon âme, est le jour.*

Ceci, lumière qui se désenferme de la mort, d'une mort incidente et comme oublieuse de sa victoire, alors que je chemine tout emmêlé en mes amours, triste à peine, amusé d'une indécision entre mes deux Emily, résolu à les tenir ensemble, à les confondre presque, en une seule songerie qu'alimente l'*Odelette* du bon Gérard:

Où sont nos amoureuses?
Elles sont au tombeau:
Elles sont plus heureuses...

Ma vie fut fermée
deux fois avant sa fin

Elle était fatiguée du monde. Au fond de sa maison, de son âme, le corps d'ombre achève de se défaire. Que la lutte est sourde, âpre; qu'elle est longue, l'annulation de la chair, seule demeure de mort — et inhabitable, sauf... à quoi donc?

Adieu à la vie que j'ai vécue —
Et au monde que j'ai connu —
Et embrasse pour moi les collines, une fois —
Voilà — je suis prête à partir!

Mais le temps dure encore. N'était ce *une fois,* on désespérerait. L'ironie furtive suggère un appétit du monde qui a dû être, autrefois, vorace. Ce qu'on a considéré comme des chatteries de vieille fille était une façon de tourner à force la faiblesse, toute faiblesse.

Je ne connais pas de lettre plus concise et lucide, plus humble et fière, que celle écrite le jour même de sa mort, le 15 mai 1886: «Petits cousins, Rappelée. Emily.»

Voici ma lettre au monde...

... *Jugez-moi tendrement.* La faconde épistolaire d'Emily ne m'étonne guère. Dans la monotonie des jours et l'ennui des besognes domestiques, elle peut apparaître sèche et peureuse, la «nonne d'Amherst». Mais sa «biographie interne», selon l'expression heureuse d'Emerson, c'est sans doute dans les lettres qu'on la lit en surface. Pour le fond sans fond, il faut consentir à se perdre dans les poèmes.

Annette von Droste-Hülshoff (1797-1848), une Emilie allemande, et tout autant Brontë que Dickinson, distrait de son existence maladive des poèmes et des lettres qui donnent à penser que les écrits littéraires n'ont ni milieu ni temps qui les déterminent, sauf par les ruses de l'histoire. Voici donc une essence éthérée, fort bien accordée à la vie animale et végétale, et qui, encore toute jeune, confie à son mentor : «(...) Il y a place pour tant de lubies dans mon imagination qu'il ne se passe pas de jour que l'une d'elles ne soit excitée de manière douloureusement douce». À quoi répond mon Emilie préférée : «J'entends les rouges-gorges à distance, et les voitures à distance, et les fleuves à distance, et tous semblent se dépêcher vers quelque endroit qui me demeure inconnu. L'éloignement engendre la douceur ; si nous voyions l'objet de notre espoir, si nous entendions raconter avec calme tout ce que nous craignons, comme si ce n'était qu'une fable parmi d'autres, la folie ne serait pas loin.»

Je me livre à une espèce de rêverie textuelle. On ne remarque pas assez à quel point la grande prose d'Emily, douée de ses propres attributs qui déboutent le seul souci documentaire, est l'accompagnatrice loquace et parfois gamine d'une poésie nerveuse, farouche, pleine de saillies et de silences brusques, toujours au bord de l'abîme. Non pas que je croie à deux régimes d'écriture. Je pencherais pour un effet général et continu de mirage : les ombres de la poésie s'allongent et pâlissent sur la prose qui en retour projette sur le poème un reflet qui en décèle la signification. Emily n'écrit pas par autisme ; elle parle, du fond de son refuge, à un visiteur réel mais inconnu.

La lettre où elle raconte sa dernière entrevue avec son père est un modèle de finesse psychologique. Et de réticence avouée. Oui, la correspondance permet de comprendre — jusqu'à quel point ? — un esprit qui s'avance et qui recule, accepte et refuse, jamais en repos, l'amour n'étant que de loin sous peine de n'être pas, toute affection vive se mourant presque de la honte qui la cancérise et par là lui fait goûter l'âpre saveur de l'impossible.

On apprend l'eau
par la soif

C'est tout dire, en peu de mots. Le manque creuse le désir qui, vide et vibrant, va plus loin que la satisfaction, se perd dans l'inévidence des signes, se retrouve lui-même comme illusion fugitive. Il y a quelque chose de la sagesse et de la manière des maîtres orientaux dans l'intime commerce qu'entretient avec la nature Emily Dickinson. Nature naturée, certes, où les choses du monde s'offrent en objets de plaisir, mais aussi nature naturante et qui fait de la conscience un domaine hanté. Pour si justement percevoir *la douce dérision de la corneille*, ne faut-il pas être pénétré de l'inassurance de l'être? On a beaucoup insisté, avec raison, sur Emily la jardinière, la familière des abeilles, des pinsons, des marguerites, des papillons. Ce ne sont là qu'apparences et grouillements de la vie passagère. Les poèmes ne manquent pas qui célèbrent les brèves intermittences par quoi surgissent et s'abîment les petits êtres des bois et des champs. « Drame du pissenlit/Expiré sur sa tige », « caillou/Vagabondant seul sur la route », ou encore « l'antique floraison de l'aube », tous ces éphémères, le poème les attrape et les fixe d'un trait ferme dont l'ellipse figure l'épiphanie à même la disparition.

Quel haïkiste chevronné dédaignerait de signer ces *kwaidan* :

Fabuleuse comme une lune à midi
Heure de février
Le silence tirait
son énorme, laborieux cheval

Et le cher Issa, compagnon des puces et des araignées, fol et lunatique à souhait, je parie qu'il sourirait de sa bouche édentée en écoutant :

Une fossette dans la fosse
Fait de cette chambre féroce
Un chez-soi

L'orientalisme d'Emily n'est pas de pacotille, bien qu'il s'ignore. Mais les choses naturelles, ici, se désenglobent d'un présent qui serait trop joli s'il les figeait dans une pose exemplaire. Le vertige survient et frappe de stupeur la contemplation tranquille.

Où chaque oiseau est libre d'aller
Et les abeilles de jouer sans honte,
L'étranger avant de frapper
doit refouler ses larmes

Voilà, sans effort, sans fatigue, le travail mystérieux par quoi l'impermanence des choses se perd dans l'incandescence qui les illumine en les réduisant en cendre. Plusieurs poèmes, parmi les plus beaux, opèrent la fusion de la matière et de l'esprit ; on dirait que soudain deux natures, l'humaine et la mondaine, se déréalisent l'une dans l'autre, et j'entends par Emily le bruit sans bruit du verger, l'arrêt du souffle au cœur du taillis ; la vue des marronniers qui fleurissent le ciel désert me solennise, moi, pauvre insecte industrieux, promis à l'éternité d'un instant.

La véritable ellipse, chemin de traverse qui coupe au plus court, fait que les vrais poèmes s'évadent. Car le temps à vivre est frugal. Dans un monde en suspens, toute pesanteur glisse à la dérision. La leçon du pissenlit est précieuse : *on apprend les oiseaux par la neige.*

Donc, rends-moi
à la mort

Une faille invisible dans le barrage formidable qu'Emily dresse devant les autres — et devant elle-même, une ouverture comme une blessure, voilà par où entre en elle la terreur. De quoi fracturer le langage, le morceler. Une moderne Emilie, suicidée en 1978, Danielle Collobert, jette sur le papier un reste de survie :

crève corps
....
je parole s'ouvrir bouche ouverte dire je vis à qui
....
je partant glissure à l'horizon
tout pareil tout mortel à partir du je
....
assez assez
exit

J'ai le sentiment de lire la parfaite traduction d'un poème d'Emily Dickinson qui aurait été perdu. Poème tout de phrases concassées et humides encore d'une sueur de dernière angoissée.

Est-ce, ainsi qu'on l'a dit, l'obsession de la mort, un peu caricaturée par la fascination des enterrements, qui caractérise et explique cette lézarde au front pur et lisse d'une calme folie ? Non. Les jeux sans nombre de l'ironie contournent une conclusion trop facile. Quand Emily se moque de l'office dominical, c'est qu'elle récuse le Dieu calviniste et les sombres ratiocinations du transcendantalisme. «Nous ne jouons pas sur les tombes» et «Nous fuyons l'époque qui vient » : chemin fermé en arrière et en avant. Mais grâce à la faille de noirceur, l'emmurée vivante, avec son humour mortel, s'échappe vers ce qui la tue.

Cette chose... qui défaille
sur la face de Midi

Poète de la conscience poétique, Emily Dickinson a connu d'expérience l'illumination ou extase transcendante qui laisse comme frappé de mutisme. Elle n'arrive pas à nommer ce qui égare son esprit dans une contrée perdue, stérile, sans chemin et sans guide. Elle en reste brisée, désespérée. Ce quelque chose de vaste, d'intense, d'intemporel, est moins chaos que néant, et moins néant que le rien immense de l'immortalité.

Voici la racine inexistante de cette poésie vécue en une mort essentielle et au jour le jour. Les plus beaux poèmes, et les plus insondables, reviennent d'un abîme froid. À la surface du semblant, les gestes quotidiens demeurent inchangés alors que juste en dessous une légère transe projette sur les choses et les êtres un presque insensible tremblement qui les révèle à leur inconnaissance de soi. La suffocation d'être à la fois en dessous et au-dessus de son être, telle me paraît l'expérience fondatrice d'Emily. Un poème que je considère comme exemplaire en cette matière obscure dit sans détour l'expérience-limite :

On ne brise pas le cœur avec un bâton
Ni avec une pierre —
Un fouet si fin qu'on ne peut le voir
M'a-t-on dit

Cingle la créature magique
Jusqu'à ce qu'elle tombe,
Pourtant le nom de ce fouet
Par noblesse on le tait.

Magnanime est l'oiseau
Par l'enfant découvert
Et qui chante la pierre
Dont il meurt.

Honte tu n'as pas besoin de te blottir
Contre une telle terre que la nôtre —
Honte — redresse-toi —
Ce monde est à toi.

Mon affaire,
c'est la circonférence

Le « blanc exploit » qu'évoquait Mallarmé n'est pas une métaphore. C'est l'aura du décentrement égoïque sans quoi la poésie n'est qu'effusion sentimentale ou virtuosité verbale. Saint-Denys Garneau en témoigne :

Et voilà le poème encore vide qui m'encercle

Oui, « encore vide », car il n'est que pressentiment d'une recouvrance dans la dépossession. Les expressions déconcertantes, Emily les multiplie pour relier, en vain, le pourtour et le centre : *« Silent Belief », « Patience of Itself », « Inner-outer Conscience »*. Je renonce à prendre la mesure d'une expérience, pourtant concrète, immédiate, par quoi un double mouvement de conscience, centrifuge et centripète, s'affirme en s'annulant, s'enroule sur lui-même et se torsade jusqu'à faire exsuder une connaissance douteuse, un étonnement, une fulgurance nocturne que faute de mieux on appelle poème. Ou fragment d'un cosmos aussi fantasmé qu'expérimenté.

Pas besoin d'être une chambre
— pour être hanté —

Pour les Puritains, Dieu subsiste en lui-même. Il n'est pas déité amicale, encore moins amoureuse. Il est vastitude, et silence qui pour Lui seul s'aspire et s'expire. Exister ? faute ou faiblesse — toutes deux passibles du Jugement. Emily rejette cette doctrine. D'où son effroi, compagnon de route et de misère. Car elle éprouve dans sa chair maigre la hantise qui a pris la place de l'absence. Tenir la distance ne va plus de soi.

Cet être caché par le Moi
Devrait bien plus nous effrayer

Mais la terreur qui grince dans ses os, Emily, par une science stupéfiante de l'instinct vital, la confie à la poésie comme on expose au grand jour son for intérieur. Il en résulte la demi-distance, l'espace minimal où écrire n'est pas une vanité — même sublime. Savoir et non-savoir coïncident au point que les extrêmes se touchent, et se brûlent réciproquement.

La chair s'est rendue — annulée
L'incorporel a commencé
Deux mondes — comme des auditoires —
*   se dispersent*
Et laissent l'âme seule

Une conscience exténuée dans ses apparences, tel est notre habitat profond.

Moi, de moi-même — bannir —

Les premiers éditeurs des poèmes ont accompli une tâche ingrate. Je ne m'étonne pas qu'ils aient été désorientés en présence des marques d'écriture et de ponctuation qui leur parurent fautives. Jusqu'où un langage peut-il s'éloigner de tout usage commun, devenir excentrique ? La question n'a rien d'artificiel dans la mesure où Emily Dickinson, portée par une forte idiosyncrasie, écrit une langue singulière et qui cherche moins à se jouer des règles qu'à affirmer son caractère privé. On a parlé de « bulletins d'immortalité » ou d'« exercices en pureté et en solitude ». Pourquoi n'invoquerait-on pas aussi un humour souverain ?

En vérité, chaque œuvre poétique procède d'un risque total. On ne se contente pas de quitter les sentiers battus. Au contraire, dans certains cas. On mise plutôt sur une radicale honnêteté à l'égard du langage qui advient, sans crier gare — ni victoire. Emily Dickinson, forclose dans son langage comme dans une vie seconde, n'écrit pas *pour* ou *contre*, elle écrit l'unicité de cela, injustifiable, qui la déporte, à l'intérieur de sa langue, vers une région langagière imprévue, inexistante. C'est là, et là seulement, qu'elle est ce qu'elle écrit. D'autres, Pound, Williams, Stevens, ont éprouvé l'exil du poème. Emily ouvre la voie à Cummings, grand adepte de l'idiolecte.

Toujours — est composé de maintenants —

Je me rappelle certains propos de Wittgenstein. Le philosophe voulait mettre en question les mots qui désignent nos sensations brutes (comme la douleur). Un langage purement phénoménal ne deviendrait-il pas illogique ? incommunicable ? L'écriture d'Emily ébranle certaines idées reçues au sujet de l'intimisme littéraire. Sa poésie, bien que chiffrée, réfère à un type d'expérience du monde et de soi qui ne se confond nullement avec une gnose ou un ésotérisme. La fermeture relative de ce langage tient à l'intimité, à l'étroite relation où s'unissent et se fécondent les mots et les sensations. Le lecteur est obligé au meilleur de lui-même — qui lui est parfois inaccessible.

Poète...
À l'incessante pauvreté

La Bible, Shakespeare, le dictionnaire Webster... Avec de pareilles lectures, on peut tout faire, on peut même se défaire. De savants commentateurs ont démontré en quoi et pourquoi le poète Emily Dickinson manque de métier. La technique du vers reste rudimentaire, et incertaine la grammaire. La richesse du vocabulaire contraste avec la pauvreté de la rime. Quoi encore? D'autres, par contraste, au contraire, font gloire au poète d'annoncer quelque modernité. Les fameux tirets, qui pullulent, et les majuscules dressées en travers du texte comme des stèles énigmatiques, les omissions des relatifs, les emplois incongrus des subjonctifs, bref les irrégularités de toutes sortes semblent autant de trouvailles d'un libre génie.

Emily m'apparaît sous un autre jour. Enfant d'Amherst et fille d'un avoué, demi-campagnarde, elle a dû chanter, beau temps mauvais temps, les hymnes protestantes faites de quatrains aux vers octosyllabiques et aux rimes croisées, elle a aussi enfourné quantité de termes religieux et juridiques, enfin elle déborde d'images de sa vie immédiate, domestique et villageoise. Nerveuse et compulsive, elle écrit avec brusquerie et laconisme, elle commence et termine abruptement. Ses raccourcis et ses réticences, comme son ton sentencieux, avoisinent le langage des paysans puritains.

Cet héritage modeste, un poète va le faire fructifier avec une belle désinvolture. À sa manière contournée, avec aussi un sens du concret qui le dispute à l'humour, Emily exprime la claire conscience qu'elle a de ses moyens et de ses fins :

La généalogie du miel
N'importe pas à l'abeille
Ni le lignage d'une extase
Ne paralyse le papillon

Son refus du prolixe a fait croire qu'elle manquait de souffle. Tel poème, proche des chansons de Rimbaud, tel autre, vaste et mélodieux en son exiguïté sèche, et celui du volcan réticent, et celui où la pulsion poétique s'accumule «comme tonnerre jusqu'à sa limite», et encore plusieurs, d'intimité tonale ou de fantaisie métaphysique, réalisent les fameuses déclarations rapportées par Higginson : «Si je lis un livre et qu'il rend tout mon corps tellement froid qu'aucun feu ne peut plus me réchauffer, je sais que *cela,* c'est de la poésie. Si je sens physiquement que le haut de ma tête est enlevé, je sais que *cela,* c'est de la poésie. C'est le seul moyen. Je le sais. Y en a-t-il un autre?»

En définitive, non, il n'y en a pas d'autre. Donne ou Blake ne parleraient pas autrement. Emily s'avance en poésie avec un masque, c'est sa distance et sa sauvegarde. Elle vise rien moins que le Tout. Le poème la soulage, pour un temps, de la stupéfaction qui l'enthousiasme et la terrorise. Elle ne fait pas une œuvre, ni une recherche, elle tâche de survivre, mais ailleurs. D'où le caractère oblique de son écriture, toute en biais et en sous-entendus. L'étonnement ne se dit pas ; il déchire la parole et le silence. Il ne laisse à l'être étonné que des morceaux, cris et chuchotements.

Amour, tu es voilé

En 1862, faut-il compter l'éloignement de Wodsworth pour décisif dans l'existence d'Emily ? Et plus tard, l'amitié avec le juge Lord s'est-elle muée en une passion douce-amère ? L'énigme profonde, impénétrable, est d'un autre ordre anecdotique. Celle que des poèmes entraînent dans un voyage tourmenté, c'est bien mon Emily qui s'abandonne et se réserve. Amoureuse ? À n'en pas douter, jusqu'au délire. Haut amour, plus haut que l'ivresse de l'alouette s'offrant à la brûlure du soleil, amour total comme la dernière solitude,

> *C'est lui qui — invite — épouvante — pourvoit*
> *surgit — reluit — éprouve — dissout —*
> *revient — suggère — condamne — enchante*

Amour panique qui se risque hors de sa retraite où il n'en peut mais de ronger ses songes ; il s'éprouve sur l'aire du poème, car il ne se veut pas

> *... bien au chaud et pur et borné*
> *... compréhensible*
> *Compris*

comme l'écrit la poétesse écossaise Margaret Tait (encore une Émilie !).

Je tiens Emily Dickinson pour l'une des grandes amoureuses en poésie, et disant cela j'ai conscience de ne faire aucune restriction. L'amour, tout amour chevillé à l'intime de l'être, s'il trouve, n'est plus. Son bonheur et son tourment subsistent, ensemble, de la continuelle évanescence du *qui* et du *quoi* où tend son errance chercheuse. Ainsi, comme une trace effacée s'écrit le poème qui est d'amour.

On m'a enfermée
dans la prose

Higginson, lors de sa première visite, le 16 août 1870, note : « Arrive une femme petite, toute simple, pas belle, deux bandeaux de cheveux roux, un corsage de piqué blanc et un châle vert ». Le digne littérateur est éberlué par cette pauvre créature, poétesse de province « à demi toquée », qui lui confie qu'elle s'affaire à aimer et à chanter, que l'extase lui survient comme une annonciation de joie et d'angoisse. Le vide absolu, elle l'habite en recluse. Une blancheur fantômale est sa peau et son vêtement.

Voilà des années qu'elle ne sort plus de chez elle. La couture et la cuisson du pain l'occupent. Et les travaux de jardinage. Elle songe. Elle est jeune et vieille. Pourvoyeuse et stérile. On la trouve souvent bavarde, fatigante, incompréhensible. Elle se cache plus loin qu'elle-même. Elle songe encore. Que la terre est brève — et l'angoisse infinie. Ses yeux malades la portent à écouter au-delà de la musique des sphères.

> *Comme si tous les cieux étaient une cloche,*
> *Et l'Être, une seule oreille,*
> *Et moi et le silence quelque étrange peuple*
> *Perdu, solitaire, ici.*

Cette croyante est-elle dévorée d'incroyance ? Se laisse-t-elle piéger dans l'indécision qui la tourmente et l'inspire ? Au fond de sa réclusion elle ouvre passage à sa plus grande aventure ; elle risque sa foi dans et par la poésie. Elle traverse un pont sans piliers. Elle tombe sans clamer la fin du monde.

Elle demeure en moi, je ne sais où. Je l'aime. Je ne sais pourquoi ni comment. Lorsqu'un jour m'arriva une lettre portant un timbre à son effigie, j'eus besoin de m'asseoir, tant l'illusion s'imposait que je tenais entre mes mains le portrait de ma mère avant son mariage. Cette femme qui n'eut presque pas d'existence, dont j'ai recueilli le langage empêché, poète recluse dans la prose des jours, Emily lui ressemble, oui, elle a le visage d'amoureuse morte-née de ma mère, Émilienne qui m'aimait tant — malgré elle, malgré moi.

1985

IV

PARALLÈLES

LUMIÈRE D'EN DESSOUS

Un jour, je me trouvai à New York en compagnie de Gaston Miron et de Robert Marteau. Il pleuvait, il ventait, il faisait froid. Trempés, maugréants, nous avons fini par échouer à la Délégation générale du Québec. Dans le hall, soudain, un soleil d'outre-monde s'est levé. Marteau, dont le coup d'œil est infaillible, s'écrie : « Mais, c'est un Tremblay ! » Je n'avais pas encore eu le temps de regarder que, déjà, par je ne sais quelle alchimie, j'avais commencé à me sentir autre ; oui, le tableau derrière moi me considérait, me traversait, m'illuminait. Il y a quelque chose dans la peinture, j'en demeure persuadé, qui transcende toutes les interprétations. Enfin, je me retournai. La lumière, ou plutôt les lumières harmonisées en une seule luminosité, venaient bien d'une huile signée Gérard Tremblay. Le heurt des tons froids et des tons chauds, le voisinage de l'angoisse et du plaisir, non, ces contrastes ne choquaient pas ; un graphisme ici appuyé, là léger, reliait les parties du tableau et les composait en un sourire navré, ironique. Quelqu'un murmura : « C'est très proche de Klee ». J'avais entendu plusieurs fois ce genre de remarque, j'avais moi-même songé, visitant une rétrospective de Klee, que Gérard Tremblay s'inscrivait dans cette lignée d'un surréalisme inorthodoxe. Mais entre Paul Klee et Gérard Tremblay il n'y a pas de filiation directe. Je crois qu'il s'agit plutôt d'affinités. L'un et l'autre ne suivent pas la mode du temps. On se souviendra des paroles émouvantes de Klee lors d'un voyage en Afrique du Nord : « Maintenant, je suis peintre ! » Klee, sous un soleil qui peut être aveuglant, avait pénétré le secret de la couleur qui n'est que vibration. Tremblay aussi, lorsqu'il reçoit le choc de Mondrian, découvre la luminosité profonde. Désormais, il sera peintre.

Il faut avoir vu certains monotypes de Tremblay aux fonds aquarellés pour sentir à quel point la peinture n'existe que par cette autre lumière qui monte d'en dessous et, calmement ou brutalement selon les styles, vient baigner ou inonder toute la surface du tableau. La nature n'offre rien de tel. Elle se dépense à profusion, elle en rajoute, elle comble les vides, bref elle nie la mort ; et du même souffle elle accepte le temps. Un tableau, une gravure ne vivent que du vide, ils creusent un trou dans la temporalité, ils calculent, ils épargnent. Ils regardent la mort en face. Ils tremblent. Ils se savent menacés, condamnés. D'où cette lumière à nulle autre pareille qu'ils sécrètent à la fois comme une sueur d'anxiété et comme une perleur de plaisir. Chez Tremblay, ce paradoxe pictural s'affiche parfois par un moucheté des couleurs qui criblent l'arrière-plan. On dirait que la toile se consume lentement un peu partout, ou bien que ces trouées dans l'ombre font signe d'une arrière-nuit, d'un jour non pas éternel mais blotti à l'abri du temps qui passe et nivelle tous les désirs.

Je ne sais rien de plus émouvant que certains dessins de Tremblay. Oiseaux, arbres, soleils, fleurs, animaux, pierres, nuages, tous multiplient les allusions, lointaines au besoin, à une réalité incertaine. Cet humour graphique ne tombe jamais dans la complaisance ou la gratuité. Je le soupçonne d'être, dans son intimisme avoué, une recherche éperdue, ainsi que le disait Rimbaud, « du lieu et de la formule ». Tremblay écrit ses dessins comme des poèmes. La main court, l'eau coule, les deux se joignent pour mieux se fuir, et l'eau noire soudain s'allège, se grise, se transforme en une encre à peine visible, impalpable. La sensation verlainienne s'affirme toujours bonne, d'une justesse indéfectible, car elle ne pense pas, ne réfléchit pas, ne prend aucune distance par rapport à l'objet provocateur. Au contraire, elle se laisse capter par l'insignifiant des apparences, elle se fait captive de l'écorce de l'eau, de l'épiderme diaphane des arbres, de la ouate des roches et de la carapace des nuages. Et quand elle écrit, cette sensation d'être-là, elle s'abandonne au graphisme méandreux, imprévisible, de la plume et du pinceau. Alors, naissent, pour l'étonnement de la main porteuse d'encre, des signes impossibles, des êtres improbables, des vides parmi des vides, et, encore et toujours, une lumière où chacune et chacun peuvent se perdre pour le meilleur — l'impensable.

Les dessins annoncent plus ou moins les gravures. Je veux dire que du trait ou du lavis à l'eau-forte et particulièrement à l'aquatinte, le passage se fait sans heurt et sans dépaysement. Même style dans le graphisme, même matière aérienne. Pourtant, quelque chose change aussi, et qui ne tient pas à la différence des techniques. La gravure, on le sait, invite à la méditation, à la minutie dans l'exécution. C'est un métier autant qu'un art. Les estampes de Gérard Tremblay témoignent certes de maîtrise artisanale, mais elles frappent, à l'inverse, par leur liberté, leur spontanéité, leur humour discret. J'ai passé des soirées entières à considérer une suite d'eaux-fortes de petit format. Il s'agissait de ce que Tremblay appelle des « monnaies ». Quel voyage dans une histoire imaginaire, quelle rêverie matérielle des lieux inexistants et dont la rumeur assourdie ne cesse pas de m'accompagner! Ces monnaies sont effigies, calligraphies, poèmes et documents d'un monde où j'aimerais vivre et mourir. Peut-être est-ce là, dans ces noirs et gris accompagnés de couleurs peu nombreuses, que Tremblay a frôlé le secret initiatique de son art. Par les vallons et les collines du papier, l'encre pérégrine, puis fait halte à la frontière d'une gaufrure. Le mystère affleure à peine entre les poils soyeux du pur chiffon. Qui va là? Qui parle et qui fait silence? Personne. La feuille est un ciel inversé où les continents nuageux s'ouvrent et se ferment au regard. J'écoute ces imageries, j'entends ces marques muettes qui se signifient comme on se montre du doigt: voilà, ce n'est que cela. Il n'y a rien, il n'y a personne. Règne le vide par quoi la vraie substance se recueille ainsi que la rosée matinale. Non, ce n'est ni l'heure ni le moment de se sentir heureux ou malheureux; ici, point d'humeurs ou de sentiments. Juste un sourire sans visage, la perle d'un œil désorbité, juste ce qu'il faut pour que la matière transmue l'homme non pas en une chose, mais en un souffle qui vacille dans le non-être comme la flamme d'une chandelle dans l'irréalité de la nuit.

Ce que la peinture parfois offre avec trop d'évidence, la gravure le suggère et même le dissimule. L'acide mord le cuivre et le blesse; l'encre paraît entre les lèvres de la blessure; le papier boit, puis se retourne, bouche maculée, comme un enfant pris en flagrant délit de bonheur. Le secret n'est pas trahi. Il est partagé. Chacun y trouve son compte. Voici une aquatinte où un pan de bleu poudre délavé, vieilli, presque humilié, rachète par sa transparence insondable un passé qui pesait trop lourd. C'est l'enfant qui inspire et inquiète l'homme mûr. La vie n'a pas de mémoire, pas de projet, la vie mène sa chanson et son ouvroir comme une ombre de femme à la fenêtre ou sous la lampe quand midi, quand minuit ont sonné de toute éternité. Nous ne sommes pas au monde et le monde n'est pas à nous. Nous sommes le monde et le monde n'est rien d'autre qu'une illusion. Touchez pour vous en convaincre cette feuille de papier. Vos doigts n'éprouveront aucune résistance. Si la gravure creuse la matière, c'est que la matière est creuse. Le vide, en un rien de temps, nous rend à l'autre vie, celle du non-désir, celle de l'instant où l'on s'abîme.

Ai-je prêté à Gérard Tremblay ce que je ne possède pas? Il se peut. Mais peu importe après tout. Il me suffit d'aimer ses œuvres au point que je ne m'y reconnais plus.

1980

DESSINER LA COULEUR

Quelle journée splendide. Les peintres, décidément, me portent chance et savent convier le soleil à leur rendez-vous. Voilà ce que je me disais pendant que l'autobus roulait allègrement vers Saint-Sauveur où je devais rencontrer Paul Beaulieu. Le peintre habite une maison tranquille dans une rue tranquille. À travers le foisonnement du feuillage on devine les vieilles Laurentides toutes proches. Le mois d'août tire à sa fin, me disais-je encore, profitons de cette chaleur de midi, accueillons-la, qu'elle niche bien à l'aise entre les épaules, avant que la fraîcheur sucrée de la saison ne vienne la dissiper en un léger frisson qui trahira l'impatience de l'automne. Paul Beaulieu m'attendait, portant avec une vigueur étonnante ses soixante-dix ans. La poignée de main franche, l'œil clair, la chevelure abondante, la parole facile et simple, tout chez cet homme donne une impression de générosité modeste et de bonheur de vivre. Oui vraiment, le peintre ressemble à son œuvre. Il me fit bientôt passer dans son atelier. La fête commença.

J'avais déjà eu l'occasion d'admirer divers ouvrages de Paul Beaulieu. Et j'avais été frappé par l'éclectisme des sujets et des manières ainsi que par la disparité des genres. Cela demande explication. Paul Beaulieu, il l'affirme lui-même, a longtemps a été un dessinateur qui s'adonnait à la peinture. De là son penchant pour le camaïeu et une certaine timidité à l'égard de la polychromie qui lui ont fait différer l'emploi des couleurs pures. Mais j'ai l'air de minimiser la portée des recherches que mena le peintre pendant une trentaine d'années.

Voici des encres et des crayons, des fusains et des lavis ; le dessinateur, qu'il s'exerce au portrait, à la nature morte, au paysage, ou même à la libre calligraphie, ce dessinateur, à n'en pas douter, s'efforce vers quelque chose de pressenti. Et en même temps il instaure sur le papier une poésie graphique qui se suffit à elle-même, avec une probité de la ligne, une justesse de la tache et un lyrisme tempéré dans les passages, les accords, les sourdines des demi-tons. Je crois qu'on a exagéré l'importance des débats entre peintres et dessinateurs tout comme on a rendu trop exclusive la distinction entre coloristes et valoristes.

Un après-midi de novembre, la maladie me contraignait à ne voir le monde que par la découpure de ma fenêtre. Les gris nombreux se jouxtaient et se chevauchaient. La morosité de mon humeur ne me donnait à contempler que des mélanges de blancs et de noirs. Il me souvint alors de certains propos du vieux fou de dessin, Hokusai, qui disait du noir qu'il se subdivise en cinq sortes, chacune étant plus ou moins réchauffée ou refroidie de rouge, de bleu, de jaune, de vert ou de brun. Et, associant les sensations, j'ai revu, j'ai palpé cette lumière d'argent, cette flamme initiatique dont à Ravenne l'émergence provient du soleil qui à travers des fenêtres orangées frappe des murs couverts de mosaïque bleutée. On trouve là tout le secret de la perle dont la joue ajourée offre une couleur si subtilement grisée que l'on ne sait plus si c'est réalité indubitable ou pure imagination. De cette nature troublante est la couleur du dessin. Quand Paul Beaulieu, dans les années trente et quarante, dessine sa peinture, il ne se trompe pas, il ne dévie pas de la voie picturale. Il accomplit à la fois le vœu du dessin et le souhait de la peinture : que les contraires fusionnent en se maintenant chacun dans sa différence.

Le dessin, volontiers sans apprêt ni calcul, invite à la gravure. C'est un paradoxe que de soutenir pareille proposition. Il en va pourtant ainsi, à l'image de certaines tristesses qui, dans le cours de notre existence, dilatent à leur insu le cœur et le corps et semblent tout uniment aménager le terrain pour la venue d'une ample et silencieuse joie. Écoutez, si vous en avez le loisir, le chant de la tourterelle triste. Il vient de plein jour comme de soirée commençante, il vient de loin ou de près, du couvert des arbres ou par le découvert des champs. Il est répétitif, inlassable, il obsède jusqu'à rendre las et du même coup il s'inaugure à chaque reprise, il se renouvelle ; il étonne et dépayse l'accoutumance navrée. Le dessin court et vole, explose et retombe ; la gravure s'essaye, mesure, s'avance et se retire. Mais les deux font la paire et une bonne paire. Paul Beaulieu, dans ses eaux-fortes, s'en est tenu au clair-obscur, non par purisme ou par ascèse, mais parce qu'il croit fermement que la gravure, on l'oublie trop, est d'abord l'art du noir et blanc. La gravure comme le dessin crée à sa façon la couleur, une couleur discrète, plus propre à émouvoir la sensibilité qu'à déclencher les impulsions physiques. Et de même que le trait de crayon ne se peut comparer au trait de plume, la ligne du burin, qui nécessite effort musculaire et tension nerveuse, diffère beaucoup de la ligne née d'une morsure de l'acide dans le métal. Le dessinateur cache un peintre ; le graveur cache un sculpteur.

Lorsque Paul Beaulieu résolut de s'abandonner à la couleur franche et comme triomphante, sa pratique de la peinture à l'huile subit une métamorphose. Les rouges tonitruèrent et se choquèrent contre des verts acides. Le motif du coq, par exemple, donna lieu, dans maints tableaux, à des rutilances et à des ruissellements de teintes pures dont les contrastes peuvent violenter l'œil délicat. Le peintre a mentionné la référence à Vlaminck. Elle me paraît révélatrice à certains égards. Mais pour l'essentiel, je crois qu'il faut regarder ailleurs et plus loin. Des saltimbanques et des clowns grinçants peuplent certaines toiles auxquelles ils donnent une signification qui dépasse l'anecdote fantaisiste ou nostalgique. Voici un oiseleur au rictus inquiétant et désenchanté. Ce personnage osseux a les allures d'un fossile réveillé par mégarde. Il porte vers un ciel vide son regard désabusé, il ne doute pas qu'aucun oiseau ne viendra se prendre à un charme qui n'existe pas. La couleur ici fait office de désespoir plutôt que d'agression.

La couleur n'affiche pas toujours pareille crudité. Un tableau, proche du cubisme par sa structure, épouse l'élégance sans défaut d'un Juan Gris. La couleur tourne sur les formes et se subtilise dans la pénombre. Plusieurs natures mortes, aussi, tempèrent l'éclat des tons contrastés. Outre la solide composition qui oblige les masses à tenir leur partition, les fonds et certains détails d'avant-plan prouvent que Paul Beaulieu s'est calomnié lorsqu'il se disait un coloriste par volonté ou application. Toute la gamme des bleus murmure à l'unisson que dans cette peinture à l'huile la couleur n'est pas que tonitruante, qu'elle est vibrante et comme orientée vers l'ombreuse clarté de sa substance. Pour un dramatique *Château d'If* aux stries orangées sur fond turquoise, on trouve une nature morte aux fraises où les fruits se veloutent et perlent grâce à un très beau glacis violet, on trouve encore une *Femme au chapeau* qui réussit un heureux mariage ; le gris et le rose voisinant à l'écart de la fadeur ou de la préciosité.

Tous ces tableaux assez récents, un paysage d'hiver des années trente les annonçait par le traitement du ciel où la dominante est une teinte saumon, grisée à la perfection. Entre les années 1960 et 1965, Paul Beaulieu a réalisé plusieurs huiles de petit format. Ces paysages abstraits, hauts en couleur, le peintre les a travaillés à la spatule, modelant la pâte au gré de ses humeurs. Paul Beaulieu, lors de ce travail, était de bonne humeur. Chaque couleur franche est heureuse de s'afficher pour ce qu'elle est, heureuse aussi de côtoyer d'autres couleurs tout aussi nettes et pures. L'ensemble donne une impression de solidité, de bonheur calme. À cette série appartient une vue, fort stylisée, du massif de l'Estérel. Les rouges flamboyants déploient leurs torsades entre des plages ocrées et des rocailles grises. Ce tableau manifeste sans équivoque la richesse du coloris chez Paul Beaulieu quand celui-ci changea sa manière de peindre à l'huile.

Ce changement n'avait rien d'une rupture, malgré les apparences. On le constate dans les lithographies en couleurs où le peintre, avant les années soixante, avait laissé libre cours à sa virtuosité de dessinateur et à son tempérament lyrique. Il y a là des naïvetés savantes, des nonchalances surveillées, des raffinements sans mollesse. Il y a surtout la lumière onctueuse et fraîche de l'aquarelle. Ce qui me paraît être le sommet de l'œuvre de Paul Beaulieu, outre plusieurs dessins et eaux-fortes, ce sont les aquarelles innombrables qu'il a lavées depuis les débuts de sa carrière.

On connaît le mépris condescendant qui entourait la pratique de l'aquarelle : occupation de vieilles Anglaises désœuvrées, exercice obligatoire dans l'éducation des jeunes filles de bonne société. Bien sûr, Delacroix, Turner, Cézanne et d'autres ont haussé l'aquarelle au niveau du très grand art pictural, mais le préjugé tenace n'en démord pas : une aquarelle ne vaudra jamais une huile. N'en faisons pas un drame ou un sujet de querelle. La vérité, c'est que l'aquarelle ne convient pas à toutes les sensibilités et ne correspond pas, comme en Orient, à une commune vision du monde. Procédé rapide, auquel sont interdits les repentirs, manière fluide et légère, plus allusive que descriptive, l'aquarelle invite à la confidence et à l'intimisme. Sa simplicité reste trompeuse : la technique de l'aquarelliste est probablement la plus difficile de toutes les techniques picturales. Je veux dire qu'une bonne aquarelle n'est donnée (oui, donnée) qu'au peintre qui sait équilibrer en lui la tension spirituelle et la détente physique. L'exécution peut durer vingt minutes au plus, mais la méditation préparatoire, elle, est longue, très longue. Et quand la partie s'engage, le moindre détail est décisif. La touche est primordiale en ce qu'elle doit s'effectuer sans labeur, sans hésitation, elle doit jeter la couleur, et au bon moment, s'il s'agit de peindre humide, quand le papier va perdre sa luisance. C'est l'affaire de quelques secondes. Il existe plusieurs façons de peindre à l'eau, mais chaque façon ne peut ignorer la loi de la gravité qui fait que l'eau fuit de tous côtés pour se réfugier dans les creux les plus minimes. L'aquarelle représente pour Paul Beaulieu un médium qui répond à merveille au désir de peindre large et de produire toutes sortes de résonances visuelles. Paul Beaulieu aime travailler dans le très humide, avec et contre le temps ; il utilise souvent la gouache diluée qu'il accompagne d'une encre qui donne à l'ensemble une ossature souple et vivante.

Chez Paul Beaulieu, l'aquarelliste fond en une seule entité indistincte couleur et dessin. C'est là que le peintre se manifeste à l'évidence : spontané, inventif, modeste et narquois. On croirait entendre par l'œil une musique frêle, presque sur le point de se taire, inachevée pourtant, et par là même toujours renaissante, et qui nous oriente sans faillir à travers les diversions de l'existence. Cela ressemble au chant de la tourterelle triste qui, par un humour insondable, nous redonne le goût de rire tout bas, tout seul, sans raison, malgré la tristesse de vivre comme nous vivons : au seuil d'une aveugle bêtise.

1981

UN AUTRE ÉTAT DU MONDE

Je faisais le tour d'une petite galerie de la rue Laurier, et les tableaux de Louis Jaque, doucement, tournaient autour de moi. Quelle étrange situation : privé de mes repères habituels, dépossédé de mes références, et pourtant plus identique à moi-même qu'auparavant, je savourais mon inconnaissance du lieu et du moment comme d'heureuses retrouvailles. Entre deux tableaux, au milieu du mur ouest, une fenêtre découpait un pan de ciel, une section de rue. Et le soleil d'octobre chauffait les façades en vis-à-vis, et l'air froid s'ennuageait à la bouche des passants. Ce contraste extérieur correspondait bien à la dualité sensible et spirituelle qui m'habitait.

Faut-il l'avouer, l'œuvre de Louis Jaque me déconcerte. À première vue, elle semble le produit d'une forte et profonde esthétique et, corrélativement, elle inviterait à l'élaboration d'une subtile théorie. Les titres de maints tableaux s'accordent à cette impression superficielle ; un catalogue présente des *radiances cosmiques,* des *paramètres,* des *modulations* et des *pulsions horizontales.* Certains propos du peintre ajoutent une espèce de caution au malentendu. Louis Jaque soutient qu'« il n'y a pas d'espace uniquement par rapport au temps. Il y a un espace dans le temps intégré à une autre dimension plus proche de la vie intérieure ». Cette remarque voudrait élucider les forces motrices qui œuvrent à l'avènement d'un humanisme nouveau. En proie au doute, embarrassé dans une expectative obscure, je me méfie de ce que je pense et, comme toujours dans ce genre de malaise, je m'en remets à ma petite sensation.

Donc, voici des tableaux à l'huile, fort simples dans leur exécution et dont l'imagerie est sobre sans aller jusqu'au dépouillement. Des tons rompus, froids et chauds, dans des gammes restreintes : marron, ocre jaune, turquoise, gris violacé ; quelques dégradés par quoi une couleur se fond dans une autre ou s'atténue jusqu'à la quasi-blancheur ; des courbes, moins voluptueuses qu'ondulatoires, comme si l'érotisme à peine suggéré se réduisait au calme, à la paix et à la douceur. Et quelque chose dans ces tableaux me suggère que nous ne sommes plus dans la région du charnel, que nous sommes ailleurs et pourtant non exilés de notre expérience commune.

J'éprouve le besoin de prendre appui sur un exemple particulier. Une huile, datée de 1975 et mesurant 89 centimètres sur 116 centimètres, s'intitule *Radiances binaires.* À gauche du rectangle, et gagnant le centre par le jeu concerté de deux obliques qui viennent former un angle d'environ 80 degrés vers le bas de la toile, s'offre au regard ce que j'appellerais une « pliure », c'est-à-dire une masse ombrée tout autant qu'éclairée et qui par ce clair-obscur s'enroule sur elle-même comme s'enroule sur lui- même un fort carton au moment qu'on s'apprête à le plier. Le blanc, le rosé, le turquoise et l'indigo concourent, par contrastes, à faire surgir dans toute sa luminosité la pâle masse de droite qui se présente en aplat et que balafre une bande de grisaille légère. Le tout s'enlève sur un fond qui reprend le leitmotiv des couples ombre-clarté, chaleur-froideur, droite-courbe. On pourrait mieux décrire ce tableau et souligner son extraordinaire réussite ; il n'oppose pas des contraires, il ne donne pas dans la dialectique, il fait communiquer et se compénétrer des valeurs sensibles et même sensuelles qui selon les règles de la logique devraient se refuser à l'accord sans la tierce présence de quelque médiation. Le plein et le vide existent toujours et n'existent plus. Le temps s'étale en espace et l'espace s'étire en temporalité. L'âme, c'est le corps ; et le corps n'est plus qu'une âme.

Voilà ce qui déconcerte chez Louis Jaque. Et voilà ce que je considère comme le plus précieux de son œuvre. Les dessins du peintre en donnent d'ailleurs une prémonition. Exécutés au fusain, à l'encre ou au crayon, ils ne se prêtent guère à la calligraphie et à l'arabesque. De minces traits strient des plages d'un gris plus ou moins dense. Et me revient en mémoire l'hommage que Louis Jaque rend à Seurat, l'un des plus grands dessinateurs de tous les temps. Le simple crayon Conté, plus gras que le graphite et moins prégnant que le fusain, est pour Seurat un instrument chercheur et qui trouve la justesse plastique d'une évocation aux limites du représentatif. On connaît le célèbre portrait de sa mère que Seurat dessina en brouillant presque toutes les pistes allusives et les indications référentielles. Ne subsiste plus qu'un tremblé noir et gris que gruge au point focal la blancheur du papier. Regardé d'un peu loin, ce dessin ne dit plus rien, ne raconte aucune anecdote. Il apparaît comme une ouverture radieuse sur un autre état du monde, de notre monde quotidien. C'est ainsi que picturalement s'incarne une transcendance. Il ne s'agit pas de « symbolisme métaphysique », il s'agit de sensation si vive, si patiente et si attentionnée que soudain et doucement l'opacité de l'immédiat se déchire et montre à nu la transparence vertigineuse du familier, du tout-venant, du cela-va-de-soi et de toutes nos certitudes qui ont tourné en habitudes. Les dessins de Louis Jaque s'inscrivent dans la lignée de cette recherche, non point tant par le style que par l'esprit qui les anime.

Car le style de Louis Jaque s'est formé, développé, affermi en rapport étroit avec les moyens par lesquels le peintre a réalisé ses œuvres. Rien de plus simple : d'abord Louis Jaque a eu recours à la gouache, étalée à l'aide de rouleaux poilus. Cela permettait d'obtenir des valeurs diaphanes et des effets de luminescence qui, lorsque l'huile se substitue à la gouache, gagnèrent en chaleur et en profondeur. Le rouleau de caoutchouc, utilisé par la suite, en écrasant la matière dans la toile, invite à pratiquer une peinture lisse et plane ; les empâtements, les crevasses et les striures sont absents des tableaux de Louis Jaque. Celui-ci mise, comme il le répète, sur la dimension spirituelle de l'espace, non pas sur le trompe-l'œil ou le faux-semblant de la vision perspectiviste. Mais cette maigreur matérielle, justement, se veut comme une lumière de l'autre lumière, comme un moirage de ce qui sous-tend les apparences et les relie au point zéro de l'espace-temps, à l'en dessous très concret du tableau, à son fond de blancheur. On peut imaginer que les soucis techniques n'accaparent pas le peintre et ne le détournent jamais de sa quête obstinée d'un néant positif, d'un non-lieu repérable, d'une non-temporalité perceptible. À ce titre, chaque tableau de Louis Jaque néglige son individualité propre afin de se signifier comme une trace qui s'inscrit dans une trajectoire interminable. Ou plutôt chaque tableau est comme une force, un élan qui prend son sens dans la mesure où il se situe dans un vaste mouvement, une pulsion qui l'entraîne à se déborder.

Je trouve à cela un écho dans les vols d'outardes. Les oiseaux migrateurs, en automne et au printemps, annoncent plus qu'un passage saisonnier. Ils figurent la mouvance énergétique, ils forment l'arc et la flèche du temps. Je lève la tête et je ne vois encore rien. Un cri rauque, deux cris, plusieurs cris peu à peu s'amplifiant labourent le ciel quelque part et m'alertent. Et voici le phénomène. Chaque individu là-haut se fusèle et se déploie dans un effort facile pour rattraper son cri strident et se laisser par lui propulser plus avant. La ligne ondulatoire se forme et se déforme ; on dirait une blessure qui se cicatrise et se rouvre sans cesse, et incessamment se déplace sur la face du ciel. Je baisse la tête et je perçois encore la rumeur maintenant sans image ; je serais incapable de débattre si tel oiseau ou tel autre affichait plus de vigueur ou plus de grâce ou plus de nervosité. Moi-même, je doute de mon identité ; le temps et l'espace circonscrits par mon expérience individuelle ne ressemblent plus aux définitions qu'on en donne. Il y a autre chose. Mais quoi ?

Oui, l'œuvre de Louis Jaque me déconcerte. Elle empêche que la jouissance s'embusque dans la satisfaction. Et elle coupe court aux ronronnements de la théorie. Elle est là, désarmante de simplicité, obsédante par sa présence picturale ; elle est là comme n'y étant pas pour elle-même. Elle ne pose ni questions, ni énigmes, elle ne violente pas, elle ne rassure pas. Elle est là, fermée en surface, ouverte en son fond sur une surface paisible et qui suggère qu'encore plus loin on verra, peut-être, le vide, la matière première, la puissance non agie d'où fusent tous les actes cosmiques et particulièrement l'acte de peindre.

1981

GRAVÉ DANS LE SILENCE

Ce matin d'été sur Montréal offrait tant de pure douceur, on aurait juré qu'il y avait une trêve au cœur de la ville, un fluide qui allait dissoudre l'anxiété agressive des citadins. J'allais chez Janine Leroux-Guillaume et je savourais à l'avance le plaisir de regarder ses dessins et ses gravures. Au coin de la rue Saint-André, j'ai aperçu sous le porche d'une vieille maison une femme et un petit garçon. Je me suis approché, mine de rien ; j'anticipais confusément une révélation. La femme tenait à la main une grande image en couleurs — je n'ai pu distinguer de quoi il s'agissait — et l'enfant regardait yeux grand ouverts. Il dit : « C'est beau », puis, pointant l'index : « Je peux toucher ? » La réponse fut vive : « Non, regarde seulement ». J'étais déjà loin quand l'évidence me frappa. Cet enfant voulait plus et mieux que regarder, ce qui implique effort et réflexion, il désirait voir, ce qui s'appelle voir : devenir, corps et âme, la chose vue.

C'est là une des différences qu'on pourrait déceler entre peinture et gravure. On juge sacrilège ou inquiétant quiconque s'avise de mettre les doigts sur la surface d'un tableau. Mais les bonnes feuilles de papier où reposent les estampes, comment ne pas éprouver l'envie de les tenir en main, de se les offrir ainsi, à distance des bras tendus, comme un ami rencontré sur le trottoir ?

Janine Leroux-Guillaume désarme toutes les critiques et rend inutiles tous les commentaires. Son œuvre n'impose pas le silence, elle le substitue à l'atmosphère ambiante. Ce matin-là, donc, j'ai dit peu de mots, des banalités sans doute. Mais je regardais de tout mon être, je regardais en espérant que survienne cette grâce : voir. L'artiste me montrait des dessins, des aquarelles, des eaux-fortes, des bois gravés, en fournissant des explications ou en formulant des réflexions qui toutes témoignaient de la plus grande modestie. Parfois je levais le regard vers ce visage tranquille et j'y apercevais un reflet de rivière qui coule non loin de collines où l'on trouve une certaine douceur de vivre. Rue Saint-André, dans l'atelier de Janine Leroux-Guillaume, le beau pays de l'Outaouais continue d'exister, comme une île de mystère dans la solitude des jours. Car, il faut le dire sans pudeur, les gravures de Janine Leroux-

Guillaume ont été conquises sur les contrariétés d'une existence que je devine douloureuse tant est profonde et vive la sensibilité du graveur. Plaisirs, bonheurs, joies n'ont certes pas déserté l'œil et la main de l'artiste, bien au contraire, mais on sent que l'attention, la patience, et même l'opiniâtreté ont réussi là où auraient échoué le naturel et la facilité.

Voici une grande aquatinte en couleurs : *Les feux convergents* ; le végétal y règne, et son royaume est l'automne. Les bruns dominent, leur gamme comporte une si grande variété de tons que finalement l'on ne sait plus si la chaleur ici, le froid plus au fond, la lumière, l'ombre, la paix, la crispation, si l'endroit et l'envers de ce monde ne se confondent pas, si la saison ne sera pas éternelle, suspendue dans le temps, comme si plus jamais l'on ne reverrait l'hiver et le printemps, comme si cet automne imaginé allait nous prendre et nous insérer dans la chair du papier, à l'abri des regrets et des projets.

Je n'invente rien. Je rends compte de ma perception. Et de mon émotion. Elle paraît confuse et maladroite ainsi que les élans du cœur — qui ratent toujours leur cible, car ils visent l'infini, l'absolu, et autres vieilleries déraisonnables. À ce sujet, laissez-moi vous conter une histoire de peintre chinois. Oui, encore une de ces histoires dont on nous rebat les oreilles ; mais, voyez-vous, j'aime ces histoires naïves et touchantes parce qu'elles rendent quotidien le merveilleux. Donc, un peintre chinois, le plus humble et le plus tenace, essayait chaque jour de peindre un papillon et chaque jour se trouvait déçu. Près de mourir, il se fit apporter une dernière fois ses pinceaux, son papier, sa pierre et son bâtonnet d'encre. Il frotta longuement le bâtonnet sur la pierre humectée d'eau, il frotta jusqu'à l'épuisement de ses forces, et sentant la mort imminente il s'empressa de jeter deux traits sur la feuille : le papillon s'envola.

Cette histoire résume dans une certaine mesure le travail du graveur. Celui-ci doit s'imposer une dure discipline, après de longues années d'apprentissage. La peinture ne s'apprend pas ; elle se pratique, avec plus ou moins de bonheur. La gravure, elle, est un métier autant qu'un art. Un métier difficile et où la maîtrise technique demeure indispensable, non comme une fin en soi, mais comme la source concrète des hypothèses créatrices. Pousser le burin dans le cuivre ou le bois, creuser la ligne d'un seul trait, tourner la planche au bon moment et sans tordre le poignet, cela semble une affaire peu compliquée. C'est vrai. Tirer le canif d'un mouvement égal et avec une égale précision assurer la coupe et la recoupe, voilà qui n'est pas la fin du monde. C'est vrai. Et savoir ne pas abuser du vélo ou du poinçon, laisser mordre l'acide ni trop ni trop peu, chauffer l'encre, habiller le papier, bref mener à son terme le travail de la planche n'est pas une tâche impossible. Encore faudrait-il évoquer les multiples contraintes à travers lesquelles le graveur-imprimeur cherche à rendre l'estampe libre, allégée de tout ce labeur. L'essentiel de la partie se joue cependant à un autre niveau que celui de la technique.

Les gravures de Janine Leroux-Guillaume témoignent d'une double intimité de l'artiste avec son matériau et avec elle-même. Ces gravures donnent à sentir par exemple la dureté du bois, son manque naturel de souplesse, ses contours anguleux, ses surfaces raides, ses lignes comme des cicatrices. Il y a dans le bois, surtout dans le bois de fil, quelque chose d'âpre et d'irréductible. On le constate chez des graveurs aussi différents que Frasconi et Munakata. Mais voici qu'avec Janine Leroux-Guillaume une imprévisible délicatesse investit la matière rebelle, que graver c'est aussi bien écrire que creuser, que la finesse du pinceau frémit dans la pointe sèche ou le burin et le couteau, que même les manières noires sur métal offrent à travers leur velouté mille moirures par quoi l'on sait à n'en plus douter que le noir est une couleur et la plus subtile et la plus susceptible de nuances et de variations lumineuses. Telle est la poésie matérielle des gravures de Janine Leroux-Guillaume.

Et je n'ai rien dit des couleurs. Rien non plus de l'art consommé de l'imprimeur qui, souvent, est aussi Pierre Guillaume. Un poème de ce dernier, accompagnant une gravure sur bois intitulée *Comme d'un oiseau*, constitue justement la meilleure introduction au monde graphique de Janine Leroux-Guillaume :

Dans l'inextricable lacis
autant ami qu'ennemi
   elle est là,
qui au moindre bruit se fige
Attentive et inquiète
   elle attend.

De fauves reptations
dans les herbes s'inscrivent.

Ne pensez pas à l'oiseau, pensez à ce qui se cherche à ras de terre. Avez-vous déjà observé une couleuvre dans un champ de hautes herbes sous le soleil de juillet alors que tout bruit n'est plus que stridence et cassure ? Cette douce bête disgraciée n'a aucune défense que la fuite sinueuse ou l'immobilité haletante. Elle est en quête moins d'une proie que d'une nourriture. Elle niche au creux des pierres. Elle connaît le silence et la solitude, elle connaît l'immensité d'un moment de bonheur parfait. Elle grave sa vie dans les matières les plus dures et les plus fermées au moelleux de la tendresse.

Avant de prendre congé, je regarde encore les gravures de Janine Leroux-Guillaume; il me semble que je les vois... un peu. On dit que le blanc plus encore que le noir est la couleur du graveur; que le rôle de celui-ci est d'enchâsser cette clarté, de la sertir sur l'ombre afin de lui donner son maximum d'éclat ou encore de la suggérer par un voile qui fait chatoyer son mystère. Oui, c'est bien de cela qu'il s'agit, et même lorsque l'estampe est en couleurs. Dans les dégradés, sous les demi-teintes, le blanc du papier affirme sa lumière, timidement croirait-on, avec une quasi-frayeur d'être violenté par le regard trop insistant. N'insistons pas; laissons la couleuvre du sens inscrire ses reptations comme autant de signes invisibles à qui n'a plus dans un visage d'homme ou de femme ses yeux d'enfant.

1980

CARNET D'UN APPRENTI

Je continue donc mes études.

Cézanne, 1905

Dès ma plus tendre enfance, j'ai senti que je n'étais pas habile de mes mains. Je n'ai pas une belle écriture. Donnez-moi un canif et un bout de bois à sculpter, je finirai par me taillader les doigts. S'il faut repeindre les montants d'une fenêtre, je commence par mettre un cache sur les carreaux. Et le reste à l'avenant. Depuis des années, je m'adonne à la peinture, au dessin, à la gravure. Je n'y réussis pas très bien, on l'aura deviné. Mais je persiste. Pourquoi ? Sans doute parce que je ne suis pas non plus un écrivain très doué. Dans l'un comme dans l'autre cas, je suis parvenu à entrevoir une toute petite vérité : la réussite (ne parlons pas du succès, ce malentendu) ou l'échec ne se mesurent qu'en fonction du désir initial — le seul désir qui compte.

Donc, je griffonne et je barbouille, avec angoisse et bonheur, comme les artistes et les écrivains «reconnus» ; et, en aurais-je les moyens, je n'aurais nulle envie d'«arriver». Apprenti je reste et je resterai. Cet état d'incertitude me convient. Hier, j'ai enfin trouvé après de longues recherches le parfait mélange de pigments qui me donnera un ton de vieux rose pour l'impression d'un bois gravé. Ma planche, pendant cette attente, a gondolé et s'est fendillée. Je devrai la refaire ; peut-être sera-t-elle moins gauchement taillée, mais offrira-t-elle encore cet émerveillement naïf de la première fois ? Mon vieux rose (une teinte subtilement cendrée), toutefois, me console par anticipation. J'en ai couvert une pleine feuille de papier Japon et je le regarde à la lumière du matin. Oui, c'est bien lui que je cherchais ou qui me cherchait, il s'accordera sans peine avec le gris pourpré que je lui destinais. Mais ce gris, justement, où est-il passé ?

Ainsi de suite. C'est cela, peindre-écrire-graver ; sitôt qu'on a trouvé, on a perdu. Un amour qui s'installe est un amour fini. Je n'aime que le provisoire, les départs et les haltes, les moments absolus qui n'en restent pas moins des moments. Je n'ai pas choisi ; j'ai accueilli.

Qu'est-elle devenue, cette aquatinte de Gérard Tremblay qui m'avait si fort ému par un pan de bleu «passé», du même bleu qui coloriait certaines façades dans la rue où j'ai grandi? Cela tenait du bleu poudre et du cobalt pâli sous le soleil et les pluies, cela vivait chichement et symbolisait à mes yeux d'enfant une humiliation indicible. Voici que ce bleu blessé, je le retrouve guéri, sauvé de sa pauvre vie, et non pas à cause d'une association d'images, mais grâce à cette lumière que le graveur a réveillée dans la conjonction de son regard et d'un espace que j'ignore, qui n'a rien à *voir* avec mes souvenirs.

Roland Giguère, poète, graveur et peintre, c'est tout un. L'éclatement étoilé (un motif formel plutôt qu'un thème) de certaines encres et sérigraphies se retrouve, écrit de même source, dans plusieurs poèmes. Il y a là quelque chose qui tient du feu stellaire, qui provient de la combustion; un éclat consécutif à ce qui se consume, comme une passion qui s'abandonne et aussi se refuse. D'où un clair-obscur entièrement coloré, une évidence des couleurs et surtout de leurs rapports subtils. Puissance de la pudeur qui à bon escient se fait impudique. La vigueur et l'élégance de cette œuvre picturale-poétique ne trompent pas: l'œil, l'oreille, la main, le cœur, tout le corps, s'y brûlent — s'y métamorphosent.

Cézanne. L'aspect inachevé de certaines toiles étonne; puis on regarde, et peu à peu on sent que le peintre n'a pas forcé les choses, qu'il n'a pas outré le geste. Il hésitait, par probité, par scrupule. Une pomme ne pouvait plus rester pomme et devait cependant garder intacts son être évanoui de même que sa saveur disparue. Jamais Cézanne n'utilisait la couleur pour le simple effet pictural. Il cherchait plus loin. Son bleu, par exemple, ne donne ni dans le mystique violacé, ni dans le raffinement turquoise. Les aquarelles attestent que ce bleu profond et transparent épouse «une tristesse de la Provence que personne n'a dite». Ce n'est pas gratuitement que Cézanne, devant l'Estaque, modifie la touche de son pinceau; il procède par petites applications, presque carrées, qu'il juxtapose et superpose avec une lenteur, une attention méditative propres à son lyrisme synthétique.

Tout ce travail, tout cet effort portent la marque d'une vision neuve et simplifiée qui veut en arriver à l'intimité respectueuse de la genèse du monde. Les aquarelles des dix dernières années modulent les couleurs de façon si suggestive que les plus humbles choses (cruchon, veste, chaise) se magnifient et se déréalisent pour entraîner le regard jusqu'à se perdre, se fondre dans la lumière liquide et légère de leur existence vibratoire.

J'écris cela en ayant conscience de mes pauvres moyens. L'aquarelle, si décriée, si mal pratiquée, un Cézanne lui aura rendu sa vocation propre : elle, et elle seule, est capable de faire chanter le fond.

Non, l'aquarelle n'est pas un genre mineur. Le pouvoir de l'eau ne ressemble pas à celui de l'huile. Corps maigre et fuyant, l'eau a des caprices imprévisibles, des inspirations soudaines et qui bouleversent les calculs précis.

Vous mouillez une feuille de pur chiffon, vous étalez le pigment, et ça commence sans vous. Soyez patient, soyez humble, inactif. L'eau coud et découd les molécules en suspension, ici elle refoule, là elle attire, et bientôt l'image se compose toute seule sous vos yeux avec comme une esquisse de sourire en direction de vos études préparatoires.

J'aime, j'adore l'aquarelle pour ce qu'elle donne à qui ne lui demande pas de se dénaturer. L'eau est vive et farouche comme une hirondelle ; on croit l'avoir domestiquée, rendue docile, et par la moindre fissure elle fuit. Elle ne revient, fière et tendre, qu'à la faveur d'une conspiration avec le papier. Laissons ces deux êtres de solitude s'épouser comme ils l'entendent. Les grands aquarellistes ont été des solitaires[1]. Ils avaient le goût de la lenteur qui seule sait accueillir à son juste prix la brièveté — la fulgurance.

Graver sur bois demande, comme l'aquarelle, que l'on travaille d'abord avec et contre les « blancs ». C'est découvrir que l'on écrit autant avec les silences qu'avec les mots. Savoir épargner, non pas chichement, mais modestement, pour l'amour de la matière la plus pauvre — et c'est ainsi qu'elle devient follement généreuse.

1. Tous ? Oui, je crois. De Dürer à Wyeth, en passant par Turner et Dufy, sans oublier Seishu et Pa Ta, c'est toujours le même souci de s'isoler pour l'exécution de l'aquarelle (les couleurs sèchent très vite) et pour la méditation qui la prépare.

Ne pas oublier que chaque trace de pinceau ou d'éponge, de couteau ou de gouge, signifie un blanc de moins, un blanc perdu sans recours ; ou un blanc qui s'impose, désormais ineffaçable. Mais ne pas hésiter devant les sacrifices nécessaires. Pendant la contre-taille, le copeau de bois s'élève et s'enroule, se tordant de plaisir et de douleur. C'est signe que le travail va bon train. S'il faut revenir, chipoter ou tâtillonner, l'arête du bois manquera de probité. L'impression s'en ressentira. Il faudra truquer ou tricher afin de rendre vraisemblable ce qui est faux.

Je ne prétends pas enseigner un métier que d'autres connaissent infiniment plus et mieux que moi. Mais j'aime le bois (et l'eau) avec une telle ferveur que je ne crois pas me tromper en écrivant ceci : une bonne gravure sur bois de fil, même imprimés en une seule couleur opaque, fait toujours sentir la présence vivante du bois. Comment ? Par la manière dont les «blancs», si rares et minimes soient-ils, viennent contrebattre les avancées de l'encre.

Oui, j'aime ce qu'on rapporte au sujet de Kano Motonobu. Il devait, pour un monastère perdu dans les montagnes, peindre d'après nature toute une série de grues. Chaque jour Motonobu peignait un oiseau, et chaque soir il imitait avec son corps la pose et le mouvement de l'oiseau qu'il se proposait de représenter le lendemain. En fait, il ne s'agissait pas de représentation ou d'imitation. Le peintre tentait de figurer l'autre même, et pour y parvenir il se faisait autre, selon le précepte poétique de Rimbaud. Le Japonais suivait la trace du Chinois Kamo Hi : «Ceux qui étudient la peinture de bambous doivent prendre une tige de bambou et, par une nuit de clair de lune, projeter son ombre sur une pièce de soie tendue contre un mur ; la véritable forme du bambou se trouve ainsi découverte».

La «véritable forme»... Cela donne à rêver comme quand on effleure l'épiderme de l'eau : tout un ciel inversé s'y anime. Ou bien on ferme les yeux et du bout des doigts on palpe à peine l'écorce d'un arbre ; bientôt la rumeur d'une vie puissante et timide se manifeste ; la sève et la sueur se confondent ; on devient arbre, on prend racine et on donne ombrage. Et l'on sait, alors, marcher verticalement. Il ne reste plus qu'à dessiner, peindre ou graver. Ou écrire ; c'est du pareil au même.

Projet d'une gravure.

La place est vide. Ce n'est pas une place de village ou de grande ville. Seulement un espace autour d'un banc près de la rue. Regardez, juste à côté, là où mon ombre va vieillissante, vous voyez? Rien, ni personne. La place est vraiment vide. J'attends. Je resterai ainsi, côtoyant ce vide, jusqu'au moment d'y tomber après être mort. On m'emportera. Et la place n'en sera pas plus vide.

Ne rien *dire* à ce sujet. Tout confier aux nervures d'une planche de merisier, une planche arrachée à la clôture qui encercle la place. Et la dérobe au regard.

1979

V

CROISEMENTS

SUR LA LANGUE DES POÈTES

Qu'y a-t-il de commun entre François Villon et Gaston Miron[1]? Curieuse question, pour le moins inhabituelle, et qui m'est venue d'une hypothèse parfaitement gratuite, laquelle est née à la faveur d'une obsession personnelle : je crois que nous vivons une espèce de quinzième siècle «énorme et délicat», une situation où fins et commencements, où merveilles et médiocrités s'emmêlent et se compénètrent jusqu'à former un fouillis en quoi le meilleur a l'air du pire — et inversement.

Nous devons à Georges Mounin d'avoir dégagé et situé la notion linguistique de *situation* par rapport à la pratique de la poésie. Cette notion m'apparaît fondamentale si l'on veut comprendre quelque chose à la réalité que peut recouvrir l'expression «langue des poètes».

Depuis la *Grammaire générale et raisonnée de Port-Royal* jusqu'à Roman Jakobson, on a utilisé toutes sortes de termes pour désigner la situation : *circonstances, lieu, moment,* et surtout *contexte* ou encore *référent.* Luis J. Prieto a clairement défini la situation comme l'ensemble des faits connus par l'émetteur et le récepteur au moment de l'acte sémique, et indépendamment de celui-ci. Ce qui s'accorde, et la remarque est importante, avec la théorie de la double articulation où l'on voit que tout signe linguistique se caractérise d'abord par les sons et les sens qu'il exclut.

Nous pouvons considérer la situation comme un fait linguistique établi et indubitable dans la mesure où elle apparaît comme une unité d'analyse et comme une valeur fonctionnelle tout aussi importante que les autres unités du langage, ainsi que l'ont montré Benveniste, Martinet, Wiener, Jakobson, etc. On a d'ailleurs expérimenté et vérifié la valeur linguistique de la situation par

---

1. Entre Villon et Miron, le seul rapport textuel qu'on puisse établir passe par un vers d'Aragon, placé en exergue à *La Vie agonique* (*En étrange pays dans mon pays lui-même*), repris de Villon (*En mon païs suis en terre loingtaine*) et qui a pu inspirer Miron (*Un pays que jamais ne rejoint le soleil natal*). Tout cela reste un peu tiré par les cheveux. Parmi les poètes du Moyen Âge, c'est à Rutebeuf que vont sans doute les préférences de Miron : «Cher Rutebeuf, mon contemporain. (...) La signification de certains de ses vers est immense. Et enfin, j'aime qu'il se soit opposé aux poètes courtois, dont il a ridiculisé la conception mystique et abstraite de la femme, et qu'il ait puisé dans la langue populaire.»

l'analyse des plus simples et des plus usuelles manifestations du discours. Les facteurs du langage (code, contact, contexte, message, destinataire, destinateur) coïncident point par point avec les fonctions du langage (conative, émotive, référentielle, poétique, phatique, métalinguistique), tant et si bien que je pose en principe cette phrase que Jakobson écrit au terme d'un long et minutieux examen des aspects constitutifs du langage : « La visée du message en tant que tel, l'accent mis sur le message pour son propre compte, est ce qui caractérise la fonction poétique du langage ». Si la situation fait partie en droit du message linguistique, il faut dans les faits distinguer deux cas : celui où l'association de l'énoncé à une situation est nécessaire à la compréhension du sens et celui où cette association est redondante. Cette distinction reste nécessaire pour éviter que l'on réduise la poésie à la fonction poétique.

Tout cela vaut pour la langue parlée. Demandons-nous avec Martinet : « que devient la situation dans les énoncés transmis par l'écriture ? » Le passage de l'oral à l'écrit met directement en cause la situation, et c'est bien pourquoi diffèrent la langue écrite et la langue parlée. Tous les éléments suprasegmentaux de l'oral, comme le rythme, le débit, l'intonation, etc., de même que les éléments expressifs qui manifestent volontairement ou non le rapport affectif entre le locuteur et son énoncé, tous ces éléments situationnels se perdent lorsque nous écrivons. L'une des tâches essentielles de l'écriture consiste à compenser cette perte à l'aide de signes auxiliaires bien connus : ponctuation, artifices typographiques, incises, parenthèses, etc. Certaines limites et aussi certains échecs du « nouveau roman » (et de la poésie « structurale ») proviennent d'un manque à compenser cette perte de la situation, quand ce n'est pas d'une volonté, naïve ou prétentieuse, de reléguer la situation au musée des vieilleries littéraires.

La tendance à épurer l'écriture, à la constituer en une inscription autosuffisante, ne date pas d'aujourd'hui. Depuis le *Poetic Principle* d'Edgar Poe, la poésie occidentale a eu pour ambition systématique de supprimer dans le poème tout ce qui est discursif, didactique, descriptif ou narratif. Cela, dans les années 1920, permit au bon abbé Bremond de chanter les louanges de la « poésie pure » et à Valéry de se refuser à écrire que « La marquise sortit à cinq heures »[2]. Les suites de ce mouvement sont paradoxales : d'une part, le surréalisme, évacuant le plus possible la situation, ne s'en remet plus qu'à l'existence indivi-

---

2. Justement, Valéry, dans un commentaire célèbre, reprochera au poème de La Fontaine, « Adonis », de trop sacrifier au souci de raconter (pourtant, les *Fables*...) et, par là, de fourvoyer la poésie dans la situation.

duelle; d'autre part, le structuralisme formaliste, se refusant à toute mise en situation, en appelle à une combinatoire presque anonyme. Dans les deux cas, toutefois, nous avons affaire à certains types de messages verbaux, appelés « poèmes » et qui semblent sans commune mesure avec tous les autres messages verbaux. On essaie, du moins à la limite, de communiquer l'incommunicable et de dire l'ineffable[3]. Qu'il s'agisse de l'individuation du message ou de la constitution d'une nouvelle rhétorique, nous sommes en présence d'un problème de communication linguistique. En fait, bien souvent, on passe du message au stimulus engendré par une tache de Rorschach non étalonnée. Les signes linguistiques cèdent la place aux pâtés d'encre.

J'exagère, je grossis le trait afin de mieux montrer à quel point la situation reste fondamentale pour la saisie du sens dans toute écriture de type linguistique. Or, je crois qu'actuellement nous traversons (je suis optimiste...) une crise du langage et de la langue un peu analogue à la crise qu'a traversée sur ce plan le xve siècle français. Et que dans les deux époques, les poètes véritables, ceux qui risquent de se perdre pour trouver des lieux habitables aux signes, ces poètes s'attaquent, consciemment ou non, au problème de la situation. François Villon et Gaston Miron n'ont peut-être pas beaucoup en commun, mais ils partagent ce souci de la situation de l'écriture et de l'écriture en situation. Pour eux, la poésie n'est ni souveraineté du vécu individuel, ni impératif catégorique d'une algèbre structurale. Chez ces deux poètes bien *situés,* l'écriture poétique est recommencement de la langue.

Lorsque le 19 avril 1432 (nouveau style) naît à Paris François de Montcorbier, alias des Loges et plus tard dit Villon, Christine de Pisan meurt, laissant une œuvre importante, et Jeanne d'Arc est brûlée à Rouen, ouvrant à la France le chemin de la libération nationale. Ce siècle de Villon va connaître le meilleur

3. Ou, plus simplement, le quotidien : ce qui nous échappe. Définition sur laquelle Maurice Blanchot a écrit l'un de ses textes les plus pénétrants (cf. *L'Entretien infini,* Gallimard, 1969, p. 355-366). L'expérience quotidienne constitue le champ infini de la situation ; c'est bien pourquoi celle-ci « embarrasse » qui veut écrire (et parler ?) dans l'intransitivité pure. À vrai dire, on ne dépasse pas la situation quotidienne par une autre situation quotidienne — subséquente. C'est donc par un effet de transfert (ou de retentissement) que j'emploie les mots « en situation » au sujet de la poésie : le poème *engagé* est en fait engagement d'une situation dans un texte. Il se trouve aussi qu'un texte n'est jamais lu hors situation. L'ignorer ou le méconnaître ou se l'accorder en a priori méthodologique ou idéologique, c'est s'en remettre ou au pseudo-impressionnisme ou au façonnement des lectures soit environnantes, soit antérieures. Le retour — par connaissance — à la situation primordiale n'est qu'un détour, une ruse pour contourner le bloc des commentaires accumulés sur le texte. Ce détour doit viser comme objectif une lecture en situation autocritique.

et le pire, «car le xve siècle, comme l'écrit Italo Siciliano, c'est l'époque qui, tout en restant profondément liée au Moyen Âge, est, à mon sens, la plus riche en nuances, en efforts (même inconscients), en révoltes (même vaines), en épuisements, mais aussi en pressentiments : les disparates se multiplient, mais aussi les contrastes, les ombres s'épaississent, mais les clairs-obscurs deviennent plus fréquents». On croirait entendre parler de notre époque.

Gaston Miron naît dans les montagnes de Sainte-Agathe, au moment où sévit la crise économique et où le Québec sera lui aussi ébranlé par la guerre mondiale. Il vit, tout comme Villon, dans une société bilingue par force, et donc traumatisée jusque dans la connaissance de soi. Villon et Miron se trouvent immergés dans un contexte social, culturel, politique, de fins et de commencements. Pour nous en convaincre, il suffit de consulter les travaux de Huizinga et de ses continuateurs, et de regarder autour de nous et en nous-mêmes. Sur le plan littéraire, le xve siècle signe le triomphe de la grande Rhétorique et de la poésie de la cour de Bourgogne ; mais chose curieuse et plaisante, la plupart des innovations formelles de la poésie du Moyen Âge finissant viennent de poètes médiocres et maintenant illisibles alors que les poètes encore vivants et jugés alors plutôt conservateurs s'appellent Alain Chartier, Charles d'Orléans et François Villon. Je ne sais s'il en ira de même pour la poésie québécoise actuelle.

On a dit et redit au sujet de Villon qu'il était difficile d'accès. Déjà, Clément Marot se plaignait, avouant que pour comprendre Villon il faudrait avoir vécu de son temps à Paris et avoir connu «les lieux, les choses et les hommes dont il parle».

C'est faire sans doute la part trop belle et trop grande à la situation. Même s'il est indéniable que l'œuvre de Villon s'incarne et se situe dans le Paris des années 1440-1460 et qu'elle se lie à certains milieux sociaux bien démarqués, il n'en reste pas moins indiscutable que la poésie de Villon, comme toute poésie vraiment «risquée», cherche et réussit à dépasser la situation. Ce type de dépassement par la poésie, je l'appelle «re-commencement» de la langue.

La composition dissonante et discordante du *Testament,* ainsi que les différences de ton, remarquables dans tout le texte, ont conduit les meilleurs critiques à inférer que Villon a rédigé son œuvre à des époques différentes de sa vie, qu'il a écrit d'une part les ballades et d'autre part les huitains, et qu'il a même voulu donner à son *Testament* l'allure d'une anthologie ou d'un journal personnel. Ces suppositions s'appuient sur une critique interne qui néglige les deux axes majeurs de la poésie de Villon comme poésie : elle est toujours en situation, elle ne cesse de recommencer la langue.

Villon reste un poète médiéval, il se rattache pour une part à la tradition satirique des *sirventès,* des chansons de Rutebeuf et des ballades d'Eustache Deschamps. Il emprunte la forme du huitain d'octosyllabes au *dit,* genre illustré par Guillaume de Machaut. Les commentateurs de son œuvre n'ont pas fini de retracer ce qu'on appelle des influences littéraires, ni de dénombrer les lieux et les personnages auxquels Villon renvoie en des allusions qui parfois confinent à l'anagramme. Ce poète, par ailleurs, utilise à fond la langue de son temps, comme on peut le constater par le lexique de Burger et surtout par les études nombreuses qu'on a faites de sa syntaxe. Un exemple parmi des centaines illustrera mon propos. Que l'on compare une ballade d'Eustache Deschamps où celui-ci écrit le refrain :

S'il n'eût eu les paupières si rouges

et le huitain CXXIV où Villon écrit :

Item à maître Jehan Laurens
Qui a les pauvres yeux si rouges
Pour le péché de ses parents
Qui burent en barils et courges

On constatera, par l'analyse du contexte, que la langue des deux poètes ne comporte guère de différences notables. Mais, et c'est ici que Villon se détache de ses devanciers comme de ses contemporains, depuis le XIVe siècle existe une grave crise de lyrisme en France, ainsi qu'un profond malaise de la langue. Avec la polyphonie, la scission du texte et de la musique est désormais irréversible, bien que l'on continue jusqu'à Ronsard à mettre des poèmes en musique. Par ailleurs, le moyen français reste une langue de transition qui tente de rivaliser avec le latin et qui cherche à s'enrichir par tous les moyens, d'où les fréquents excès de style.

Villon, au milieu des fourvoiements lyriques et des incertitudes linguistiques, établit son œuvre sur le terrain qui me paraît le plus sûr pour un poète : celui d'une langue inventée à même son héritage. Voici l'attaque directe, vigoureuse et subtile du « Lais » :

L'an quatre cent cinquante-six
Je, François Villon, écolier
Considérant, de sens rassis,
Le frein aux dents, franc au collier

Et dans la strophe suivante, ce chant retenu, ce lyrisme bridé, et cette clarté au naturel alliée :

En ce temps que j'ai dit devant
Sur le Noël, morte saison,
Que les loups se vivent de vent
Et qu'on se tient en sa maison
Pour le frimas, près du tison

Si l'on se rapporte à la fin du *Testament*, si on relit la ballade qui clôt le texte, on s'aperçoit que le poète déjà sûr de ses moyens en sa prime jeunesse est ici en possession d'une langue nouvelle, de *sa* langue. Cette ballade synthétise tout le *Testament*, au point de vue thématique; elle combine aussi deux types d'expression, celui de la chanson et celui du soliloque, elle montre enfin que notre poète connaît tous les niveaux de langue : celui du peuple, celui de la rue, celui des métiers, celui des coquins, celui des argousiers, celui de la culture littéraire, celui du droit, de l'école, de l'église, etc. La strophe LXIX du *Testament*, mélange de burlesque et de pathétique, témoigne de la virtuosité de Villon :

Ainsi m'ont amours abusé
Et promené de l'huis au pêle.
Je crois qu'homme n'est si rusé,
Fût fin comme argent en coupelle,
Qui n'y laissât linge, drapelle,
Mais qu'il fût ainsi manié
Comme moi, qui partout m'appelle
L'amant remis et renié.

La verve de Villon jamais ne l'égare ni ne lui fait perdre de vue la précision du trait qui, si elle manque, enlève à l'ironie son efficacité. Quelle science langagière se dissimule sous ce passage apparemment improvisé :

Item, je laisse aux hôpitaux
Mes chassis tissus d'arignée;
Et aux gisants sous les étaux
Chacun sur l'œil une grongnée,
Trembler a chere renfrognée,
Maigres, velus et morfondus,
Chausses courtes, robe rognée,
Gelés, meurtris et enfondus.

Dans la ballade dite « Contredits de Franc Gontier », Villon pousse la satire jusqu'à sa limite, à une espèce d'objectivité descriptive où précisément le satirique devient vraisemblable. Et le passage du « tableau vivant » à la leçon morale qu'il en tire est assuré par un vers (v. 1480) qui est une merveille d'économie dans la transition et de naturel dans l'artificiel. Encore ici, Villon, hors de tout pathétique, sans effet stylistique, ouvre à la langue une voie royale : celle par où on peut dire en peu de mots beaucoup de choses, et choses qui ne sont point vaines. Villon précède Molière dans ce que j'appellerais la fantasmagorie du comique verbal : il est capable aussi de préciosité baroque. Le laconisme du proverbe abonde chez lui comme le bonheur un peu triste de la conversation solitaire :

> *Finalement, en écrivant,*
> *Ce soir, seulet, étant en bonne,*
> *Dictant ce lais et décrivant,*
> *J'ouïs la cloche de Sorbonne.*
> *On pourrait encore citer de multiples vers tels que :*
> *Quiconque meurt, meurt à douleur*
> ....
> *Puis ça, puis là, comme le vent varie,*
> *À son plaisir sans cesser nous charie*

et qui portent cette marque d'un poète vrai : sans recourir à la métaphorisation, ils évoquent puissamment parce qu'ils recomposent la double articulation phonique et sémantique ; ils réalisent en pratique la remarque théorique d'un Jakobson :

> *Les manuels croient à l'existence de poèmes dépourvus d'images, mais en fait la pauvreté en tropes lexicaux est contrebalancée par de somptueux tropes et figures grammaticaux. Les ressources poétiques dissimulées dans la structure morphologique et syntaxique du langage, bref la poésie de la grammaire, et son produit littéraire, la grammaire de la poésie, ont été rarement reconnues par les critiques et presque totalement négligées par les linguistes ; en revanche, les écrivains créateurs ont souvent su en tirer un magistral parti.*

Un exemple de l'usage qu'un poète peut faire des tropes grammaticaux, c'est la très (trop) connue « Ballade des Dames du temps jadis ».

> *Dites-moi où, n'en quel pays,*
> *Est Flora la belle romaine,*
> *Archipiades, ni Thaïs,*
> *Qui fut sa cousine germaine,*
> *Echo parlant quand bruit on mène*
> *Dessus rivière ou sur étang,*
> *Qui beauté eut trop plus qu'humaine.*
> *Mais où sont les neiges d'antan ?*
>
> *Où est la très sage Héloïs(e)*
> *Pour qui châtré fut et puis moine*
> *Pierre Abélard à Saint-Denis ?*

Pour son amour eut cette essoine.
Semblablement, où est la roine
Qui commanda que Buridan
Fût jeté en un sac en Seine ?
Mais où sont les neiges d'antan ?

La reine Blanche comme lis
Qui chantait à voix de sirène,
Berthe au grand pied, Bietris, Alis,
Haremburgis qui tint le Maine,
Et Jeanne la bonne Lorraine
Qu'Anglais brûlèrent à Rouen ;
Où sont-ils, où, Vierge Souv(e)raine ?
Mais où sont les neiges d'antan ?

Prince, n'enquerrez de semaine
Où elles sont, ni de cet an,
Qu'à ce refrain ne vous ramène :
Mais où sont les neiges d'antan ?

Oublions d'abord ce titre dont Clément Marot a coiffé le poème. Et voyons de plus près, si j'ose dire, quelques-unes de ces fameuses dames. Elles ont presque toutes une double identité, l'une historique, et l'autre mythique. Ainsi, Flora, courtisane romaine mentionnée par Juvénal (*Satire* II) est aussi la Flora du *Roman de la Rose,* femme de Zéphir et qui chaque année assure le passage de l'hiver au printemps. Archipiades apparaît aussi dans le texte de Jean de Meung. Villon associe Thaïs à l'Alcibiade féminin débauché, par un vers dont un érudit a écrit : « le vers entier n'est qu'une ingénieuse cheville ». Mais non ! Ce vers, discret, laisse entendre que Thaïs *fut* (n'est plus) une prostituée. Et cette subtile réserve dans l'allusion prend son relief et sa signification lorsqu'on arrive au nom d'Écho dont le *Roman de la Rose* nous apprend la double nature : personnage de drame d'amour et force mystérieuse de la nature. Mais c'est l'avant-dernier vers de la première strophe qui nous donne la clef sémantique (et poétique) de cette mention : celle qui « ot » une si grande beauté corporelle n'est maintenant qu'un reflet fugace de la voix des vivants. Et ici est introduit le thème de l'eau qui va être repris, en écho justement, sur le plan phonique.

Les quatre noms suivants restent associés à une histoire d'amour. À remarquer : le triple jeu de signification sur le mot *essoyne* qui signifie épreuve ou difficulté, mais aussi une mutilation (du verbe *essoiner*) et, au figuré, les parties sexuelles de la femme (par extension d'*essoine,* plaie ou coupure). On devine à quel point ce mot fait ellipse. Il en va ainsi des autres noms.

La ballade pose deux questions. La première, au sujet des femmes nommées, procède du motif *Ubi sunt,* que le Moyen Âge a probablement repris de Boèce (dans la *Cons. Phil, Metrum* VIII, col. 715). Question vaine, question-problème et question-leçon sur la vanité des vanités. On aura remarqué au passage la douce ironie dont Villon teinte cette question ; dès le premier vers il accorde à «dites-moi» la précision imprécise : «n'en quel pays». La deuxième question, c'est le refrain qui la pose, en une variante du *Ubi sunt.* Encore ici, la question se précise par l'expression *neiges d'antan* (de l'hiver dernier). Je ne m'accorde pas avec Kuhn qui prétend, sans rien prouver malgré ses efforts, qu'«au Moyen Âge la neige n'était pas belle». On n'aimait pas le froid, certes, ni l'hiver avec ses vents durs. Mais la neige qu'évoque Villon rejoint le thème éternel de la fertilité et du cycle *generatio-corruptio-generatio.* Tout change, mais faut-il tellement le regretter ? Voilà la question des questions que pose Villon dans une ballade où l'élément liquide, féminoïde par excellence, ne cesse de goutter nom à nom, et de couler dans le refrain. L'envoi laisse aussi supposer avec vraisemblance que le parleur du poème, qui en est aussi l'envoyeur, porte la question à autrui comme on porte la main à ses yeux : pour se protéger de trop bien voir ce qu'on a entrevu. Et l'hésitation légère du «Mais», au seuil du vers-refrain, mime en quelque sorte ce léger tremblement de celui qui parle : Et moi, moi qui parle, qui passe en parlant, où vais-je ?

Cette ballade, dont on a exagéré la mélancolie langoureuse au point de l'affadir et de la décolorer, est l'un des plus beaux moments de la langue française. Un poète, justement, a repris à la langue ce sur quoi elle n'avait plus de prise ; avec peu de mots et assez ordinaires, il a creusé un sens extraordinaire : vous tous qui interrogez la mort, vous êtes la réponse.

S'il y a un miracle de la poésie, il n'est pas plus compliqué que cela. Villon, comme tous les grands poètes, reste simple dans sa complexité. Ces noms de femmes historiques et légendaires, le poète, «au lieu d'en faire des curiosités, des sujets d'observations directes, il les asservit au mécanisme de l'universelle métaphore poétique. De quel intérêt les fleurs, les arbres, les montagnes, les eaux de ce monde, si elles ne portent l'empreinte de nos désirs[4] ? »

Je n'ai pas eu la prétention de faire une analyse, même très partielle, de la poésie de Villon. J'ai voulu simplement suggérer que ce poète, tirant parti d'une situation difficile, n'a cherché finalement qu'une chose, et probablement sans trop le savoir : recommencer la langue.

4. Ainsi s'exprime Georges-André Vachon au sujet du poète québécois Gaston Miron...

C'est exactement le cas de Gaston Miron. Et c'est en quoi lui et Villon sont frères en poésie et contemporains d'une même langue menacée, abâtardie, énervée à force de se vouloir de nouvelles raisons de vivre, langue aussi lestée de possibles extraordinaires mais inexplicités tant les masquent les idéologies officielles ou profiteuses et les idéologies, vite satisfaites, de la contre-écriture.

« Homme des commencements, Miron est le poète du recommencement perpétuel et total[5] ». Si l'on considère l'œuvre poétique de Miron, guère plus volumineuse que celle de Villon, une chose, qui ne frappe pas dès l'abord, finit par s'imposer : on pourrait, au terme d'une analyse minutieuse, dégager de tous ces poèmes un ensemble de « séries », morphologiques et syntaxiques, qui indiqueraient avec précision les divers registres de la poésie de Miron et qui feraient comprendre comment et pourquoi notre poète a investi une situation particulière et une langue particularisée. À titre d'hypothèse de travail, j'énumère en vrac quelques-unes de ces « séries » (sans distinguer ici le thématique et le stylistique) : la culture littéraire (Miron est un lecteur vorace) ; l'engagement dans l'histoire ; le didactisme politique ; la préciosité et certains éléments traditionnels de la poétique ; les jeux de mots ; l'ironie et le sarcasme ; les leitmotivs, souvent proches du refrain ; le langage québécois ; quelques emprunts à l'anglais ; le tellurique et le cosmique ; la langue et le langage comme tels ; la ville, lieu de combat, et la campagne, lieu d'amour.

Cette dernière série constitue un doublet qui se superpose au couple amoureux-militant, comme en témoigne la suite poétique intitulée *L'Amour et le militant*. On n'aura, par ailleurs, qu'à relire le sommaire de *La Vie agonique* pour retrouver la plupart des séries que je viens de mentionner. Autrement dit (et je n'insisterai pas là-dessus car c'est l'aspect de l'œuvre de Miron qui a été le plus et le mieux étudié), toute la thématique mironienne épouse de très près les formes et l'allure de la culture québécoise contemporaine. Détacher cette poésie de son inclusion situationnelle serait un non-sens, comme il serait insensé d'arracher Villon à sa matrice médiévale.

Mais, de la même manière que Villon a transmué sa situation par le recommencement de la langue, Miron — et l'on sait combien cette question le hante — a creusé, forcé la langue, il a tenté de l'approfondir et de l'élargir, il l'a en quelque sorte obligée à devenir autre tout en la laissant être la même. Le vieux fonds de notre langue, français et québécois, est partout présent chez Miron comme un terreau, et ce qu'il en tire traverse les trottoirs et les pavés. Mais, se mêlant au « Fou braque » et à la « laveuse des chemins », il y

5. Georges-André Vachon.

458

a les « forçages », « je charbonne », « je rafale », il y a le « perce-confusion », le « mon père est devenu du sol » et autres reconfigurations d'éléments hérités qui prouvent sans conteste à quel point Miron ne se contente pas de refléter une situation ni de décalquer une langue et qu'il ne se donne pas la facilité laborieuse d'abstraire la situation en un langage artificiel.

Les « Monologues de l'aliénation délirante » comptent 67 vers distribués inégalement en VIII parties. De ce poème, on connaît quelques versions, publiées antérieurement à la version de *L'Homme agonique*. Les variantes, de peu d'importance à première vue, pourraient cependant nous renseigner sur la composition et le mouvement du texte ; elles aideraient à percevoir l'espèce de va-et-vient qui, d'une partie à l'autre, trace la démarche difficile du monologueur, sa déambulation onirique et politique qui le mène du délire au discours.

Tout le génie langagier de Miron se trouve synthétisé dans ce poème. Voici le prosaïsme de la conversation, dans un murmure :

Le plus souvent ne sachant où je suis ni pourquoi
je me parle à voix basse voyageuse

dans la déclaration :

Or je suis dans la ville opulente

dans la proclamation :

Salut de même humanité des hommes lointains

Voici des mots et des expressions qui collent à notre chair : « je déparle », « rétrécir dans mes épaules », « me morfondre », « dans des bouts de rues décousus », « ma vraie vie — dressée comme un hangar — je marche avec un cœur de patte saignante » ; voici le didactisme, cher à Miron, mis entre parenthèses, ou fondu dans le contexte ; voici même ce qu'on appelle un mot rare : « déambulant dans un *orbe* calfeutré » — l'adjectif latin *orbus* signifie *privé de,* d'où le sens adjectival en français : *orbe* se dit d'un mur sans ouverture (ou aveugle) —, mais tel n'est pas ici le sens du texte qui prend le mot comme substantif, soit : globe, corps sphérique, trajectoire circulaire. Pourquoi ce mot quasi savant ? Pour deux raisons qui n'en font qu'une : orbe consonne avec *déambulant* et s'accorde très bien, sémantiquement, avec *calfeutré.* Encore une fois, l'on vérifie que la double articulation, base du fonctionnement langagier, offre au poète maître de sa langue des ressources insoupçonnées. J'ajouterai que cette expression ne reste pas isolée ; elle se rattache à une *série* d'ordre à la fois cosmique et tellurique où l'on relève par exemple : « la mort, nuit de métal », « l'horizon intermittent de l'existence », « l'opacité du réel »,

« dans les espaces de ma tête », « par l'haleine et le fer ». Voici même, et pourquoi pas, des tournures ciselées, presque précieuses :

Les eaux vives de la peine lente des lilas

....

La lampe docile des insomnies

....

La vaillante volonté des larmes

Voici les images qui fusent et bousculent l'ordonnance du discours :

Les larmes poussent comme l'herbe dans mes yeux

....

Je suis signalé d'aubépines et d'épiphanies

Images toujours justes et parfois d'une précision déconcertante :

Je suis là immobile et ridé de vent

Et voici, pour terminer ce court inventaire, la voix inimitable de Miron, notre langue qui parle en poète :

C'est l'aube avec ses pétillements de branches
par-devers l'opaque et mes ignorances

....

poésie mon bivouac
ma douce svelte et fraîche révélation de l'être
tu sonnes aussi sur les routes où je suis retrouvé
avançant mon corps avec des pans de courage

Sur cet extrait, il y aurait beaucoup à dire et encore plus sur la totalité du poème. Miron joue de tous les registres, il profite de toutes les possibilités, mais avec discernement. Son audace consiste beaucoup plus à doser, mesurer, composer, qu'à projeter, distordre ou éclabousser. « Rien ne sert de torturer (la langue) si, sclérosée ou compartimentée par des hiérarchisations artificielles, elle ne permet pas l'expression directe de ce qu'on porte en soi de nouveau. (Le poète) a prouvé que des servitudes de cette sorte n'étaient pas un obstacle insurmontable. Il a trouvé en elle les éléments d'une libération. Il a fait tomber certaines barrières et rétabli certains contacts. Il a opéré des fusions et surtout fait jouer des contrastes. Mais, en aucun cas, il n'a imposé sa propre loi à des formes de langage qui, pour livrer toutes leurs richesses ou en engendrer de nouvelles, n'avaient besoin que de poursuivre librement, sans pressions arbitraires ou révoltes isolées, leur vie collective naturelle[6] ».

6. Ainsi s'exprime Pierre Le Gentil au sujet de Villon...

Je partage l'avis de Georges Mounin :

Les critiques ne savent presque jamais parler de leurs émotions, qui sont leur moment capital en tant que critiques : le moment du vécu esthétique à l'état naissant. Ils sont toujours trop pressés de passer au moment suivant, celui qu'ils croient important, celui de la construction intellectuelle qu'ils superposent à l'œuvre, — souvent aussi celui seulement des rationalisations prématurées sur ce qu'ils ont ressenti ou cru qu'ils avaient ressenti ou qu'ils auraient pu ou dû ressentir à la lecture.

Trop souvent et trop systématiquement, dans nos études de la poésie, nous ne laissons pas parler les poètes, nous les réduisons même au mutisme, car avec ces oiseaux-là, il n'y a jamais moyen de déplacer une grille sans que tout s'envole.

Je partage aussi l'opinion de Georges-André Vachon :

Ce n'est pas d'écrire qui est difficile, c'est de recommencer, au degré zéro ; c'est chaque fois de régresser au stade artisanal ; de montrer, dans le travail, que l'identité (de moi comme du pays) se fait, se construit, s'invente, à la sueur du front, le plus souvent dans le demi-échec.

L'échec d'une entreprise littéraire a toujours pour cause la faiblesse du comportement verbal. Soit que l'on sélectionne mal, soit que l'on combine mal les éléments (ou structures) linguistiques qui assurent le rapport, essentiel, entre la situation et le message. Car le propre de la littérature, et particulièrement de la poésie, nous ne le répéterons jamais assez, c'est de constituer un message dont la visée est le message lui-même. L'échec du texte, c'est sa dissolution ou sa transformation en hors-texte. J'ai pu sembler, au début de cet exposé, faire trop de cas de la situation et pas assez de l'autonomie structurale du langage poétique. C'est qu'à mes yeux la poésie ne recommence la langue que dans la mesure où elle reconfigure une situation donnée. Ce legs situationnel parvient au poète, comme à chacun, déjà investi de langage et conséquemment la fonction poétique consiste à mettre fin au langage pour commencer le langage. Ce qui signifie : *re*-commencer. Roman Jakobson, au terme d'une longue analyse qui confronte les faits linguistiques et les valeurs poétiques, conclut :

En Afrique, un missionnaire blâmait ses ouailles de ne pas porter de vêtements. Et toi-même, dirent les indigènes, en montrant sa figure, n'es-tu pas, toi aussi, nu quelque part ? Bien sûr, mais c'est là mon visage. Eh bien, répliquèrent-ils, chez nous, c'est partout le visage. Il en va de même en poésie : tout élément linguistique s'y trouve converti en figure du langage poétique. En d'autres termes, la poésie ne consiste pas à ajouter au discours des ornements rhétoriques : elle implique une réévaluation totale du discours et de toutes ses composantes quelles qu'elles soient.

Ainsi donc, la poésie est destruction de la langue pour être construction de la langue. Il est frappant de constater qu'à cet égard Villon et Miron, loin de rejeter le fonds populaire de la langue, et loin de s'y confiner ou de s'y complaire par snobisme à rebours, ont tous deux bâti leur œuvre sur l'instance fondatrice de la langue considérée moins comme un savoir que comme un pouvoir-dire. La situation langagière des deux poètes a ceci de similaire qu'ils n'ont pas eu à liquider l'héritage gênant ou paralysant d'une langue surcultivée. Bien au contraire. Chacun, dans son siècle et dans son milieu a dû en quelque sorte se refaire une langue non pas pour écrire mais pour, en écrivant, vivre, tout simplement, accorder les mots et les gestes, les silences brouillés du matin et les chants de résistance de la nuit, l'explication sèche du plein midi et l'ombre humide, à peine bleuie, sur la joue aimée comme une trace mal effacée du temps qui a passé — qui repassera.

Recommencer la langue, c'est accepter l'obscur mais refuser l'hermétique, c'est réveiller l'inattendu qui sommeille au cœur de l'attendu, c'est combiner et recombiner les sous-codes du code global, ce n'est pas parler de soi, c'est parler à tous de ce que nous serons parce que nous avons été, c'est réaliser autrement, puisque toute persistance fait du même un autre, la vieille et neuve *translatio studii,* c'est dire, le plus simplement et le plus justement du monde, et cet ordinaire fait merveille, ces pauvres mots font riche sens :

> *Mes jours s'en sont allés errants*
> *comme, dit Job, d'une touaille*
> *Font les filets, quand tisserand*
> *En son poing tient ardente paille*

Ou encore :

> *J'ai la trentaine à brides abattues dans ma vie*
> *je vous cherche encore pâturages de l'amour*
> *je sens le froid humain de la quarantaine d'années*
> *qui fait glace en dedans, et l'effroi m'agite...*

Dans ma lecture et dans mon entendement se rejoignent et s'enlacent cette *ardente paille* et ce *froid humain,* petites choses qui se rencontrent hors de tout chemin tracé d'avance et qui fécondent ma langue et lui assurent comme une descendance. Je sais maintenant que même mort je parlerai les mots du pays.

Et telle m'apparaît, moins sujet d'érudition que sujette à la passion, la langue des poètes.

1975

LE SECRET DES TROUBADOURS

L'aube, ce point de passage entre nuit et jour, synthétise rencontre et séparation. Tout finit et tout commence. Et tel est le secret d'amour. Une chanson
du Moyen Âge occitan, une *alba,* demeurée anonyme, nous profile, avec un
naturel intact, le visage ombreux-lumineux de l'amour qui, à cette heure de
départage, ne sait plus s'il va se décomposer ou s'il doit se recomposer :

> *Beau doux ami, faisons encore un amour,*
> *dans le jardin où chantent les oiseaux,*
> *en attendant que le veilleur flageole,*
> *Ô Dieu, ô Dieu, cette aube, si tôt vient!*

Et le trouvère Gace Brûlé reprend le motif en une variation plus amère :

> *Quand vois l'aube du jour venir,*
> *Rien de plus ne doit tant haïr*
> *Qui toi de moi fait partir*
> *Mon ami que j'aime par amour.*
> *Oui, ne hais rien tant comme le jour,*
> *Ami, qui me sépare de vous!*

Dans les deux textes, c'est la femme qui parle et se plaint comme il arrive
souvent dans les chansons de toile et d'histoire, comme il arrivait déjà, en cette
île de Lesbos où la grande Sappho soupirait, mais cette fois en pleine nuit :

> *La lune a fui*
> *et les Pléiades*
> *Il est minuit*
> *l'heure passe*
> *et je suis couchée, seule.*

Cette mélancolie nocturne a trouvé son écho par-delà les millénaires dans
« Le Pont Mirabeau » d'Apollinaire. L'amour, que la coutume paresseuse a fait
rimer avec le jour, se tourne vers la nuit comme vers sa demeure et son errance,
sa trouvaille et sa perdition, comme vers le lieu de son unité et de sa métamorphose. Le romantique Novalis écrit dans son *Journal,* à l'été 1797 : « Une union
qui est aussi conclue pour la mort est une noce qui nous donne une compagne
pour la nuit. C'est dans la mort que l'amour est le plus doux : pour l'amant la

mort est une nuit de noce — le secret de mystères doux et sacrés». On croirait entendre le *Tristan*, non pas celui de Wagner, mais celui de Béroul et de Thomas. L'amour ne divulgue son secret final qu'à la faveur de la nuit, sous le couvert du secret. Là-dessus, le dialogue avec soi-même d'un imaginaire intemporel reste constant, malgré les toujours nouvelles configurations culturelles et psychosociales. On dirait à cet égard que l'amour, comme la poésie, n'a pas d'histoire. Voici André Breton, dans *L'Amour fou*:

> Ce que j'ai aimé, que je l'aie gardé ou non, je l'aimerai toujours. Comme vous êtes appelée à souffrir aussi, je voulais en finissant ce livre vous expliquer. J'ai parlé d'un certain point sublime dans la montagne. Il ne fut jamais question de m'établir à demeure en ce point. Il eût d'ailleurs, à partir de là, cessé d'être sublime et j'eusse, moi, cessé d'être un homme. Faute de pouvoir raisonnablement m'y fixer, je ne m'en suis du moins jamais écarté jusqu'à le perdre de vue, jusqu'à ne plus pouvoir le montrer.

À cet amour-de-toujours qui pour ainsi exister doit consentir à être aussi amour-de-cet-instant, à cet amour pur voilé d'impuretés nécessaires répond l'éros platonicien du *Banquet*:

> Il est rude, malpropre, va-nu-pieds, sans gîte, couchant toujours par terre et sur la dure, dormant à la belle étoile sur le pas des portes ou dans les chemins. C'est qu'il partage à jamais la vie de l'indigence. Mais il est à l'affût de tout ce qui est beau et bon; il va de l'avant, tendu de toutes ses forces, chasseur hors ligne, sans cesse en train de trouver quelque ruse, passionné d'inventions et fertile en expédients; employant à philosopher toute sa vie, incomparable sorcier, magicien, sophiste. J'ajoute que sa nature n'est ni d'un immortel, ni d'un mortel. Mais tantôt, dans la même journée, il est en pleine fleur et bien vivant, tantôt il se meurt; puis il revit de nouveau, quand réussissent ses inventions. Sans cesse pourtant s'écoule entre ses doigts le profit de ses créations; si bien que jamais Éros n'est ni dans le dénuement, ni dans l'opulence.

L'éros itinérant s'affirme donc comme créateur; l'amour-poïèn retrouve le mouvement instaurateur de l'initiative productrice. Innocent et génial, il refait pour son compte le mouvement spontané, le bon mouvement originel qui pose l'être mitoyen, ni ange, ni bête; il recommence à tout instant, mais en microcosme, la grande improvisation cosmogonique. C'est sur cet horizon sans âge ou de tous les âges que se détache et s'identifie l'amour courtois qui, au douzième siècle, se met à sourdre de la terre occitane.

De la courtoisie, je ne connais pas de définition plus précise et plus pertinente que celle de Moshé Lazar:

> Le mot courtois *peut être pris dans un sens moral et dans un sens social. Au sens moral, il s'adapte parfaitement à la* cortezia *des troubadours, à la* corteisie *des poètes du Nord,*

et signifie un ensemble de qualités et de vertus. Son opposé, vilania, *symbolise alors un certain nombre de défauts et de vices. Au sens social, il indique le caractère aristocratique d'une classe d'hommes. (...) On devra garder présente à l'esprit la distinction que nous venons d'établir entre le caractère social et l'aspect éthique de la courtoisie, entre ce qui appartient à l'institution chevaleresque en général et ce qui est propre à la littérature d'amour courtois. Certes, dans la courtoisie telle que la comprenait la chevalerie, l'aspect éthique occupait une place importante. Mais lorsque les troubadours parlent de* cortezia, *celle-ci est toujours, ou presque, fonction d'une préoccupation morale ou d'une émotion esthétique. Elle est étroitement liée à la conception que les troubadours se font de l'amour. Elle n'a pas sa source dans une idéologie de classe et n'est pas l'apanage exclusif de la chevalerie et de la noblesse. L'amour courtois étant un art d'aimer, celui qui observe les règles de son code est obligatoirement courtois. Il en résulte donc, contrairement à ce que l'on a souvent affirmé, que l'amour courtois n'est pas une des catégories de la courtoisie, l'un de ses éléments constitutifs. La* cortezia *des troubadours, au contraire, est essentiellement un produit de la* fin'amors.

Cette définition descriptive a l'immense mérite de nous épargner toutes sortes de discussions autour de problèmes annexes comme par exemple les rapports de la courtoisie et de l'institution chevaleresque ou, encore, la recherche, infiniment distrayante, des sources et des influences. J'aimerais cependant préciser un point de vocabulaire : l'expression *amour courtois*, créée de toutes pièces par Gaston Paris (vers 1880), traduit fort mal la *fin'amors* qui pourrait se rendre en français moderne, non pas par « amour parfait » (qui risque de connoter quelque imprégnation par le catharisme), mais par « amour vrai » ou par « amour achevé », ou, et c'est ma traduction préférée, par « pur amour », expression qui sous-entend le paradoxe de l'amour troubadouresque dont on sait qu'il est à la fois horizontal et vertical[1].

La *fin'amors* fut chantée par plus de quatre cent cinquante troubadours[2] en plus de deux mille poèmes recueillis de leur temps sous forme d'anthologies

1. J'entends « pur amour » ou amour épuré dans le sens d'*affiné*. En droit, l'expression *fin'amors* est intraduisible ; en fait, on doit la traduire — ou alors mieux vaut ne pas traduire les troubadours...
2. D'autres chercheurs parlent d'environ trois cent cinquante troubadours. Parmi ceux-ci on compte une vingtaine de *trobairitz* ou femmes-troubadours. C'est peu. La misogynie demeure contraignante, dans les faits, car la poésie courtoise reste, en partie, une fiction et où le « renversement » (par exemple, lorsqu'un grand seigneur se fait le vassal d'une simple dame) n'a guère d'équivalent social. La *canso* ou chanson-poème du troubadour vise un ordre imaginaire et se constitue comme son propre sujet, sans prédicat. Ce qui n'a pas empêché les moqueries triviales. Dans une « aube » inversée, un goliard anonyme fait dire à une femme prisonnière, s'adressant à son ami du haut de la tour (!), que son mari a tous les défauts mais que

Sa plus grande qualité
C'est de taire qu'il est cocu.

et qui nous sont parvenus dans une quarantaine de fort beaux manuscrits enluminés. À mon avis, seuls les troubadours du douzième siècle, ceux des quatre premières générations, adhèrent véritablement au culte de la Dame, car dès le treizième siècle, hormis de rarissimes exceptions, la courtoisie, passant de l'état de forme structurante à l'état de formule structurée, tombe aux mains des doctes, des faiseurs de manuels du bien-vivre, et devient une espèce de jouet pour une aristocratie dont l'avenir va s'assombrissant. Mais le douzième siècle courtois et occitan garde encore toute sa verdeur et toutes ses possibilités. Les cours du midi de la France constituent des sociétés assez restreintes et des mondes clos. Il faut se représenter ces cours comme des lieux fixes et mouvants. Le terme *cortejar* signifie à la fois tenir, visiter, suivre, faire la cour ; c'est dire que la vie des nobles est d'abord et avant tout une vie de relations et de hiérarchies (encore que celles-ci soient moins accusées que dans le Nord à pareille époque). On adore faire étalage de sa richesse, qui donne prix et honneur, et on s'y emploie au risque même de se ruiner. Les fêtes ne se comptent pas, ni les moindres occasions de s'adonner à ce que les ethnologues modernes appellent le *potlatch* qui correspondrait alors au culte de la dépense princière, ostentatoire, sinon provocante. La politique d'ailleurs trouve son compte dans tous ces festoiements ; on négocie ferme, on parlemente, on « diplomatise ». Les troubadours fréquentent ces cours féodales, et davantage celles des vassaux que celles des très grands seigneurs, bien que nombre de troubadours aient suivi princes et rois, jusqu'en Espagne, en Italie, en Angleterre ou dans les marches brumeuses des Flandres. Ces troubadours appartiennent à diverses classes sociales (ils peuvent être comtes ou simples chevaliers, bourgeois ou gens d'Église) et ne s'emploient pas nécessairement à interpréter eux-mêmes leurs chansons. On sait que certains troubadours, comme Bertrand de Born et Arnaud de Mareuil, eurent leurs jongleurs attitrés. L'essentiel reste que le public auquel s'adressent les troubadours, avec qui s'établit une espèce de connivence rituelle, est une société quasi tribale qui a ses lois établies et ses coutumes imposées, et où tout le monde finit par connaître tout le monde avec ce que cela comporte de complots dans les encoignures, de médisances et de calomnies autour de la table et dans les lits, de papotages, d'indiscrétions, de calculs et de ruses, de coups de force et d'ambitions rampantes. Comment, dans ce contexte, soutenir l'existence du secret d'amour ?

Raison de plus, dira-t-on, pour placer la *fin'amors* à l'abri des envieux, des jaloux, et de la vindicte des conformismes sociaux. Sur l'importance primordiale du secret dans la *fin'amors,* aucun doute n'est possible. Là-dessus, les troubadours, les trouvères, les romanciers du douzième siècle s'accordent, tout comme les théoriciens du treizième siècle et les commentateurs modernes. Même le brave Alfred Jeanroy, parfait philologue mais aussi fermé à la poétique qu'à l'érotique en convient : « L'amour courtois ne peut vivre que dans le secret. Le divulguer, c'est le tuer ». André le Chapelain promulguera la règle du secret : « L'amour divulgué dure rarement ». On assigne à l'amant quatre devoirs : servir, flatter, honorer, dissimuler (*celar*). Cet impératif catégorique du secret, les troubadours y reviennent sans cesse dans leurs chansons, ainsi Raimbaut d'Orange :

Tais-toi ma langue ; trop parler
nuit plus qu'un péché mortel ;
je tiendrai donc mon cœur bien clos.

On utilisera aussi le *senhal,* pseudonyme métonymique ou métaphorique pour désigner la Dame et on ira même jusqu'à se gausser d'une conduite pourtant tenue pour sérieuse et grave de conséquences. Une mal mariée propose à son mari un partage assez inattendu :

Souffrez, mari, et si ne vous ennuie,
Demain m'aurez et mon ami cet'nuit,
Je vous défends qu'un seul mot en sauvez,
Souffrez, mari, et si ne vous mourez...

Marie de France dans son *Yonec* traite la question sur le mode tragique. Une mal mariée et un prince de féerie s'aiment à en mourir. Mais de cet amour la Dame est si heureuse que son visage rayonne dans la nuit. Le mari jaloux, qui pour une fois se montre subtil, comprend tout. Il tue l'amant et par le fait même il tue l'amante. Marie de France nous laisse entendre que la Dame, malgré elle, a fauté par démesure : elle n'eût pas dû laisser paraître son cœur sur son corps.

L'amour sera donc tenu secret d'abord pour des raisons évidentes et qui ressortissent au bon ordre familial et social régnant dans les cours ; là-dessus, René Nelli résume bien la situation : « La discrétion est nécessaire à l'amour surtout quand il est adultère. Il fallait d'abord que l'amant sût dissimuler son trouble, voire sa timidité, quand il était observé. Ce n'était point là vertu bien haute, mais plutôt habileté ». La même habileté conseillait de se garder des médisants, des *lauzengiers* toujours à l'affût. Le lauzengier n'est pas seulement un possible rival en amour, mais il est aussi la personnification des résistances qu'offre le monde extérieur aux aspirations du chevalier pauvre, et en particulier de la concurrence que lui font ses congénères. Ce n'est pas par hasard que le type répugne radicalement à l'individuation ; la lutte serrée et les manœuvres ininterrompues qui tendent à faire avancer le chevalier dans le milieu fermé de la cour ne sont pas choses dont on puisse étaler ouvertement les péripéties. La dissimulation est le précepte suprême. Cette remarque nous plonge au cœur du psychodrame qui se joue à la cour lorsque le jongleur et les musiciens interprètent la chanson d'un Bernard de Ventadour, d'un Jaufré Rudel ou d'un Arnaud Daniel.

Seul suis-je à savoir la grande peine qui me sort
Du cœur, d'amour je souffre et je m'égare.
En vous mon vouloir est si ferme et total
Que depuis le premier regard mon désir brûle
Et jamais plus mes yeux sur vous ne se ferment.
Quand je suis loin d'elle vers moi
    se précipitent les mots
Et quand je suis tout près, je ne sais plus que dire.

Le chant s'est élevé. Sous l'apparence d'un divertissement de cour, s'opère un complet renversement de l'ordre psychosocial. Dans le château d'où pratiquement toute vie privée personnelle est bannie, pénètre un imaginaire qui défie et défait la structure duelle du mariage, qui refinalise la pratique sexuelle ordonnée à la seule procréation, qui transpose le système féodal et qui resémantise les échanges langagiers. La cour, close sur elle-même, s'ouvre sans le vouloir à un jeu courtois et secret. Ne peuvent participer à ce jeu que les initiés. Les joueurs forment une véritable société secrète à l'intérieur de la société aristocratique. L'espace et le temps ne relèvent plus des mesures habituelles. Telle est la marque concrète et facile à identifier du secret de la *fin'amors*. Le chant troubadouresque poursuit son chemin, ce chant qui prit naissance au lieu le plus retrait et caché de la France, lieu qu'on découvre noir et abrupt quand on va de Pons ou Blaye jusqu'à Ventadour et Ussel par Uzerche. Et ce chant se donne sans ambages comme une célébration de la Dame. La femme, en lui et par lui, et au vu et à l'insu de tous, devient la Domna, la seigneuresse des corps et des cœurs. Je ne connais pas de projet poétique plus «engagé» que celui des troubadours, car il frappe l'oppression politique au centre même de ses ressources. Mais revenons à la figure de la Dame qu'on a souvent réduite à une simple fiction littéraire ou à une allégorie pâle et filiforme, profil d'un idéal désexué. Même si, sauf chez Guillaume IX, on ne trouve guère dans les poèmes des troubadours l'exaltation vive et franche de l'acte sexuel (et l'on comprend sans peine pourquoi), on pourrait citer de nombreux passages qui à travers une symbolisation difficile en appellent au secret partagé et consommé dans la joie orgasmique. Il arrive, ainsi chez Bertrand de Born, que l'on blasonne, plus ou moins, le corps féminin :

> *Rassa, j'ai une dame fraîche et fine*
> *gentille et gaie et toute jeune ;*
> *elle a la chevelure blonde, couleur de rubis,*
> *la peau blanche comme fleur d'épine*
> *les bras tendres et les seins durs,*
> *et paraît un lapin par l'échine.*

Examiner en détail les diverses instances de la *fin'amors* serait trop long ; je me bornerai à la mention de l'*assag* ou épreuve d'amour par excellence et qui en une délicieuse torture permet à la femme de se soumettre l'homme. Distance et proximité, continence et volupté, ces deux pôles de l'*assag* servent à situer le subterfuge érotique par quoi le désir inassouvi mais tenu en haleine va devoir aller plus avant vers sa déréalisation, va devoir se perdre au secret du cœur-à-corps. C'est ce qu'a bien perçu le poète Robert Marteau : « Chez les troubadours, l'éros naturel est recueilli dans sa force brute afin d'être passé au feu de la passion que freine la mesure, ce qui permet d'atteindre à cette jubilation, nommée *joi* qui est terrain de vérité où éclôt la parole, où a lieu la hiérogamie des fidèles d'amour, dont le monde profane n'est pas autorisé à surprendre le secret et la couche ». Il faut se garder ici de tout réductivisme et renvoyer aux coupeurs de têtes et de sexes le débat qui veut à tout prix trancher et départager le *fin'amors* en mysticisme ou en sensualisme. Le chant courtois veut par artifice délivrer la femme non seulement des oppressions sociales mais même des contraintes naturelles : génération, maladie, vieillesse et dégradation. La poésie d'amour se fait hermétique parce qu'elle se sait insupportable aux autres (et aussi à elle-même) : elle correspond à une vision cosmique de la femme, et vise pour conséquence une féminisation de l'univers et une universalisation de la femme. Quand Cecco d'Ascoli murmure : *la donna è umida,* il ordonne par cette liquéfaction de l'élément féminin en l'homme, le cours du secret d'amour. Et nous sommes alors très loin du gaillard Guillaume qui dans *Companho, ferai un vers* se comporte en maquignon et qui, dans un autre poème, est aux prises avec deux femmes qu'il nomme et dont il nous dit crûment :

> *Tant les foutis comme entendrez :*
> *Oui bien 188 fois*
> *À m'en rompre courrois et harnais.*

Mais le secret de pur amour, lui, n'est pas rompu. Déjà, le poète arabe Ibn al Haddad, précurseur des troubadours, chante tout bas : « Au secret de mon âme, combien précieusement je cèle le nom de mon aimé(e). Jamais je n'en prononce les syllabes et pour le garder mieux, à tous je ne cesse de le rendre plus obscur par des énigmes ».

Le secret d'amour doit au fond s'entendre comme un motif formel. Paul Zumthor a soigneusement distingué le thème et le motif dans la poétique médiévale. Le thème forme un centre d'intérêt et un champ expressif ; de façon cavalière, on peut inférer que le thème correspond à l'objet dont on parle ou sur lequel on écrit. Le motif, lui, a pour fonction d'incarner le thème dans la réalité verbale de l'œuvre ; il constitue un facteur expressif variable mais attaché au thème de manière fixe. Ainsi, au thème *amour* correspond le motif *secret*. Grâce à cette distinction, il nous est loisible de comprendre le *trobar clus* et le *trobar ric* comme des figures tactiques de renversement corrélatif entre un imaginaire de l'érotique et une érotique de l'imaginaire. Ou, si l'on préfère : la *fin'amors* se dit sans se dire et ne se dit pas en se disant[3]. Le secret d'amour comme secret organise une fiction insurrectionnelle contre la réalité dominante. Il ne s'agit pas pour les troubadours d'élaborer une doctrine ésotérique, non, il s'agit de présentifier sur fond d'immémoriale mémoire un moment vécu de l'histoire et où, comme le remarque Zumthor, le « mode de dire est entièrement et exclusivement référé à un *je* qui, pour n'avoir souvent d'autre existence que grammaticale, n'en fixe pas moins le plan et les modalités du discours, hors de toute narration ». Le *je* du troubadour est un signe déporté et qui opère un déplacement situationnel. Le poème d'amour, sous couvert d'un quelqu'un qui parle à quelqu'un, est en fait et en son fond un *ça parle*. C'est d'ailleurs pourquoi on laissait à la musique le soin d'ouvrir le *trobar clus*. Mais, par delà les soucis de prudence psychosociale, le motif formalisé du secret vient signaler le thème d'amour comme incommunicable. Entendons : les amants ne peuvent pas *se* dire parce qu'ils ne peuvent pas se dire leur amour. Pourquoi ? Parce que cet amour n'a de lieu et d'existence que dans le dire lui-même qui s'exténue à la fois vers le non-langage d'une situation concrète, vécue, et vers l'après-langage d'un silence

3. Formule qui semblera facile, sinon abusive. Mais elle trouve sa vérification dans l'examen des formes et des structures de la *canso* où chaque *cobla* (couplet) s'établit sur des alternances subtiles d'écarts et d'entrelacs. On remarque une même complexité d'arrangement pour ce qui concerne la *cauda* (chute) et surtout la *torsada* qui noue des éléments très différents les uns des autres. Le poème troubadouresque constitue une *entorse* mesurée au discours habituel ; il révèle en cachant.

conquis sur le langage. Georges Bataille éclaire ce mystère : « Cependant Mme Edwarda n'est pas le fantôme d'un rêve, ses sueurs ont trempé mon mouchoir : à ce point où conduit par elle je parviens, à mon tour, je voudrais conduire ce livre à son secret, je dois le taire : il est plus loin que tous les mots ». On comprendra mieux dans ce contexte, l'amour de loin chanté surtout par Jaufré Rudel : l'éloignement n'est pas que spatial, il n'est pas que temporel. Entre l'amant et la Dame, la distance est proprement érotique en ce sens que l'éros de la *fin'amors* ne se trouve jamais où il paraît être. Il ne se dérobe ni par plaisir ni par malice, mais par nécessité. L'amour ici se donne comme poésie vivante de l'oubli en ce que la passion, pour illimiter son moi, s'impose d'oblitérer son objet ou, inversement, pour que le moi se transcende vers l'autre, il faut que ce moi consente à sa propre mort. L'entrelac de ces suites de contradictions forme la trame du secret d'amour. Et voici le paradoxe des paradoxes : l'amour, transition par excellence, se dévoile fondamentalement comme intransitif. Voyez l'alouette fameuse de Bernard de Ventadour :

Quand je vois l'alouette mouvoir
de joie ses ailes à contre-jour
se renverser se laisser choir
par la douceur qui lui va au cœur,
ah une si grande envie me vient
de tous ceux que je vois réjouis ;
merveille alors que sur le champ
mon cœur ne fonde en son désir.

Mouvement d'abandon et de perdition, tombée extatique, dissolution du désir en un plus-que-désir, autant de ruptures de l'être amoureux qui scandent la respiration du poème. L'alouette n'est lumineusement inspirée, elle ne voit le fond insondable de son désir, que parce qu'elle est aspirée par la lumière et aveuglée de désir. Le « j'aime » initial se retourne sur lui-même et se retrouve en un « je meurs » terminal. *Amo quia amo, amo ut amem*, disait Bernard de Clairvaux dans un commentaire du *Cantique des cantiques*. Nous revoici dans la nuit de Novalis. Et dans la folie de Breton. Et avec l'éros, vagabond émerveillé, du *Banquet*. Et dans le meilleur de la poésie québécoise, ainsi chez Alain Grandbois :

Plus bas encore mon amour
Ah plus bas mon cher amour
Ces choses doivent être murmurées
Comme entre deux mourants.

L'aube, l'aube toujours recommencée, l'aube se lève sur la nuit du secret d'amour. Dans l'herbe, il n'y a plus d'amants, il n'y a plus que la trace de deux corps confondus, morts l'un à l'autre. Éros s'est remis en marche, pauvre et riche, il chante au grand jour le secret si simple et accessible aux simplifiés : «j'aime», façon de dire «je meurs», l'intransitif se transite par le secret, et parler de poésie d'amour c'est commettre un quasi-pléonasme ; «j'aime — je meurs», façon de ressouder l'être de deux êtres, façon de conjoindre transitivement deux intransitifs, façon de dire (sans le dire) : nous, ensemble. Tel est le fin mot du secret d'amour.

1976

SUR LA TRADUCTION DE LA POÉSIE

Un ami allemand, philosophe de surcroît, à qui je faisais part de mon désir d'étudier la langue allemande afin de pouvoir lire et comprendre Hegel, Marx, Goethe, Novalis, Hölderlin, etc., me répondit avec un sourire narquois : « Ne vous donnez pas cette peine, du moins pour Hegel ; quand je veux vraiment le comprendre, je le lis en français ». Cette boutade, que je pris au sérieux, me rendit perplexe et finit par ébranler mes croyances en matière de traduction (et même d'écriture).

« Poème : ce qui ne peut pas être traduit ». La définition nous vient de Cummings et de tout le monde. Elle signifie que nous confrontons encore la traduction de la poésie avec l'indicible génie de la langue. Et là-dessus les théoriciens ne cessent de s'exciter à grands renforts d'analyses « grillagées ». Je respecte, je n'admire pas, ces machineries intellectuelles quand elles ne tournent pas à vide ou ne fabriquent pas des machinations idéologiques. Mais moi, dépourvu de tout esprit scientifique et zélateur, quand je m'accoude à la lucarne de mes petites songeries, je vois des choses, oui, et la plupart du temps fort prosaïques. Ainsi : la traduction littéraire — et donc celle de la poésie — constitue un important secteur du commerce des imprimés. Ce n'est pas pour rien que les éditeurs, dans leurs fameux contrats-types, s'accordent la gérance et la copropriété des droits annexes qui englobent les droits de traduction. On négocie ferme à Francfort de même qu'à Paris, New York, Londres, Milan, Tokyo, on s'échange des textes comme des colifichets et on se réserve des exclusivités rentables. Le travail du traducteur se trouve soumis aux pouvoirs de diffusion et de distribution ainsi qu'aux impératifs du profit maximal. Comment s'étonner que la poésie québécoise ne figure pas aux comptes des gros brasseurs d'affaires ? Malgré les efforts et les résultats souvent admirables des Scott, Glascow, Cogswell, Jones, etc., malgré le travail prospecteur de la revue *Ellipse*, les poètes québécois, que je sache, n'encombrent pas les librairies américaines, anglaises ou australiennes. Un article de Philip Stratford[1] fait le point sur cette question et signale à très juste titre

---

1. Philip Stratford, « Literary Translation in Canada : A Survey » (*Meta*, mars 1977, p. 37-44). Dix ans plus tard, il faudrait ajouter à mes exemples d'autres noms de traducteurs anglo-

que par ailleurs les poètes québécois se sont, presque tous, consciencieuse-
ment privés de traduire qui que ce soit[2]. La critique québécoise a, pour l'ordinaire, pratiqué pareille abstinence culturelle et linguistique. On n'a guère,
dans nos journaux et revues, discuté des traductions anglaises des poèmes
de Saint-Denys Garneau et d'Alain Grandbois, de Gaston Miron et de Paul-
Marie Lapointe, de Juan Garcia et de Nicole Brossard. Pourquoi ? On pourrait répondre rapidement que le Québec avait des problèmes plus importants
à régler, qu'il y allait de sa survie, mais, sans minimiser la valeur de ces raisons, on gagnerait à s'avouer que les traducteurs en général et les traducteurs
de poésie en particulier ont toujours et partout été tenus pour quantité négli-
geable, sinon inconnue. Par exemple, quel est le traducteur par excellence
(en français ou en anglais selon chaque cas) de Sappho, Lucrèce, Keats,
Leopardi, Villon, Lautréamont, Machado, Wang Wei et Komachi ?

L'idéologie traductionnelle ne repose pas que sur des croyances et des
malentendus qui se prennent pour une science, elle n'est pas entretenue à
seule fin de perpétuer les entreprises d'édition et les officines de distribution ;
cette idéologie s'enracine profondément dans ce que j'appellerai une épistémologie du pareil au même. Qu'est-ce à dire ? Voilà deux ou trois mois, j'ai
acheté un livre dont j'espérais qu'il me faciliterait la tâche d'aujourd'hui. Ma
paresse en a pris pour son rhume. Ce livre, *Hermès III. La Traduction* de
Michel Serres, déporte les problèmes de la traduction vers une philosophie
du savoir où il apparaît que traduire, c'est *transporter* (ou transposer) un seul
et même sens d'une situation x à une situation y. Ainsi, pour Michel Serres,
le peintre Turner « traduit » le physicien Carnot. On croit rêver, on se pince,
on se donne une gifle, mais non, c'est bel et bien écrit — et pensé[3]. Ne rica-

phones, en particulier ceux de Sheila Fishmann, de Gertrude Sanderson, de Barry Callaghan.
Stratford a bellement traduit Robert Melançon.

2. Ce n'est plus vrai aujourd'hui. Au hasard me viennent des noms : Pierre Nepveu, Claude
Beausoleil, Gilles Hénault, Alexis Lefrançois, Charlotte et Robert Melançon. Nous devons
à Joseph Bonenfant une expérience unique en son genre : un même poème de D.G. Jones a
été traduit (avec commentaires) par une cinquantaine d'écrivains (*D.G. Jones : d'un texte,
d'autres* — *Urgences*, n° 16, mars 1987).

3. Pour rendre justice à Michel Serres, je dois préciser l'un des postulats de sa pensée : tout
texte est une machine cybernétique, un système vivant, autoréglé, finalisé, capable de rétroac-
tion ; lire ce texte, c'est le faire fonctionner dans toutes ses dimensions. Serres tente aussi de
démontrer que désormais l'humanité oriente sa culture moins vers les structures de produc-
tion et davantage vers les structures de traduction. Entendons ici par « traduction » une
modalité du traitement de l'information grâce à quoi le sens devient réversible. Mais, justement, la poésie langagière se fait *contre* cette réversibilité. Certes, elle y échoue presque toujours ; mais la visée reste indéniable.

nons pas trop vite et trop aisément. Lévi-Strauss affirme : « (...) car le propre d'un langage, c'est d'être traductible, sinon ce ne serait pas un langage parce que ce ne serait pas un système de signes, nécessairement équivalent à un autre système de signes au moyen d'une transformation ». Et mon cher René Char admet que « traduire, c'est lire en profondeur ». Enfin, Octavio Paz, maître-poète et maître-traducteur, commet ces lignes : « (...) en écrivant, le poète ne sait pas comment sera son poème ; en traduisant, le traducteur sait que son poème devra reproduire le poème qu'il a sous les yeux ».

Je n'ai cité ces grands esprits que pour mieux montrer à quelle profondeur est ancrée la conviction que traduire la poésie correspond finalement à une tautologie parménidienne : le texte B doit *être* le texte A, sous peine de ne pas être. Dans un compte rendu, très indulgent, de mes *Poèmes des quatre côtés,* Noël Audet, après avoir prouvé que la traduction poétique est impossible si elle se veut littérale, reproche à ma notion de nontraduction son peu de pertinence puisque « le poète traducteur doit construire une autre machine capable de produire l'effet le plus rapproché de l'original ». Et nous revoici aux prises avec l'idéologie traductionnelle du pareil au même, avec le critère de reproduction ou de duplication.

Le problème, certes, n'est pas si simple. On taxe volontiers le traducteur de trahison, c'est bien connu. Les doléances ne manquent pas selon lesquelles même les meilleures traductions poétiques ne donneraient lieu qu'à un pâle reflet, une pauvre ressemblance de l'original. Cette fois, le mécanisme épistémologique se renverse et du pareil au même on passe à l'inadéquation de toute réalité avec son double. On survalorise la fameuse *originalité* qui, depuis la Renaissance, constitue l'assise de toutes les esthétiques de la création en Occident. Ce qui permet à Miguel de Unamuno de parler tout naturellement de la moelle intraduisible de la langue espagnole. À ce sujet, je rappelle une concordance amusante.

En 1905, l'Argentin Leopoldo Lugones publie *Les Crépuscules du jardin* dont la poésie semble tributaire de Jules Laforgue par ses heurts du langage oral et du langage écrit, par l'usage de l'ironie aux moments de forte émotion, par ses images insolites et marquées de ruptures de ton, etc. En 1909, du même auteur paraît le *Calendrier sentimental* ; cette fois nous avons affaire à une véritable imitation de Laforgue, et pourtant le texte espagnol semble littéralement inventé par son auteur. Quoi qu'il en soit, ce livre influence le Mexicain López Velarde qui publie *Naufrage* en 1919, deux années après le *Prufrock* de T.S. Eliot, qui doit tellement à Jules Laforgue dont il reprend le persiflage et les attitudes de Pierrot lunaire. Ainsi donc, deux poètes ont écrit, presque en même temps, et en des langues différentes, sans soupçonner leur existence réciproque, deux versions distinctes et également «originales» des poèmes que, peu auparavant, un troisième poète avait écrits en une autre langue. Où est la trahison dans tout cela? Où est le pareil au même?

Je me suis attardé sur ce détail historique pour signaler que la traduction de la poésie gagne à être examinée (et pratiquée) avec une certaine distance qui donne plus de largeur de vue. La traduction moderne a fait le plus gros de son apprentissage dans le domaine de la prose, ne l'oublions pas, et c'est pourquoi on a traditionnellement assujetti la traduction poétique aux règles de la communication et on a situé ses problèmes à l'intérieur de la théorie du message. La fidélité traductrice devrait, assure-t-on, se mesurer à la quantité des informations que le récepteur retourne, en des formes équivalentes, à la source émettrice. Autrement dit, la traduction poétique ne serait rien de plus et rien de moins qu'une permutation de sèmes et de phonèmes, en accord avec la théorie linguistique de la double articulation. Voilà ce que je refuse, non pas en me réclamant d'un système, mais parce que le démenti m'est suggéré par les faits textuels eux-mêmes. Comparez la traduction des *Sonnets* de Shakespeare par Henri Thomas et celle de Pierre-Jean Jouve, ou encore les traductions de Virgile par Marcel Pagnol, Paul Valéry, Pierre Klossowski. Vous verrez que les différences notables tiennent à la puissance d'invention du poète-traducteur et que si Pagnol a proprement «pompiérisé» Virgile, c'est par une aveugle fidélité à la lettre de son modèle. Pour élargir la question et la relancer, j'irai chercher un exemple, non pas en Arabie Pétrée, mais dans la poésie japonaise.

Considérons le cas du *haiku*, poème typiquement japonais (et que l'on confond encore avec le *haikai* qui lui a donné naissance). Quand on lit les classiques du genre, Bashō, Buson, Issa, on reste presque toujours dans l'indécision. Et les Japonais eux-mêmes peuvent partager cette perplexité avec les Occidentaux. Pour d'autres raisons, mais qui ne sont pas étrangères à la nature du *haiku*. Que signifie : *Furyu-no hajime / ya / oku-no / ta-ue-uta*? Henderson donne comme traduction :

The beginning of all art :
a song when planting a ricefield
in the country's inmost part.

Une traduction française assez proche du texte original se lirait ainsi :

Voici la poésie de l'arrière-pays :
des rizières monte
la chanson des plantages.

Que l'on considère le japonais, l'anglais ou le français, le sens nous échappe plus ou moins. La polysémie joue par l'ouverture du sens, par son inachèvement et son indécision. Les meilleurs connaisseurs du *haiku,* comme Daniel Buchanan et Makoto Ueda, ne manquent pas de souligner que cette forme poétique est proprement intraduisible à cause de ses connotations subtiles qui renvoient à des traditions historiques et culturelles très précises et même parfois très locales. Il se trouve aussi que souvent la doctrine Zen domine l'inspiration et ordonne la facture du *haiku* comme d'ailleurs elle infléchit une notable partie de la littérature japonaise contemporaine ainsi qu'en témoignent le poète Shinkichi Takahashi et le romancier Yasunari Kowabata. Le *haiku* se refuse à l'imitation ou à la transposition parce qu'il correspond à des comportements existentiels et linguistiques dont les purs et simples équivalents occidentaux ne peuvent qu'être artificiels. Moralité : les nombreuses traductions de *haiku* dans toutes sortes de langues ressortissent à la mauvaise reproduction ou à une douteuse mise en prose. Mais alors, le *haiku* nous restera donc à jamais inaccessible ? Oui et non. La traduction poétique est un *sic et non,* un paradoxe insurmontable et pourtant surmonté chaque fois que l'on réalise en pratique cette réflexion de Gabriel Germain : « en poésie il est question de faire, non de refaire ».

Les traditionalistes assignent au *haiku* quatre règles fondamentales dont, paraît-il, nul ne peut s'affranchir sous peine de produire autre chose qu'un *haiku*[4]. À quoi j'opposerai tout d'abord que l'essentiel c'est de faire un poème poétique, peu importe son appellation contrôlée, et ensuite que l'essence du *haiku* tient au « rendu » de l'instant perçu et vécu. Il est ridicule de s'obliger en toute occasion à traduire le *haiku* sous forme de tercet totalisant à peu près dix-sept syllabes. Et pour ne pas demeurer en reste, pour ne pas me réfugier dans une confortable attitude négative et toute théorique, je vais me commettre et m'exposer en citant une nontraduction d'un *haiku* de Mizuhara Shuōshi, poète qui sait allier merveilleusement en des expressions lapidaires, le lyrisme et l'ironie :

Devant un plein champ
de tournesols un pissenlit
a l'air de rire jaune

---

4. Soit : 1) le *haiku* comporte 17 syllabes réparties sur 3 lignes (5, 7, 5) ; 2) il contient au moins un « mot-saison » (ou une référence à la nature non humanisée) ; 3) il se rapporte à un fait ou à un événement particulier ; 4) il fait état du moment présent. Au dix-neuvième siècle, Shiki réagira contre ce dogmatisme et, réclamant une totale liberté de langage, privilégiera l'importance du poème par rapport à celle de l'expérience vécue.

Point n'est besoin de se rapporter au texte original pour voir que j'ai détourné la source. «Pissenlit» n'est pas très japonais; «plein champ» joue avec l'homonymie de «plain-chant». Ce tableautin en appelle aussi à une vision intérieure d'où retentit la vision extérieure en ce sens que le «rire jaune» est ambigu: c'est un éclat de dépit en apparence seulement, comme le suggère l'expression «a l'air» où il est loisible d'entendre, d'après le contexte, que les fastueux tournesols finiront par tomber de leurs longues tiges et que leurs graines seront peut-être mangées ou broyées en huile, alors que le modeste et inaimé pissenlit confiera librement sa semence à l'air libre grâce à la légèreté neigeuse que lui confère sa maturité. Bref, j'ai bel et bien trahi l'original et aussi la mentalité dont je suis plus ou moins tributaire.

La traduction poétique, cessons de nous leurrer là-dessus, doit être trahison ou tromperie. Je préférerais dire: dépaysement. Non seulement à l'égard de l'original, étalonné comme valeur et norme indiscutables, mais aussi à l'égard de la langue propre au traducteur. Et ici, je résiste mal à l'envie de citer une strophe du grand poète chinois Tu Fu, qui pourrait illustrer à merveille l'étrangeté dans laquelle se retrouve le poète-traducteur lorsqu'il examine «son» texte. Un autre cas, celui des troubadours, servira cependant mieux mon propos.

Nous attendons toujours une traduction poétique des troubadours en français moderne. L'entreprise pose, il est vrai, des problèmes délicats mais non pas insolubles. Une équipe de poètes, sous la direction de Jacques Roubaud, a heureusement commencé le travail dont les premiers résultats figurent dans la revue *Action poétique*[5]. De Raimbaut de Vaqueras, Henri Deluy donne une version propre à dépoussiérer les débats sur la traduction de la poésie. Deluy a fait précéder son texte d'un «argument» explicatif que je cite en entier:

> Ce «descort» est composé de cinq «coblas singulars» de huit vers et se termine sur une «tornada» de dix vers. Chaque «cobla» est écrite dans une langue différente: provençal, italien, français, gascon et galicien-portugais. La «tornada» comprend deux vers en chacune des cinq langues. Il date probablement de la fin

5. Voir toute la section, p. 32-132, de *Action poétique*, n° 64, 1975. Roubaud nous a donné ses précieuses traductions dans *Les Troubadours* (Seghers, 1980) où il déplore de ne pouvoir rendre «la saveur irréductible de l'original» (p. 57). Me voilà contredit... en apparence. Car si je m'en prends à la traduction-équivalence, c'est que je ne doute pas de son impossibilité. L'idéologie commence lorsqu'on fait de cette traduction un modèle contraignant. Ce qui a eu lieu ne se reproduira jamais; mais à partir de ce passé mort naissent d'autres lieux. On fait son deuil pour continuer à vivre — autrement.

du xiiᵉ siècle. Les «coblas» en italien, gascon et portugais constituent quelques-uns des premiers exemples que nous connaissons d'un usage littéraire de ces langues. D'autres «descort» multilangues sont connus, notamment ceux de Bonifaci Calvo, Cerveri de Girona (en six langues) et, probablement, Dante (en provençal, latin et italien).

Je me suis livré à un travail qui n'est ni de traduction ni même d'adaptation. Chaque «cobla» est suivie d'une paraphrase excentrique, aux cinq «coblas» j'en ai ajouté une sixième et j'ai construit une «tornada» supplémentaire, elle-même multilangue (provençal, italien, français, espagnol, anglais), dont les vers sont empruntés à des poètes d'hier ou d'aujourd'hui (Serge Bec, Cesar Pavese, Benjamin Péret, Saül Yurkiévich, Allen Ginsberg).

Deluy a radicalement opté pour une traduction qui dépayse le traduit et le traduisant. Aux yeux des rigoristes, le travail de Deluy semblera excessif ou inacceptable. Mais ce qui m'intéresse dans cette expérience, c'est qu'elle constitue l'illustration par excellence de *l'étranger* dans la langue du traducteur.

Jacques Roubaud pour sa part a traduit Raimbaut d'Orange avec autant de bonheur et d'audace créatrice, quoique sans évidence de dépaysement. Qu'on en juge. Raimbaut écrit :

Qu'ar en baizan no'us enverse
No mïo tolon pla ni tertre,
Dona, ni gel ni conglapi,
mas non-poder trop en trenque.
Dona, per cuy chant e siscle,
Vostre belh huelh mi son giscle
Que'm castion si.l cor ab joy
Qu'ieu no'us aus aver talan croy.

Et Roubaud écrit :

Vous embrassant je vous renverse
dame ni plaine ni collines
ne m'en empêchent, gel ni glace
mais le non-pouvoir m'en retranche
dame pour qui je chante et siffle
vos beaux yeux sont pour moi branches
qui me fouettent si je dis ma joie
et je n'ose mes désirs corbeaux

Roubaud a forcé sa propre langue à épouser une forme, une allure, qui ne lui sont pas familières et, corrélativement, il a forcé le *trobar clus* à dériver, à signifier de façon autre que le fait d'habitude le provençal de Raimbaut.

Voilà, choisis parmi plusieurs, deux exemples de véritables traductions poétiques. L'irrespect de l'original correspond à l'irrespect du traducteur envers lui-même ; la rigueur et l'exigence de l'écriture se laissent guider par les suggestions d'une lecture elle-même rigoureuse et exigeante. L'équivalence cherchée concerne alors moins des formes données et des formes à trouver en conséquence, qu'un rapport de tension (d'attirance et de répulsion tout à la fois) entre une lecture déjà écrivante et une écriture encore lisante. Lorsqu'on pose comme a priori qu'un traducteur de poésie doit être ou se faire poète, on ne signale pas avec assez de force que l'expérience poétique propre au traducteur s'accroche aux bords largement écartés d'une crevasse qui s'abîme dans un sans-fond. Le poème traduit se réalise au-dessus de ce vide vertigineux — et ainsi doit-il se lire.

Je veux dire, plus clairement, que la traduction de la poésie ne relève pas d'abord de la compétence linguistique, ni de la compétence comparatiste, ni même du souci prosodique. Traduire un poème, c'est proprement écrire un poème relatif à une expérience de lecture *poétique,* donc de lecture qui n'est pas elle-même traductrice (au sens péjoratif), qui ne se demande pas ce que cela signifie, combien il y a d'allitérations, de chiasmes ou d'anacoluthes. Cette lecture, bien au contraire, peut parfois être d'une ignorance crasse ou d'une pauvreté gênante par rapport aux critères des érudits. On a vu des poètes réaliser d'indiscutables traductions poétiques sans bien connaître (et même sans connaître du tout...) la langue d'origine. C'est le cas de Robert Lowell, de Boris Pasternak, d'Eugène Guillevic, de Robert Marteau et du plus grand des poètes-traducteurs : Ezra Pound. Tous ces poètes ont travaillé par ouï-dire, à l'aide de versions littérales ou de traductions déjà établies dans une langue connue par eux. Ils ont en somme bricolé un texte un peu comme Michelet le visionnaire a bricolé la biographie de Jeanne d'Arc.

On m'objectera qu'il ne s'agit plus là de traduction au sens habituel du mot, et qu'il vaut mieux, pour désigner ce genre d'entreprises, employer un autre terme, sous peine de tomber dans les pires abus et les pires malentendus. C'est pourquoi j'ai utilisé, faute de mieux, un néologisme fort simple : la nontraduction.

Je me suis plus ou moins expliqué là-dessus dans les *Poèmes des quatre côtés,* petit livre qui m'a ouvert, sans que je le prévoie, des perspectives étonnantes. Depuis que je navigue dans toutes sortes d'eaux étrangères, chargées d'alluvions (et d'allusions) historiques, culturelles, sociales, symboliques, de toutes provenances et de toutes destinations, je me sens plus profondément chez moi et je me sens guéri du mal de terre. Car c'est autant ma condition de Québécois que ma passion pour la poésie qui m'a obligé à me rapatrier par le détour du dépaysement. Mal dans ma langue comme on est mal dans sa peau, j'ai fini par admettre *en pratique* que le rapport vital de soi à soi passe par la médiation d'autrui. Tel est le nœud du nontraduire. La langue anglo-américaine m'agressait? Eh bien! je traverserais cette langue, je la traverserais jusqu'à ma langue propre (et inconnue), et au cours de cette traversée pénible et salutaire, je me perdrais dans l'autre et l'autre se retrouverait en moi. Je sais que ce genre de navigation à l'estime finit d'ordinaire en naufrage. Je me suis donc échoué sur un livre. Après en avoir fait le tour, j'ai commencé à m'ennuyer. J'ai scruté l'horizon. Un jour passe en vue un rafiot, non, une espèce de jonque. J'embarque. Et me voilà parti pour une Chine où un Président Mao, dans ses poèmes, n'a pas rompu avec l'enseignement immémorial de l'anthologie des poètes T'ang. Arrêtons ici cette parabole houleuse.

La traduction de la poésie, au Québec, si elle était perçue comme une reculturation vivifiante, comme une véritable odyssée désaliénante, cela, je crois, libérerait les poètes du Québec et leur permettrait peut-être de se faire entendre dans le monde. Car ne sont traduits que ceux qui traduisent. C'est une loi du marché, cent fois hélas, mais c'est encore davantage une constante de la psychologie des groupes. Pour arriver à cette circulation des poèmes québécois dans le monde et des poèmes étrangers au Québec, il faut cependant dissiper la croyance fumeuse au biculturalisme institutionnalisé, monstre politique qui trimbale, attachée à sa queue, la casserole du bilinguisme officiel. Je vais être franc : les interlocuteurs poétiques les plus proches des poètes québécois, ce ne sont pas nécessairement les Canadiens ou les Américains. Je croirais plus volontiers que ce sont actuellement les Sud-Américains. Dans mes rêves, je voyais Hubert Aquin traduire Borges, je vois Miron traduire Neruda, Chamberland traduire Paz...

Il est temps que la poésie québécoise consente, contre tout chauvinisme réducteur, à partager sa différence spécifique avec celles des autres poésies, à se situer dans le propre de toute poésie qui consiste à être une internationale où le langage circule librement, non comme une monnaie mais comme le vent dans les arbres, et où l'on gagne une langue commune qui ne cesse d'étonner chacune et chacun qui la parle à sa manière.

Je voulais terminer ici ces remarques. Mais j'ai reçu récemment le dernier cahier d'*Atelier* où, à ma stupéfaction, je retrouve toutes sortes de considérations qui font écho à mes réflexions. Voici une citation — que j'endosse — de Hugh Kenner :

Ezra Pound never translates « into » something already existing in English. The Chinese or Greek or Provençal poem being by hypothesis something new, something correspondingly new must be made in English verse.

Et voici une prise de position théorique du collectif de la revue :

Je ne suis pas du tout d'accord avec l'idée selon laquelle lire un texte c'est en somme le traduire, comprendre un texte, c'est le traduire, ou encore : traduire, c'est donner le sens. C'est, à mon avis, confondre texte et paraphrase du texte. La confusion qui règne dans ce domaine est la conséquence d'un désir de « vérité », et en fait dépassant les clauses mêmes de la définition, à la fois objectives et subjectives, signifiant et signifié non discernables, fonction, objet, idée, mêlés. En littérature, l'information n'étant pas l'objectif, est absente, — et en ce sens donc non traduisible, non avenue. Ce qui compliquerait encore les tâches d'une hypothétique traduction, c'est que bon nombre de textes actuels incluent des « messages syncrétiques ». Le premier pas vers la compréhension, dans ce cas, consisterait donc à « traduire » les éléments non linguistiques dans la « langue » de l'écriture conventionnelle. Nous ressentons un malaise devant la traduction des formes d'un texte. Nous la ressentons comme un triste exercice de style, comme une imitation défectueuse, comme un prétexte à la non traductibilité du texte.

J'ai tenu à citer ce passage *in extenso* afin de faire entendre que le temps est arrivé, pour les poètes québécois, de pratiquer sans vergogne les démarches d'appropriation, de vol à l'étalage, de trahison et de détournement de sens qu'implique la traduction de la poésie. Cela, les traducteurs timorés, les spécialistes de la propriété littéraire, ne l'admettront sans doute pas. Et les éditeurs non plus. Car il est plus payant d'annoncer sur la jaquette d'un livre le nom d'Evtouchenko en gros caractères et de reléguer sur la page-titre, en petits caractères, le nom de Machinchouette, traducteur et responsable de *cette* version d'un texte qui, je l'espère, avec le temps n'aura plus de signataire unique ou même multiple.

La poésie traductionnelle annonce le véritable anonymat (la « dévedettisation ») de l'écriture poétique. Enfin, les poètes pourront écrire comme ils devraient traduire...

1977

SAGESSE DE LA POÉSIE

Certaines collectivités ont littéralement vécu de la poésie. Celle-ci constituait le pendant du pain quotidien, l'atmosphère domestique, l'horizon de la pensée comme du paysage, l'amitié des choses et le vertige de la ténèbre intérieure. Dans la Chine des T'ang et des Song, dans le Japon féodal, dans la Grèce homérique et pindarique, chez les Perses, les Arabes, les Malgaches, autour de l'Occitanie médiévale et en maints endroits, à maintes époques, on se réjouissait, on se désolait, on se reconnaissait, on explorait l'inconnu par la médiation d'une poésie chantée, dansée, narrative et proverbiale, capable aussi de recueillir son oralité dans le creuset de l'écriture.

Aujourd'hui, la situation paraît bien différente. On s'en est avisé. Le diagnostic de Roger Caillois garde sa pertinence : « Il existe un contraste certain entre le rôle de plus en plus restreint joué par la poésie et la vocation décisive qu'on lui voit communément assigner. À mesure, semble-t-il, qu'elle cède du terrain et que diminue son importance relative dans l'ensemble de la culture, un petit nombre d'enthousiastes lui prêtent des pouvoirs toujours plus exceptionnels et impressionnants ». Depuis le « Réel absolu » de Novalis jusqu'au « mouvement même de l'être » selon Saint-John Perse, en passant par « l'illumination surréaliste » de Breton, la grandeur déclarative de la poésie contraste avec la petitesse éperdue de ses réalisations.

Je ne veux pas minimiser la poésie récente, mais j'avoue que son spectacle me laisse souvent perplexe. Comme il était de mode, naguère, d'enterrer Dieu et l'homme à peu près chaque semaine, il n'est pas une saison qui n'annonce la naissance d'une poésie absolument nouvelle et révolutionnaire. On ne compte plus les emplois du collage et du décollage, de la citation cachée, du multilinguisme babélisant, des montages visuels et auditifs. Nous avons connu la poésie à matrices, la poésie par ordinateurs, précédées de la poésie *beat*, accompagnées de la poésie *rock,* suivies de la poésie droguée ou draguée, le tout désertant volontiers le livre pour s'adonner au tract, à l'affiche et à la banderole. De multiples revues se bousculent à l'avant-garde, clamant chacune un programme qui tient, pour l'ordinaire, dans son seul titre : *Barbare, Jungle, Crayon noir, Matin d'un blues, Les texticules du hasard*[1].

On me dira que cette effervescence parfois hystérique, parfois rigolarde, toujours brouillonne, n'est pas nouvelle et que les « zutistes » fin dix-neuvième siècle n'empêchaient pas Laforgue et Mallarmé d'écrire des poèmes qui passeraient plus d'un hiver. C'est juste. Mais le courant le plus fort, qui par ailleurs charrie toutes sortes d'alluvions, aura été sans conteste celui qui s'est plus ou moins dérivé d'une linguistique sûre de ses fins et de ses moyens. Depuis les formalistes russes, une poésie mentale s'est affirmée, dominant notre époque et donnant lieu à une poétique sémiotisante, en quête de la poéticité, tâchant d'être à elle seule nouvelle terreur et nouvelle rhétorique. Deux récentes lectures d'anthologies de jeunes poètes, québécois et européens, m'ont rendu songeur. Ce qui m'a frappé, c'est la prédominance d'un langage concassé puis éparpillé (on appelle cela la dissémination du sens) et surtout le fait qu'on s'en tient à des effets de surface, à un immanentisme structural qui fait les délices des critiques cruciverbistes. On jurerait que ce langage ne parle qu'à lui-même, sans d'ailleurs rien se dire.

Si l'on s'accorde un peu de recul, on s'aperçoit qu'en définitive l'époque reprend à son compte un vieux clivage de la poésie occidentale et que les poètes ont encore double figure. D'un côté, le mage, le voyant, le prophète ; de l'autre, le rhéteur, le rhapsode, ou le maître en haute couture. Les uns en tiennent pour la transgression, la consumation, la convulsion ; les autres se réclament d'une mathématique froide, objective, autolégitimée. Certes, je simplifie. J'aurai tout à l'heure l'occasion de nuancer ce tableau en noir et blanc. Ce qui ressort, en tout cas, c'est la prédominance moderne de la poétique sur la poésie. Et voilà que les philosophes nous attendent au coin du bois... Dans *Le Don des langues,* Jean Paulhan n'a pas craint d'analyser ce qu'il considère comme « l'erreur de Valéry ». Un poète considérable, toute sa vie, a espéré découvrir une loi générale de l'esprit, une matrice de la conscience, cherchant à isoler et à fixer le noyau du langage et de la pensée. Fasciné par la conjonction, qu'il croyait possible, des entreprises de la connaissance et des opérations de l'art, Valéry en a oublié ou dédaigné de faire ce que seul il pouvait faire : une poésie symbolisante et didactique, donc divisée contre elle-même et par là féconde pour la pensée du discontinu. Sceptique

---

[1]. Mise à jour : « Une nouvelle revue littéraire (*Albatroz*) se réclamant de l'hyper-surréalisme néo-surromantique, ultraréaliste, anti-snobinard, est née » (*Magazine littéraire,* novembre 1987, p. 3).

philosophant, l'auteur du «Cimetière marin», à l'instar de son maître Zénon, s'est engagé dans un jeu de miroirs où l'on n'est jamais sûr de ne pas rendre le reflet pour la chose.

Il n'est pas facile de penser la poésie. Peut-être même est-ce vain et illusoire, dans la mesure où la poésie n'est pensable que poétiquement, de l'intérieur, c'est-à-dire en termes de savoir-faire. Pourtant, les philosophes occidentaux, à commencer par Platon, ne se sont pas privés de définir la poésie quant à sa nature et à ses fonctions. On connaît les textes célèbres où Heidegger fait marcher côte à côte poètes et penseurs sur des chemins qui ne mènent nulle part. «La langue est la maison de l'être. Dans son abri l'homme a sa demeure. Les penseurs et les poètes sont les gardiens de cet abri». Mais en cette maison la coexistence n'est pas tous les jours pacifique. Beda Allemann, dans son livre sur Heidegger et Hölderlin, observe: «Il semble qu'il existe entre l'essence du poétique et l'appareil conceptuel de la métaphysique une certaine incongruence qui force toutes les tentatives de rapprochement à s'effectuer par la négation». C'est tellement vrai qu'on a vu les philosophes les plus attentifs et les mieux intentionnés se découvrir à l'égard de la poésie une vocation sinon de sauveteur du moins de protecteur. Kant, dans sa *Critique du jugement,* écrit que la poésie «développe l'esprit en libérant l'imagination et en offrant dans les limites d'un concept donné et la diversité infinie des formes qui peuvent lui convenir, celle (la forme) qui lie la présentation de ce concept à une plénitude de pensée à laquelle aucune expression du langage n'est complètement adéquate, et qui s'élève par la suite esthétiquement à des idées».

Je trouve généreuse la concession que fait Kant à la poésie de concepts empiriques. On aurait dû par la suite relire de près cette *Critique* et s'épargner ainsi la relégation de la poésie dans les ornières du pré-conceptuel. Car la poésie pense, oui, et pleinement. Mais comment le savoir? Là est toute la question, souvent viciée dès qu'on la pose. Même générosité, quoique ambiguë, chez Merleau-Ponty: «Personne n'a été plus loin que Proust dans la fixation des rapports du visible et de l'invisible, dans la description d'une idée qui n'est pas le contraire du sensible, qui en est la doublure et la profondeur». Je n'aime guère cette doublure qui craque aux coutures. Nous en restons au savoir négatif, et pour cause: c'est de la philosophie que la poésie reçoit son fondement. À propos de l'historialité de la poésie, Heidegger, paraphrasant la réflexion de Rivarol, «Le tisserand qui fait sa toile fait toujours ce qui n'est pas», pourrait conclure qu'il fait du non-étant. Mais je caricature. Le savoir poétique fait problème au savoir philosophique pour la raison que le didactisme, quand il s'en tient à lui-même, manque d'imagination, ou plutôt manque à son imagination. Les muses étaient musique et esprit, inséparablement. De ces muses, Mnémosyne, fille de Gaïa et d'Ouranos, personnifie la mémoire qui donne à toute activité mentale le pouvoir de demeurer, jusqu'en sa plus haute et fine abstraction, image au moins virtuelle. Et c'est peut-être par là que l'on peut arriver à savoir ce que sait la poésie.

La modernité poétique naît officiellement avec Baudelaire. Dans une lettre du 21 janvier 1856, l'auteur des *Fleurs du mal,* songeant peut-être à Swedenborg, précise sa notion de correspondance : « Il y a bien longtemps que je dis que le poète est souverainement intelligent, qu'il est l'intelligence par excellence — et que l'imagination est la plus scientifique des facultés, parce que seule elle comprend l'analogie universelle, ou ce qu'une religion mystique appelle la correspondance ». Ces propos lourds de conséquences, Baudelaire les complète et les amplifie dans ses études sur Edgar Poe et Théophile Gautier :

> *L'imagination n'est pas la fantaisie ; elle n'est pas non plus la sensibilité (...). L'imagination est une faculté quasi divine qui perçoit tout d'abord, en dehors des méthodes philosophiques, les rapports intimes et secrets des choses, les correspondances et les analogies.*
>
> *La sensibilité du cœur n'est pas absolument favorable au travail poétique. Une extrême sensibilité de cœur peut même nuire en ce cas. La sensibilité de l'imagination est d'une autre nature ; elle sait choisir, juger, comparer, fuir ceci, rechercher cela, rapidement, spontanément.*
>
> *La Poésie, pour peu qu'on veuille descendre en soi-même, interroger son âme, rappeler ses souvenirs d'enthousiasme, n'a pas d'autre but qu'Elle-même.*

Sans discuter ici de ce que certains modernes ont tiré de cette dernière affirmation dont le ton est si péremptoire, on ne peut pas ne pas être touché par la conception baudelairienne de l'image et de son rôle central dans l'élaboration des œuvres de poésie.

L'image synesthésique opère en horizontale et en verticale. Elle rayonne et rassemble. Souvenons-nous de la *mimèsis* aristotélicienne qui ne se borne pas à la simple reproduction des apparences ou à la duplication d'un sens obvie, mais qui pénètre et investit l'objet imité jusqu'en son cœur secret. L'image poétisante, quand elle instaure la gloire du paraître, à travers les moirages rhétoriques, invite à percevoir la forme intime de la chose ou de l'être animé. Davantage *eidos qu'eidôlon,* la figure imaginée reste centrale en toute poésie. C'est par elle que la feinte de la fiction ménage la rencontre avec un réel pensable et concevable. Le verbal et le cosmique, dans ce noyau perceptif, s'englobent réciproquement, sans qu'il y ait préséance de l'objectif ou du subjectif. Telle me paraît être l'instance fondamentale du travail poétique, autant pour ce qui concerne la lecture que l'écriture.

En Baudelaire, le poéticien égale le poète; plutôt: ils ne font qu'un. Baudelaire n'a pas connu ce que nous nommons le réel comme le produit d'une infusion psychique, il l'a connu d'abord en s'y heurtant et en s'y blessant. Oui, le réel, avant tout, est l'autre par excellence, dans son irréductibilité, ce qui contrarie mon égocentrisme et débusque le concept a priori de son assurance hyper-idéaliste. La poésie s'étonne, devant le réel, de ce qu'il y a de moins étonnant pour le sens commun. La réalité dure à étreindre s'éprouve en poésie par la saisie de ce que Focillon appelle la vocation formelle de la matière. La fiction ne vient pas que de l'humain. Réel et fictif s'entrelacent au cœur des choses matérielles comme dans l'intime pâte de la pensée.

Mais ce qui est nécessaire n'est pas toujours suffisant. Il faut aller en deçà de l'image formée pour comprendre comment la poésie capte la musique de la matière qui ensuite se métamorphose en un chant où le monde et le moi se perdent l'un en l'autre et où la jointure du son et du sens s'efface. À l'orée du poème se trouve la sensation, rencontre personnelle de l'humain et du non-humain. Toute la partie future se joue dans l'instant de sensation, de cette sensation singulière, grosse du concept (qui s'empressera, hélas, de l'oublier), et qui a science intime de l'autre. Je pourrais invoquer nombre d'œuvres poétiques pour illustrer mon propos. À vrai dire, toute poésie, peu importe sa diversité interne, découvre la nouveauté de l'être dans la sensation.

Considérons par exemple Verlaine[2]. C'est à dessein que je choisis ce poète, tenu pour mineur, nullement métaphysique, et fort inégal si l'on considère l'ensemble de ses écrits. Il est frère du Russe Pasternak, du Chinois Li Chang Yin et du Québécois Sylvain Garneau. Chez lui, la sensation se présente comme un signe physique certes, mais qui émane de loin, qui a dû, avant d'ébranler le corps et l'esprit, traverser un vaste espace de déperdition énergétique. On dirait que les choses du monde, pour Verlaine, se néantisent presque dans leur épiphanie. Tant et si bien que la sensation survient au bord de l'évanouissement, et comme sans origine qui lui soit nettement assignable. Le poème verlainien hésite et balbutie; dans sa maladresse harmonieuse il semble se volatiliser tout en se délectant de ne pas savoir ce qu'il sent et de

2. Pour faire court, j'utilise en partie la belle lecture de Jean-Pierre Richard dont toutefois je récuse la notion de *fané* comme étant le propre de la poésie verlainienne.

sentir à peine une évanescence. Nous sommes, avec les *Romances sans paroles,* au fin bout d'une existence qui arrive tout de même à se faire reconnaître pour existante. Ce « il y a du rien », tout proche du vibratoire mallarméen, c'est ce que Jacques Borel a heureusement nommé « la vaporisation de l'être », expression toute baudelairienne, et que pour ma part je comprends comme l'extrême limite du pur sentir où se dissout l'existence particulière et où le vide de l'existence n'est rien d'autre que la propre révélation de l'existence. Verlaine, on le sait, n'a pu se résoudre à franchir le dernier pas. Il a pris peur. Dans *Sagesse,* il voudra s'expliquer, se justifier. Il couvrira de raison, encore affolée, le néant de la sensation poétique.

L'exercice de la poésie ne correspond pas à une amusette ou à un hobby genre macramé verbal. Ce n'est pas davantage, en dépit de certaines apparences, un alibi ou un défouloir psychique, ni une façon d'esthétiser sa révolte. La poésie, dans et par la sensation néantisante, est perte et bannissement.

Que peut l'habituelle réflexion philosophique là-dessus ? Pas grand-chose, tant qu'elle reste en dehors de l'enjeu véritable, en position d'observateur. Elle aussi doit se perdre et consentir à l'exil. Sinon, il n'y a plus dialogue mais sujétion monologuante. Un Verlaine « philosophé » serait encore plus trahi qu'il ne s'est lui-même renié. Son exemple, mieux que celui, trop complexe, de Rimbaud, défie la raison discursive de courir le risque de l'étrangeté, je dirais plutôt : de l'étrangement. Car la charge symbolique de l'image-sensation ajourne la décision d'arrêter l'idée sur un mot final et la relance vers toutes sortes d'analogues et de bifurcations. Un *tanka* de Yoshinobu illustre bien cette remarque :

> *Où nulle feuille ne tombe*
> *dans la montagne des pins verts*
> *le daim habite*
> *qui ne saura l'automne*
> *qu'à son propre cri*

C'est ainsi que se découvre à ciel ouvert la profondeur d'une poésie qui, littéralement, ne se sait pas. Poésie seconde, réfractée par la lettre du poème et qui en la révélant met à l'abri la fragilité du fond où vivre est une désespérance intacte et paradoxalement savoureuse. La lumière de l'arrière-saison, à mesure que les arbres se défeuillent, avive sa solitude. Quand ce phénomène récurrent est troublé, l'être sensitif n'a plus le choix : il produit, en toute ignorance, un signe qui effleure les choses et ne s'y attarde pas, mais revient, chargé de sens, vers son émetteur. Cet aller-retour nous met sur la voie de la sagesse de la poésie.

Sagesse. Le mot s'est affadi par des usages inconsidérés. Au Moyen Âge, *La Chanson de Roland* l'atteste, *sage* ou *saive* signifie aussi *savant*. *Nesapius*, chez Pétrone, équivaut à notre *imbécile*. La rêverie sur les mots n'est ni futile ni trompeuse, pourvu qu'on ne lui confère pas le statut de preuve. Il est intéressant de noter à propos de la vieille *sapience* que le verbe *sapere* a éliminé peu à peu le classique *scire*. Ce dernier verbe se spécialisera dans la science alors que *sapere* se dédoublera en *savoir* et *savourer*, du goût au discernement, il y aura continuité. La *sophia* grecque ne séparait pas, elle non plus, le sapide et le savant. Mais plus que dans sa filiation latine, elle mettait l'accent sur les rapports étroits du savoir et de la saveur. Certains philosophes médiévaux parleront volontiers d'une connaissance contemplative et infuse, concrète et synthétique, pour tout dire: amoureuse. Et l'on ne verra aucune incongruence à lire chez Thomas d'Aquin des réflexions qu'eût endossées Baudelaire. La sagesse est dite connaissance «dont l'entendement abstrait ou la pensée discursive ne peuvent jamais atteindre la plénitude ni égaler la lumière, l'unité, l'efficacité. Elle possède les principes; elle n'a pas à les recevoir d'une autre science. Et, des causes les plus hautes, elle va, d'une vue, aux fins dernières». Voilà donc une connaissance *ab intimo*, une *cognitio* qui est *inclinatio* et qui procède par intuition du réel singulier, *per modum connaturalitatis et unionis* et qui résulte avant tout d'une imprégnation subie et subite (souvenons-nous de Verlaine). Par où l'on peut voir que lorsque Mallarmé invite à céder l'initiative aux mots, ce n'est point pour exalter l'automatisme verbal, mais pour que la poésie s'accomplisse, à l'insu d'une raison trop traductrice, en toute intelligence sensitive et imaginative. *Poièsis* est sœur de l'Éros socratique dans le poème philosophique de Diotima; errante, mais non chercheuse; trouveuse quand elle s'égare. Non uniquement *technè*, mais aussi et continûment *épistémé*, voilà cette sagesse artisanale et même bricoleuse, qui s'adonne à un métier sublime: marcher sans laisser de traces.

Mais là aussi est l'inconvénient. La poésie ne se connaît pas elle-même. À ce sujet les témoignages abondent. La sagesse de la poésie est nescience. Écoutons Saint-John Perse: «Un grand poème né de rien, fait de rien». Et, après Guillaume de Poitiers, le troubadour Marcabrun: «Je le tiens pour sagace, sans aucun doute, celui qui de mon chant devine ce que chaque mot décline et de quelle façon l'argument se déploie, car moi-même je suis dans l'errance pour éclairer une parole obscure». Et Montaigne, d'ordinaire si mesuré: «Mais la bonne poésie, l'excessive, la divine, est au-dessus des règles et de la raison. Quiconque en discerne la beauté d'une vue ferme et rassise, il ne la voit pas, non plus que la splendeur d'un éclair. Elle ne pratique point notre jugement, elle le ravit et ravage».

Cette énigme qu'était déjà la *fin'amors* imprègne toute poésie. La frontière entre savoir et savourer, n'est-elle pas poreuse ? Oui, mais justement, la poésie ne s'accomplit que par d'incessants passages de l'un à l'autre, non dans la confusion, non dans une fusion dangereusement souhaitée, mais dans une tension plus ou moins dichotomique et qu'apaise seulement la trouvaille, saveur savante et savoir savoureux, soudaineté langagière, et qui relance, à un autre niveau, la marche et l'errance. Et c'est ici que la sagesse de la poésie passe vraiment aux actes. Voici le passage qui entraîne déperdition ; selon le principe d'Heisenberg, ou bien je suis, ou bien je vais. À quoi faisait écho Angelus Silesius : « ce que je suis, je ne le sais pas encore ; ce que je sais, je ne le suis plus ». Car la poésie doit faire, c'est-à-dire non seulement fabriquer, mais encore produire, mener à l'apparaître, couvrir la distance, aménager l'absence, se transiter d'un intervalle à l'autre, s'arracher à la pause et au repos, et c'est cela, écrire.

Oiseau sans cesse migrateur et qui ne vit pas longtemps dans l'évidence du ciel, la poésie ne se connaît pas pour la raison qu'elle ne se savoure pas elle-même. Sa patrie, c'est l'exil. Son état de grâce, une transmigration. Sans feu ni lieu, la poésie vagante et coupable d'innocence nous donne abri et chaleur et nous indemnise de nos manques. Mais pour elle, point de profit. Son poème abandonné au bord du chemin, elle va encore, lucide et hagarde, vêtue d'une sagesse qui nous est unifiante et qui lui est divisante.

Lucrèce, poète jugé « impur » parce qu'il est aussi philosophe, médite ainsi : « Il n'importe en quelle région de l'univers on se place, puisque toujours, quelque lieu que l'on occupe, on laisse le tout immense s'étendre également dans toutes les directions (...). Sans cesse de nouvelles échappées prolongent à l'infini les possibilités de s'enfuir ». La poésie ne se contente pas de passer. Elle fugue. Elle ne déserte pas notre monde, bien au contraire. Selon la parole terrible et engageante de John Berger : « l'heure des crématoires est aussi l'heure de la poésie ». Quand règne le non-sens au grand jour, la poésie descend dans la nuit de l'en dessous, elle s'abîme, espérant délivrer Eurydice, comme l'enseigne le mythe d'Orphée. Celui-ci, qui charme les bêtes et les plantes, qui neutralise les maléfices des Sirènes, entreprend le voyage aux Enfers[3]. Pourquoi, sur le chemin du retour, Orphée ne devait-il pas regarder

---

3. Je suis en désaccord avec l'interprétation que Maurice Blanchot donne de ce mythe. Je ne vois pas à quoi rime une écriture sans but, sans origine, sans idéologie et sans socialité. Je n'ai jamais lu pareille chose. Bien entendu, Blanchot félicite Orphée de n'avoir pu résister à l'envie de glisser par-dessus son épaule un regard vers Eurydice, qui en sera perdue à jamais. Le jour restera soumis à l'horreur organisée. Certes, le mythe d'Orphée reste obscur. Je dois

Eurydice qui le suivait ? Parce qu'il devait seulement deviner derrière lui une présence tremblante, et la savourer à l'aventure, et la savoir d'un savoir dérisoire, ignorant de son propre bonheur, ne pouvant le vérifier sous peine qu'il s'altère. Telle est la sagesse de la poésie, insouciante jusqu'en ses plus graves entreprises. Se retourner, évaluer, c'est devenir soucieux et prudent, calculer son avoir et ses risques, définir, programmer. Il se trouve aussi, nous suggère le mythe, qu'Orphée cède à l'*ubris,* désir démesuré de profondeur, impatience des limites, emportement forcené de réussir et de s'en assurer tout de suite. En somme, et paradoxalement : refus de la perte de soi et de la confiance en l'autre, congédiement de la naïveté où l'on joue son va-tout sur un rien. Orphée aurait dû prendre pour modèle cette fleur des steppes dont parle Liszt ; elle pousse dans le sable des racines si superficielles que le vent l'emporte. On l'appelle la Fiancée du vent. Promise, elle ne se donne pas ni ne se fixe, afin de tenir sa promesse non comme une fin, mais comme un commencement perpétuel.

Orphée était un benêt, doué à son insu d'une sagesse qui ne lui appartenait pas. Quand il s'est avisé de savoir uniquement et non plus par saveur savante, il a perdu Eurydice. Le chant a fait place à la dissertation. Orphée s'est pris pour un poète commis à la poéticité. Il a quitté les petites voies où l'on chemine dans la souffrance et l'allégresse, où l'on connaît par intimité, où l'on savoure à distance, toujours en passage en fugue, et où le sublime s'annonce à l'improviste, parfois par une simple odeur de foins frais coupés. Malgré tous nos crimes, l'âme du monde est encore intacte ; elle est vierge et naïve comme au premier jour, fraîche comme le lait que jadis l'on offrait au voyageur sur le pas de la porte.

Oui, saveur et savoir font sagesse de la poésie. Qui défend au botaniste d'avoir une âme de jardinier ? et au jardinier l'accès à l'antique science des simples et des aromates ? Au troisième millénaire avant Jésus-Christ, le sage Égyptien Ptahotep enseignait ceci qui est de bonne école :

N'enfle pas ton cœur à cause de ce que tu sais ;
Apprends avec l'ignorant comme avec le savant.
L'art n'a pas reçu de limite ;

à l'honnêteté intellectuelle de préciser que Blanchot confère à ce mythe une signification qui résulte en quelque sorte de méditations antérieures sur la positivité de l'échec littéraire. L'œuvre doit être sacrifiée à l'écriture ; cette conviction, Blanchot l'a renforcée au fil de ses livres. Là-dessus, *L'Écriture du désastre* ne laisse aucun doute. Je ne partage pas cette conception de la littérature, du moins pas dans ce qu'elle me paraît avoir d'extrémiste et donc de réducteur.

Il n'y a pas d'artiste qui atteigne
à l'entière excellence.
La belle pensée est cachée plus que gemme ;
On la trouve dans la main de la servante
qui broie le grain.

Qu'est-ce que la philosophie peut savoir de la poésie ? Tout, à la condition de ne pas se retourner, de se laisser perdre dans l'autre qui semble suivre, lumière tremblante et troublante, et dont l'ombre portée la précède vers ce monde ingrat et distrait, seule demeure pourtant où vivre et mourir dans l'intelligence et l'affection de ce qui nous dépasse et nous espère. Il n'y a pas de sagesse exclusive. Penser en poésie n'est pas un privilège de caste. Martin Heidegger a écrit une suite de poèmes intitulée *Pensivement* où se donne à lire, comme dans les meilleurs tableaux de Cézanne, l'humilité même de toute sagesse :

Il donne à penser, le repos de la figure, tranquille
dans l'ouvert, du vieux jardinier Vallier, lui qui
cultivait l'inapparent tout au long du chemin
des Laures.

1985

VI

L'ÉCRITURE SUBTILE

À Martin Dufour

justifier le texte

Je viens de relire les premières pages d'*À la recherche du temps perdu*. Et je songe.

Au début, c'est purement typogra-phique, c'est purement un dessin, je vois le titre sur un livre, je vois le titre sur la page, je vois

Tout cet insondable roman, son touffu, son transparent, tout est là, dans l'incipit « Longtemps, je me suis couché de bonne heure »... et

LES DEUX CAVALIERS...
Je vois de quelle façon ils se placent, typographiquement. Dès que cette typographie du titre est suffisamment alléchante pour moi, pour qu'elle mette en branle mon appareil créateur, à partir de ce moment-là, je ne cesse pas de penser à une histoire possible, sous ce titre que je vois. (Jean GIONO)

il n'y a plus qu'à veiller-rêver, à s'écrire un livre long comme les anxiétés noc-turnes, comme les solitudes de l'at-tente. Cela, ma foi, avait commencé dès le titre. En position de gisant, immobile en apparence et remué en dedans, le corps se décorpore et s'anime au point de n'être plus qu'un tracé à la limite de l'espace ambiant, une fuite chercheuse dans le temps oublié, une réincarnation littérale. Quand on dit d'un écrivain qu'il porte un livre en lui, la prétention métaphorique n'a plus cours ; c'est plutôt la mort d'une vanité d'auteur qui s'annonce. N'y comprendront rien jamais les théoriciens grillagés qui brocantent l'avant-dernière mode littéraire.

changement de corps

La lecture est une peine pour la plupart des hommes (Bernard COLLIN). Car il y a d'abord la lecture. On écrit parce qu'on a lu. On part d'une double impres-sion, celle du texte et celle du lecteur.

Jamais je n'oublierai mes premières lectures ; elles me déterminent encore. Et les lectures subséquentes n'augmentent ni ne diminuent ces impressions de base ; elles les modifient, moins qu'on ne croirait, créant à peine dans la mémoire un effet de palimpseste. Car je fus écrit, littéralement-littérairement. Page blanche effrayée, désirante, mon corps d'enfant a reçu l'empreinte d'une écriture légère comme une âme errante, abstraction en peine, épieuse d'épiphanie. Et voilà! ça y était: joues chaudes et mains froides, yeux fixes et bouche sèche, cœur fou et poumons affaissés, j'étais Blanche-Neige, et les nains, et la pomme, et le prince, des images en musique, une conjonction, une conjugaison, un pronominal. Un manuscrit perdu. Un nœud de repères.

Dénouons. D'après l'antique science des haruspices, la vie n'apparaît lisible que par sa condition de mortelle. Ce n'est pas pour rien qu'on apprend à lire. Juste au moment où on ouvre le ventre de la bête, oui, à ce moment précis s'agit-il de surprendre la mort en train de dénouer l'écriture vitale. Aujourd'hui, on lit plus volontiers dans les livres. Il y a lieu de savoir les ouvrir et de voir du coup l'important:

les traces manuscrites en train de s'effacer. Alors: faire vite et bien. Cueillir, choisir, rassembler des signes qui saignent, qui vont se vider; il faut se transfuser en eux.

Cependant, il existe des livres [...] qui ne s'usent pas; qui conservent leur originalité, leur fraîcheur; qui se font toujours de nouveaux lecteurs; qui jamais ne deviennent — clichés mots vidés de pensée. On devine avec quelle passion Paulhan a dû rechercher le secret de tels livres. Et il l'a trouvé. C'est le secret, justement; leur secret est d'avoir un secret. (Silvio YESCHUA)

Lire, c'est être mis au secret; piégé; mourir à soi-même pour que revive le texte mort. *Comme la poésie redoute le livre qui va l'enfermer* (Roland GIGUÈRE).

désespacer

L'histoire de la lecture ne laisse pas de m'étonner. Un lecteur négligent offense l'étymologie; lire est un travail de grande précision. Quand on considère à quel point les manuscrits anciens économisent l'espace (les surfaces porteuses coûtent cher), laissent peu de blancs, n'utilisent guère de ponctuation, multiplient les abréviations, la pensée s'impose que les écrits restaient difficilement lisibles. Seuls les lecteurs professionnels pouvant se livrer à un rapide balayage visuel arrivaient à déchiffrer le texte sans rompre la cadence des vers ou le rythme des phrases. La lecture à haute voix fut longtemps le mode de transmission des œuvres littéraires; par la mémoire du «mot à mot», un lecteur et un auditeur portaient en eux le texte avec tous ses détails et toutes ses nuances. Voilà que s'impose à nouveau la primauté du corps; la poésie, par exemple, se

Dans la composition de la poésie, il ne faut faire aucune abréviation, lors même que la copie en contiendrait
(Code typographique)

reçoit d'abord comme sensation propre et ensuite (mais ensuite seulement) s'édifient sur ce sol vif les perceptions nécessaires à toute appréhension intellectuelle. Puis la lecture fut chuchotée, puis elle fut vibrée; ce passage des lèvres aux cordes vocales gardait le texte dans l'appareil phonatoire.

Ainsi, à une écriture artisanale correspondait une lecture artisanale. Notre époque offre des «cours de lecture rapide», sans s'aviser que le problème fondamental reste la lisibilité. Un manuscrit ressemble à une partition; il faut apprendre à le déchiffrer. Un imprimé moderne n'offre à première vue aucune difficulté de lecture. Et pourtant. Les petits corps sont d'une lisibilité plutôt médiocre à cause du dépouillement excessif de leur dessin. À l'opposé, les caractères publicitaires accrochent et retiennent; ils en mettent plein la vue. Le regard lisant a besoin de repères discrets. Il aime choisir, pourvu qu'il y ait matière suffisante à son choix.

aujourd'hui que le manuscrit naît imprimé
(A.-M. CHRISTIN)

Il y a plus. Un texte ne se lit pas de la même manière selon qu'il demeure à l'état de manuscrit, qu'on en fait une copie dactylographiée, qu'on l'imprime dans un journal ou dans une revue, dans une anthologie, etc. La lisibilité déborde le champ visuel. Peu d'éditeurs s'en inquiètent. La plupart des livres de poche ne dureront guère; on en éprouve l'obscur pressentiment, et la grande lecture, intelligente et jouisseuse, s'en trouve amenuisée. Je conçois mal qu'on imprime sur mauvais papier le gara-

mond, cet elzévir de la plus pure expression. C'est qu'inlassablement le lecteur littéraire cherche dans la page imprimée le frémissement de l'écriture manuscrite; il imagine, si l'impression est juste, une espèce de manuscrit volatil et lumineux sous un ciel d'encre.

Cela console de la banalité inhérente à la photocomposition. Quoi! cette invention révolutionnaire, qui devait libérer la lettre de quatre cents ans de servitude du plomb, n'a su aboutir, pour l'instant, qu'à une pasteurisation de la typographie (qui est une écriture et trouve son origine dans la graphie des scribes) ! Car la nature de la typographie n'est-elle pas d'être fondée sur la différence ? La typographie illustre, au cours des siècles, ce goût de la métamorphose qui est le propre de la création artistique et, de la même manière que les sonates de Bach ont été écrites pour des instruments interchangeables, toutes les façons de jouer sur le clavier typographique sont bonnes : chaque nouvel avatar est un enrichissement. Et, en fin de compte, l'évolution n'a été possible que parce que les hommes sont différents. (MASSIN)

encombrement

Un livre, c'est d'abord du blanc, dont le poids, la teinte, la matière sont mes données. Y mettre un texte, c'est choisir un caractère, un corps, un interlignage, une justification. Le caractère est capital mais moins encore peut-être que l'empagement comme disait Vox. Si les blancs ne sont pas justes, plus rien ne tient. Et tout cela doit soutenir le texte, le servir, disparaître donc pour ne laisser que la transparence du texte. Les « images » aussi, qui ne doivent pas s'imposer, mais participer intimement à la page. (Bruno ROY)

Parce que sous un faible volume il possède un contenu intellectuel et formel de haute densité, parce qu'il passe aisément de main à main, parce qu'il peut être copié et multiplié à volonté, le livre est l'instrument le plus simple qui, à partir d'un point donné, soit capable de libérer toute une foule de sons, d'images, de sentiments, d'idées, d'éléments d'information en leur ouvrant les portes du temps et de l'espace, puis, joint à d'autres livres, de reconcentrer ces données diffuses vers une multitude d'autres points épars à travers les siècles et les continents en une infinité de combinaisons toutes différentes les unes des autres. (Robert ESCARPIT)

il y a le livre, et puis rien
(Maurice BLANCHOT)

Du livre, on a donné toutes sortes de définitions. Laquelle choisir, et pourquoi choisir? Nous entrons dans l'ère des vidéo-livres. Le *codex* en a l'air mélancolique; le retour au *volumen* court sur une aire nostalgique. Mais j'ai cherché dans les dictionnaires. Tombant sur le *liber, je* me suis mis le doigt entre l'arbre et l'écorce. Plus moyen de fuir. Je ne disposais pas du mode d'emploi dont se parent certains livres actuels, quand ils ne sont pas tout entiers leur propre mode d'emploi. C'est la couleuvre qui s'avale. Cherchant des yeux quelque chose à me mettre sous le regard, j'ai commis une adorable méprise. Lire, c'est aussi le grec *litra* et le latin *libra*, qui supposent un étymon, *lidbra,* d'origine inconnue (je vois d'ici le sourire de Paulhan, terreur des étymologistes). Peu à peu s'est développé le sens de «balance à deux plateaux ou à contrepoids», d'où: peser, puis: équilibre. Enfin tranquille, et libre de mes mouvements me sentais-je... ou plutôt immobile et agité comme la libellule (de *libella*) qui, lectrice insatiable de fleurs sans rhétorique, n'a de cesse qu'elle ne se transforme en florilège.

Par ce détour j'ai voulu signifier que la hantise du livre ne trouble ni mes rêves ni mes pensées; elle les guide et les suggestionne. J'aimerai toujours, par l'écriture et par la lecture, donner à mon corps une pâture qui l'apaise et qui l'inquiète — qui me ravisse sans m'ôter de ce monde. Un livre beau en tous points, cela est si rare et pourtant si naturel.

Voilà un bel objet de disputes.

formes du labeur

Pourquoi — un jet de grandeur, de pensée ou d'émoi considérable, phrase poursuivie, en gras caractère, une ligne par page à emplacement gradué, ne maintiendrait-il le lecteur en haleine, la durée du livre, avec appel à sa puissance d'enthousiasme: autour, menus, des groupes secondairement d'après leur importance, explicatifs ou dérivés — un semis de fioritures.

(Stéphane MALLARMÉ)

La préparation d'une bonne copie n'est pas une mince affaire. Les écrivains se départagent aisément selon qu'ils pratiquent ou non la cohérence et l'économie dans remploi des ressources de la typographie. Tirets, parenthèses, guillemets, soulignés, lettres grasses ou légères, tout concourt à rendre la page plus ou moins lisible et signifiante. On jurerait que certaines machines à écrire (certains écrivains?) ne connaissent que la barre oblique qui semble réduire la syntaxe à une louche association de mots. On se réclame de *Finnegan's Wake*, mais prend-on garde que ce livre, où demeure lancinant le souvenir de la graphie latine, a été voulu de la première à la dernière ligne du manuscrit comme une composition spatio-temporelle, non pas comme un livre-objet, plutôt comme un objet libre, un objet de lecture. Un écrivain de véritable écriture est un traceur de caractères, il incise légèrement la surface porteuse pour que le langage s'enlève sur fond de silence. Et il prévoit que cela — le *c'est écrit* demeurant un *ça écrit* — s'intentionnalise (une fois n'est pas coutume) vers l'imprimé, l'empreinte du texte.

Il n'est pas question de badiner avec les questions de mise en page. Le plus secret et le moins conscient de l'écriture ne visent pas seulement une mise en mots. La page, le folio, le livre entier s'affairent à la juste manifestation du texte. Écrire-imprimer, c'est une réorganisation de l'espace, une altération du temps. Et une représentation utopique ; non pas la *mimésis* d'un réel prédonné, mais l'insertion, dans la blancheur, d'une *Écrire et dessiner sont identiques en leur fond.*
(Paul Klee)

grisaille chiffrée dont le code est sécrété, au fur et à mesure de la lecture, par le corps propre du lecteur. Oui, il appartient au lecteur d'établir le texte dans son existence charnelle.

Pour qu'advienne cette merveille d'une lecture dépaysante, dédouanée, il faut que l'écrivain laisse transparaître sous l'imprimé une gêne : sa trame manuscrite. Sinon, le livre n'aura pas été fait ; il aura été fabriqué.

lettres qui chevauchent

Le point et virgule est la pierre d'achoppement de toutes les plumes.

(Jérôme Peignot)

L'italique n'a pas bonne presse. Si l'art de la citation n'avait de nos jours trouvé nouvelle vigueur, l'italique serait morte ; enterrée dans les préfaces. Ce caractère était pourtant né d'une cursive inclinée qui ne manquait pas d'allure et de primesaut ; quelle main écrivante n'a pas son penchant de prédilection ? La plupart des lettres d'injures ou d'amitié adoptent l'écriture italisée spontanément, puisqu'il s'agit de forcer ou de gagner la participation active du destinataire. On admire dans cet usage et dans ses conséquences une pointe de science psychologique.

Lorsque apparaît une lettre dans un récit, on la compose en caractères italiques. C'est que l'écriture, devenant oblique, emprunte un autre chemin de discours et se signale comme négation d'une négation. La lettre citée n'est plus véritablement une lettre ; elle est ouverte et offerte à qui veut (et peut) la lire. Voilà donc une confidence qui court les rues ? Hé non ! La ruse tient

Il (Restif de la Bretonne) avait pour système d'employer dans le même volume des caractères de diverses grosseurs qu'il variait selon l'importance présumée de telle ou telle période. Le Cicéro *était pour la passion, pour les endroits à grands effets, la* Gaillarde *pour le simple récit ou les observations morales, le* petit-romain *concentrait en peu d'espace mille détails fastidieux, mais nécessaires.*

(Gérard DE NERVAL)

à ce que l'italique imprimée a mission de causer chez le lecteur une impression d'étrangement ; alors se rétablit la belle et secrète connivence ; dans un texte où personne ne parle à personne, quelqu'un s'écrit à lui-même ; le transitif s'intransitive — et inversement. On ne sait plus si, ni qui. Silence fait stridence. La lettre entière se détache de son contexte ; l'oblique tombante oblige la droite ordonnance du romain à moins de sérieux et de guindé. L'italique assure au langage endormi sur le papier un réveil, une relance d'étonnement. Il paraît que les doctes résument tout cela en se référant à la fonction du langage dite conative. Le mot me semble vilain ; quant à la chose, tout dépend du plaisir qu'on prend à la faire...

Le point abréviatif se confond également avec les points de réticence ou de suspension et les points elliptiques.

(Guide typographique)

amoureux de l'encre

Qui, de l'imprimeur ou de l'écrivain, fait le livre ? La question n'est nullement académique. La réponse ne le sera pas davantage.

Mon existence de professeur m'aura convaincu que peu de gens sont de manière irrésistible attirés par la lecture. Tous les moyens semblent bons pour résister aux livres. On en invente de nouveaux chaque jour. Et s'il s'agit de lire des manuscrits, alors : nécessité seule oblige. Anachronique, régulièrement dépassé par les ascètes du nouveau-nouveau, je vais mon bonhomme de chemin par des graphies diverses dont aucune ne me laisse sur ma faim. J'aime les manuscrits, objets de lecture totale. La main au stylo vaut bien la main aux ciseaux. Mais notre culture évolue vers une incompréhension de plus en plus profonde entre le travail manuel et le travail intellectuel. Voilà justement une sacrée coupure qui devrait

Pour d'autres écrivains, leur propre écriture leur est invisible, n'étant que le symbole abstrait du sens. Giono, lui, aimait montrer sur son bureau la pile de feuilles remplies par sa plume, comme un artiste qui désigne sur la table la pierre où s'ébauche sa litho.

(Robert RICATTE)

intriguer nos scientifiques poseurs de clôtures. Passons (même si c'est interdit). Et voici le moderne manuscrit que les chercheurs de poux appellent un *tapuscrit*. Repassons (même si ça ne se fait plus). La machine à écrire a certes modifié les habitudes d'écrire et de lire. Adieu, l'alternance du plein et du délié qui rythmait un style capable de se musicaliser graphiquement. On tape dur, maintenant, et on épelle mentalement à l'instar du typographe. Certaines machines à écrire (IBM, Varityper, Rank-Xerox) ont une frappe qui ressemble fort à la typographie traditionnelle. Tout doucement, mon chemin de campagne me mène à la ville. J'arrive, écrivain rustique, chez l'imprimeur averti. Ai-je accompli mon travail jusqu'au bout? Car une bonne dactylographie se doit de constituer un produit fini et susceptible d'être reproduit tel quel par l'*offset*. Autrement dit, un écrivain qui ne cache pas un typographe ne cache rien ni personne.

Pourquoi de tels chantiers, éclatés, divers, en gestation permanente d'une forme? Non par impudeur, vanité ou dédain pour le public, comme en aurait jugé le siècle classique, mais plutôt par une geste double d'humilité qui se présente en même temps comme le panégyrique du travail répété, minutieux, et comme l'illustration de la parole fautive.
(Bernard BEUGNOT)

L'esprit de l'écrivain se regarde au miroir que lui livre la presse [...] Tout ce qu'il écrivit de faible, de mal, d'arbitraire, d'inélégant parle trop clair et trop haut. C'est un jugement très précieux et très redoutable que d'être magnifiquement imprimé.
(Paul VALÉRY)

Il souhaite qu'on le métamorphose en livre de poche, qu'on le diffuse comme une espèce de journal différé, bref qu'on l'utilise. Après quoi il pourra se faire inscrire à la liste des travailleurs salariés, reconnus, intégrés, exemplaires. On ne l'émouvra pas en lui montrant certaines typographies dont le moirage établit le passage matériel, vérifiable et vivifiant, de l'écriture au dessin.

Je disais donc, sans le dire, que l'écrivain fait tout le livre. Écrire, c'est aussi imprimer.

rentrée à supprimer

En vérité, les manuscrits s'écrivent très souvent sur commande. Les comités de revues et les directeurs de collections fournissent tous les détails nécessaires (disent-ils): tant de pages à doubles interlignes, les renvois et les références selon la politique rédactionnelle (redisent-ils), et les documents iconographiques, et les tableaux, schémas, citations, etc., à l'avenant, sans oublier les marges, les têtes de chapitres, la manière de paginer, finalement on sait à l'avance ce qu'on écrira, comment et jusqu'où. À quoi bon écrire alors? Naïveté qu'on me pardonnera.

Le genre littéraire le plus tenace, n'est-ce pas la thèse? Oh! qu'il est bien gardé! Un corps de doctrines veillent à l'exacte exécution de la Xᵉ réplique d'un modèle-étalon qui n'en finit pas d'engendrer des diplômes. L'écrivain-théseux — il a remplacé (en nombre) le romantique poitrinaire — n'est pas aux prises avec un manuscrit mais avec un formulaire qu'il s'agit de «remplir» et tant mieux si ça déborde. Pas étonnant qu'une thèse ne donne presque jamais un livre. Cet objet, on ne le lit guère, on le consulte parfois, en prenant garde de ne pas le laisser tomber; ce serait le charivari chez les *tremendous footnotes.* Quelle mélancolie à parcourir dans une bibliothèque la section où s'entassent ces écrits cadavérisés de naissance; on en arrive à se croire Diogène, on cherche un livre, une fiche à la main, puis on fiche le camp, chez les humains.

Je tiens cependant pour une erreur fondamentale le fait que des auteurs n'écrivent pas ce qu'ils se sentent poussés à écrire, mais plutôt ce que leur commandent les rédactions. À la base de cette erreur se trouve l'institution qui fait de l'auteur un intellectuel, c'est-à-dire un personnage qui, premièrement est vénal, par goût de l'argent ou par désir de notoriété, et qui, deuxièmement, sera toujours apte et disposé à réagir à des «stimulations» et à laisser le champ libre à sa sagesse sur le thème qui lui sera imposé à ce moment-là.

(Hermann HESSE)

mise en pâte

Malgré son alphabet tenu (à tort) pour abstrait, la langue française s'écrit encore et toujours avec la vive manifestation d'une attirance ou d'une répulsion entre les lettres. Tous les joueurs de *scrabble* éprouvent cet embarras: comment disposer en une chaîne signifiante un *w,* un *x,* un *y,* un *o,* un *z* et un *i*? Le dessin typographique ne se linéarise qu'à la mesure des marques phoniques qu'il porte à la fois comme des ecchymoses et comme des frissons; la bouche a mordu la main, elle l'a juste effleurée. C'était il y a si longtemps qu'on ne s'en souvient plus. Les corps amoureux, dans un entrelacs de soupirs et de grognements, se consignaient et se disjoignaient, occupant ici l'espace d'une panse et d'une hampe, là le temps d'un mince intervalle et d'une haute pointée. Juste au bord de l'écrit;

musiques d'ombre
(Pierre REVERDY)

Et la voilà partie dans un exposé où il n'est question que de signifiant, de signifié, de référent, de métaphore, métonymie, morphème, phonème, syntagme, algorithme, mise en abîme, métalangage, connotation, subjectivité, théoricité, poéticité. Puis avec un faux sourire elle demande à son interlocuteur s'il taquine toujours la muse. Il rougit et répond que non. Il aurait même eu honte d'avouer qu'il rédigeait encore son journal car ce doit être un genre bien périmé.

(Robert PINGET)

juste au bord de l'oral. À l'émergence d'un quelque chose — quelqu'un(e) — qui de la même saccade s'écrit et de la même goulée se prononce. Dans le bref ébranlement du cri — de l'orgasme.

Mais la différance veillait, qui disséminerait ses différences. Et l'écriture mandarinale, jetant le discrédit sur la parole artisanale, finit par assurer le prestige du scribe. Communiquer, quelle basse illusion : une pauvreté qui traîne les rues. Et qui se donne en représentation. La pensée écrivante, d'abstraite, est devenue absconse et abstruse. Elle discourt d'abondance de sexe et de texte, oui, elle écrit sur et autour ; à propos de ; elle dit que. Elle n'est pas l'indifférenciée folie du flux verbal qui, s'expirant, expulse le sujet du langage. Son dessin se hiéroglyphise à seule fin de s'évacuer dans le commentaire.

D'où, par réaction paradoxale, les nombreux livres dictés, passés à la moulinette du magnétophone et qui singent la dilection complice qu'entretiennent au plus profond du neuromoteur la main et la bouche, l'écriture et la parole. Car la voix s'écrit, textuellement, au plus secret de la phrase ou du vers. De cela, cet innommable au sein du nommé, témoignent les accents et la ponctuation, les blancs de silence et les hiatus bégayants.

Cette remise en situation du langage, le livre l'opère précisément par les techniques de la mise en page. Ce qui cafouille et dérape dans le manuscrit ne doit pas être gommé ou masqué sous prétexte que l'auteur n'est plus qu'une notion idéologique, la main baladeuse d'un vieillard aussi vicieux qu'impuissant.

J'ai voulu retrouver, en vain, un passage de Marie de France où la voix de cette inconnue s'impose sans conteste dans sa précarité son-

Que je voudrais être un peintre. On n'a pas à savoir lire, écrire, à connaître syntaxe, grammaire, langues, linguistique, philosophie, élucubrations universitaires, on a juste à peindre ce qu'on voit comme l'ont fait de Staël, Matisse, Roger de la Fresnaye, Memling. Mais voilà, c'est qu'en vérité on voit avec la parole, avec ce fin ruisseau, le verbe qui fait son petit bruit de genèse du thalamus à la glotte.

(Robert MARTEAU)

geuse et ironique, on jurerait d'une blessure dans la gorge et qui à travers des siècles de prudes théories vient mousser rosément aux lèvres de l'aujourd'hui. Je n'ai pas réentendu ces paroles écrites sous le gel de l'histoire. Par les jours de soleil elles dégèlent en moi et me montent au visage et je suis une morte anglaise francophone du douzième siècle, non ! une mourante qui n'en finit pas de vivre et de m'imprimer un mouvement imperceptible de pur bonheur alors que je feuillette, à l'approche du soir, le journal d'hier, copie conforme à celui du lendemain.

retiration

« À quel titre écrivez-vous ? » m'a-t-on demandé un matin d'hiver sale et gris où je m'étais en public oublié à quelques confidences d'écriveur un peu morose. J'ai risqué un regard par la fenêtre sur le temps qui paraissait bouché, suspendu dans son vol de notre vie. Et je n'ai pas trouvé de réponse. Je tournais et retournais dans mon esprit ce fameux *titre*. Devais-je entendre ce nom comme celui d'une charge, d'une dignité (!), d'un diplôme ? Certaines expressions toutes faites me tambourinaient les tympans : « en titre », « à titre de », « à ce titre », « à juste titre »... J'écrivais, j'avais écrit sans aucun titre. Avec l'insouciance des pertes et profits que met à l'exercice de son métier un artisan retraité. Mon heureuse incompétence en toutes sortes de matières me protège de la fausse naïveté. Maintenant que j'écris sur le passage du manuscrit au livre, j'avoue sans vergogne que j'ignore à peu près tout des techniques hautement spécialisées par lesquelles on amène un texte privé dans le public. Mais quoi ! les secrets de la biologie et de la physiologie me restent impénétrables, et pourtant je vis — à en être malade.

> *Il ne se passe pas grand-chose, tout compte fait, quand on se*
> *précipite sur la langue comme un puceau fébrile... qui croit*
> *encore qu'on peut s'emparer d'elle, lui faire des choses, la faire*
> *crier ou la mettre en morceaux, la pénétrer, inscrire ses griffes*
> *le plus vite possible avant l'éjaculation précoce et surtout*
> *avant sa propre jouissance à elle...*
> (Jacques DERRIDA)

Je tisserai donc encore quelques mailles d'un texte où j'achève de m'empêtrer pour la plus grande joie de l'enfant qui en moi persiste et adore les déguisements mal fichus. C'est une continuation au récit du roi nu. Les grandes personnes font semblant de vous voir habillé de telle façon qu'elles ne vous reconnaissent pas. Et vous riez hautement, sans équivoque, vous vous tra-hissez, vous souhaitez d'être découvert sur-le-champ. Peine perdue (peine d'enfant) : ces grandeurs jouent le jeu jusqu'au bout et nient votre petite vérité. À l'esprit d'enfance elles répondent par l'enfantillage. Mauvaise lecture, traduisante, d'une écriture subtile.

> *Souvent, lorsque je me mets à t'écrire,*
> *ce n'est pas que j'aie l'intention*
> *de te dire quelque chose de sérieux.*
> *Non, c'est pour toucher le feuillet*
> *que tu vas tenir entre tes mains...*
> (Abraham TERTZ)

Les fils de la trame qui passent sous la chaîne, selon les termes du tisserand, se subtilisent aux yeux des non-voyants. Pour qui le cœur, l'âme, ne sont pas devenus faiblesse, vieillerie, le subtil apparaît dans sa continuité incassable et dans sa dure fragilité. Rien n'empêche de voir, ce qui s'appelle voir (avec les doigts, par exemple), un manuscrit sous la page imprimée, une trace émouvante de main écolière qui s'essaie aux signes du langage des hommes et par ce banal mystère apprivoisé trouve son lieu dans le monde, sa place sous le soleil, et son ombre amie, fidèle, rampante comme la mort aux allures de chien soumis. Un texte me touche dans la mesure où il a été touché ; cela se passe de main à main. Voilà l'écriture subtile, qui relie au livre le manus-crit, à la maturité l'enfance, au savoir l'étonnement — et le bonheur à la bonne heure.

> *Nous laisserons ces pages à leur bigarrure.*
> (Michel DEGUY)

1983

Notices

POÈMES DES QUATRE CÔTÉS

Ce recueil, publié en 1975 aux Éditions du Noroît, n'a jamais été réédité jusqu'à présent. Il s'agit du premier livre que Jacques Brault fait paraître dans cette maison, alors dirigée par ses fondateurs, René Bonenfant et Célyne Fortin. C'est aussi le premier livre dans lequel sont reproduites des œuvres picturales de Jacques Brault : cinq encres, dont les reproductions ont été collées à la main par les éditeurs et l'auteur. L'ouvrage a été réalisé d'après la conception graphique de Martin Dufour. La plupart des recueils de poèmes ultérieurs de l'auteur paraîtront chez cet éditeur, fondé en 1971, dont la politique éditoriale se démarque à l'origine par le soin apporté aux aspects matériels de l'édition et par l'insertion d'œuvres d'art.

Poèmes des quatre côtés paraît la même année que deux autres livres de Jacques Brault : *L'En dessous l'admirable* et *Chemin faisant*. Par rapport à ces deux œuvres, il témoigne davantage d'une ouverture que d'un bilan. C'est en effet le premier livre de Jacques Brault tourné vers l'expérience de la traduction, terme auquel l'auteur a substitué celui de « nontraduction », en s'inspirant du mot anglais *nonlectures*, forgé par le poète états-unien Edward Estlin Cummings pour désigner une série de conférences peu orthodoxes qu'il a prononcées, en 1952 et 1953, à l'Université Harvard[1].

Avant la parution de *Poèmes des quatre côtés*, Jacques Brault avait publié, à l'invitation de la revue *Ellipse*[2], des traductions de poèmes de Margaret Atwood, en 1970, et de Gwendolyn MacEwen, en 1971[3]. À cette époque, au

---

1. Edward Estlin Cummings, *I: Six Nonlectures*, Cambridge, Harvard University Press, « The Charles Eliot Norton Lectures », 1953.
2. La revue *Ellipse*, consacrée à la traduction de poèmes d'auteurs canadiens de l'anglais vers le français et du français vers l'anglais, a été fondée en 1969, à Sherbrooke, par Douglas Gordon Jones.
3. « Rivière », « Résurrection », « Pré-amphibien » et « Poursuite », traductions de poèmes de Margaret Atwood, *Ellipse*, n° 3, 1970, p. 61, 63, 65-67 et 79 ; « Étoiles et semences », « Je ne

Québec, les traducteurs de poésie sont rares, et plus encore ceux qui écrivent à propos de leur pratique. Invité à publier un recueil par les jeunes Éditions du Noroît, l'auteur choisit de pousser plus loin l'expérience de la «nontraduction», en développant ses travaux antérieurs sur Atwood et MacEwen et en élaborant des versions très personnelles de textes de John Haines et de Cummings.

Margaret Atwood (née en 1939), surtout connue comme romancière, mais qui a aussi publié des essais et plusieurs recueils de poèmes, a principalement vécu à Ottawa et à Toronto. Dans la géographie mise en place par Jacques Brault, elle représente l'Ouest. Gwendolyn MacEwen (1941-1987), bien qu'elle soit originaire de Toronto, vécut pendant un certain temps sur l'Île-du-Prince-Édouard, et devient ainsi, dans le recueil, une représentante de l'Est. John Haines (1924-2011) est pour sa part un poète américain qui vécut plusieurs années dans le Grand Nord, plus précisément en Alaska. De son côté, Edward Estlin Cummings (1894-1962), ou e.e. cummings, selon l'orthographe en minuscules qu'il avait choisie pour son nom d'écrivain, vécut notamment à Cambridge et à New York. Il complète donc les points cardinaux à partir desquels se définit l'horizon du «nontraducteur», qui se voit non pas encerclé par une langue étrangère, mais ouvert à ce qu'il considère, dès les premiers mots du recueil, comme un «appel».

Jacques Brault intègre au livre plusieurs méditations sur la «nontraduction». «Ne pas annexer l'autre, devenir son hôte», écrit-il dans les premiers commentaires qui ouvrent le recueil. Cet axiome souligne la préséance de l'accueil, en même temps que le refus de l'appropriation. Mais comme le souligne Sherry Simon, la position de Brault «sape» également «l'autorité "symbolique" de l'original[4]». Il lui arrive d'ailleurs souvent, à partir de 1975, d'incorporer à ses textes des citations en les signalant uniquement par l'italique. L'auteur et moi avons convenu de maintenir cet anonymat dans la présente édition.

Après la parution de ce livre, la question de la traduction restera très présente dans l'œuvre de Jacques Brault : il traduira notamment le poète E.D. Blodgett en 1998, ainsi que l'Apocalypse de Jean, en collaboration avec Jean-Pierre Prévost, en 2001, en plus d'écrire d'autres essais sur le sujet.

descendrai plus», «Second chant de la cinquième terre» et «Le creux», traductions de poèmes de Gwendolyn MacEwen, *Ellipse*, n° 7, 1971, p. 77, 79 et 81.
4. Sherry Simon, *Le Trafic des langues. Traduction et culture dans la littérature québécoise*, Montréal, Boréal, 1994, p. 70. Dès 1981, Irène Sotiropoulo-Papaleonidas attire l'attention sur la nouveauté des propositions de *Poèmes des quatre côtés*, dans *Jacques Brault. Théories/ pratique de la traduction. Nouvelle approche de la problématique de la traduction poétique*, Sherbrooke, Éditions Didon, coll. «Recherche», 1981.

TROIS FOIS PASSERA, PRÉCÉDÉ DE JOUR ET NUIT

Ce recueil paraît aux Éditions du Noroît en 1981. Il n'a jamais été réédité jusqu'ici. Célyne Fortin, à qui Jacques Brault avait donné carte blanche, a conçu le graphisme et a intégré quatorze collages.

Dans la rubrique «Du même auteur» qui figure dans les publications ultérieures de Jacques Brault, ce livre est rangé parmi les ouvrages de poésie, bien que l'essai y soit très présent. Malgré son apparence éclatée, le livre conserve une forte unité thématique (l'identité, l'amour et l'écriture étant constamment mis en relation), mais aussi formelle, comme l'observe André Brochu: «Poésie et prose s'enchaînent, comme s'ils étaient de même nature, [comme si] toute différence avait été abolie[5]».

Une première version du texte «Les hommes de paille» avait déjà été publiée à tirage limité en 1978[6]. Le texte «L'instant d'après», pour sa part, avait paru en 1977 dans la revue *La Nouvelle Barre du jour*[7].

MOMENTS FRAGILES

Moments fragiles est paru en 1984 aux Éditions du Noroît. Il a été réédité en 1994 en collaboration avec Le Dé bleu (Chaillé-sous-les-Ormeaux, France). Plusieurs réimpressions de la première édition ont suivi et le livre a été repris dans la rétrospective *Poèmes* aux Éditions du Noroît en 2000. Une traduction anglaise a été réalisée par Barry Callaghan, sous le titre *Fragile Moments* (Toronto, Exile Editions, 1985).

La première section du livre, «Murmures en novembre», a d'abord été publiée au Noroît sous forme de plaquette[8], à l'époque où la maison réalisait encore des éditions d'art à tirage limité. Neuf poèmes de la section «Amitiés posthumes» et un poème de la section «Vertiges brefs» ont paru dès 1977 sous le titre «Un ami revenu du froid», dans la revue *Estuaire*[9]. Des poèmes de la section «Leçon de solitude» avaient de leur côté paru dans la revue *Possibles* en 1982[10].

5. André Brochu, *Tableau du poème. La poésie québécoise des années quatre-vingt*, Montréal, XYZ éditeur, coll. «Documents», 1994, p. 46.

6. *Les Hommes de paille* (avec des gravures de Marie-Anastasie), Montréal, Éditions du Grainier, 1978.

7. «L'instant d'après», *La Nouvelle Barre du jour*, n° 61, décembre 1977, p. 61-82.

8. *Vingt-quatre murmures en novembre* (avec des gravures en eau-forte et taille-douce de Jeannine Leroux-Guillaume), Saint-Lambert, Éditions du Noroît, 1980, n. p.

9. Numéro 4, mai 1977, p. 5-19.

10. «7 leçons de solitude», *Possibles*, vol. 6, n°s 3-4, 1982, p. 159-166.

Bien qu'il n'y paraisse pas, ce recueil se situe dans le prolongement de *Poèmes des quatre côtés*. En effet, Jacques Brault avait d'abord conçu le projet d'un livre de «nontraductions» de poèmes japonais, chinois et coréens, à partir de traductions littérales en anglais. À l'origine, ce livre devait aussi comporter, comme *Poèmes des quatre côtés*, une réflexion critique sur la traduction poétique. Mais au fur et à mesure du développement de l'œuvre, les textes se sont éloignés des sources, au point où toute trace de la genèse du projet a disparu[11].

AGONIE

Il existe quatre éditions différentes d'*Agonie*, toujours dans la même version: Montréal, Éditions du Sentier[12], 1984, 77 p.; Montréal, Éditions du Boréal Express, 1985, 77 p.; Cesson, La Table rase/La Bartavelle, 1990, 119 p.; Montréal, Éditions du Boréal, «Compact», 1993, 77 p.

L'édition originale, sous-titrée «récit», comportait des lettrines en couleurs de Martin Dufour, qui avait aussi conçu la maquette. Cette conception graphique fut reprise lors de la réédition du livre aux Éditions du Boréal, avec les lettrines en noir et blanc pour l'édition de poche. Les lettrines ne figurent pas dans l'édition française, beaucoup plus aérée.

Le poème «Agonie», qui donne son titre et sa structure au récit, est de l'écrivain italien Giuseppe Ungaretti (1888-1970) et date du début de la Première Guerre mondiale. La traduction de Jean Lescure retenue par Brault a d'abord été publiée en 1954 et a été reprise dans la rétrospective *Vie d'un homme*, Paris, Éditions de Minuit et Gallimard, 1973, p. 25. Notons que Brault change le dernier mot de cette traduction, «aveuglé», par «aveugle».

11. Toutefois, dans la courte notice de présentation qui précède les poèmes parus dans *Estuaire*, l'auteur écrit: «*Oublié depuis longtemps, Li Tchang-yin m'envoie soudain de ses nouvelles. Je vous en transcris quelques-unes. Comment ont-elles pu me parvenir à travers tant d'inconnu? Je voudrais vous l'expliquer; mais la mémoire me fait défaut*» (p. 5). Li Tchang-yin (dont le nom est orthographié en français de multiples façons) est un poète chinois qui vécut de 813 à 858. Par ailleurs, Claude Paradis a noté que le premier vers du premier poème de la section «Presque silence» («*Sur le tard n'aimerai que la quiétude*») est emprunté au poète chinois Wang Wei (701-761). Voir *Ouvrir une porte sur dix grandes œuvres de la poésie québécoise du XXᵉ siècle*, Montréal, Éditions du Noroît, «Chemins de traverse», 2015, p. 73. Au sujet de l'intérêt de Jacques Brault envers l'Orient, voir Yves Laroche, «L'Orient poétique de Jacques Brault», *Liberté*, vol. 47, n° 1, 2005, p. 81-98.

12. Les Éditions du Sentier, fondées et animées par Gilles Archambault, Jacques Brault et François Ricard, ont été actives de 1978 à 1986. Avant *Agonie*, des proses de Gilles Archambault, des récits de François Ricard et de Gabrielle Roy et des poèmes d'Alain Grandbois avaient déjà été publiés à tirage limité chez cet éditeur.

En 1984, *Agonie* a obtenu le Prix du Gouverneur général, section « roman ». Ce livre est le plus étudié de tous les textes de Jacques Brault[13]. Le fait qu'il s'agisse de l'unique « roman » de l'auteur (qui préférait pour sa part, malgré l'initiative de son éditeur, désigner ce texte comme un « récit ») n'est sans doute pas étranger à sa plus grande présence sur la scène littéraire. Cette présence a d'ailleurs débordé les frontières québécoises : *Agonie* a été traduit en néerlandais en 1986, en anglais en 1987 et en italien en 2005[14].

En 2002, une adaptation théâtrale de ce récit, réalisée par Marie-Ginette Guay, a été présentée au théâtre Périscope de Québec, avec Jacques Leblanc et la voix de Paul-André Bourque.

LA POUSSIÈRE DU CHEMIN

Ce recueil d'essais est paru en 1989 aux Éditions du Boréal, dans la collection « Papiers collés », fondée et dirigée par François Ricard. Comme son titre l'indique, cette collection regroupe des recueils de textes, dans la plupart des cas déjà publiés. Au moment où paraît *La Poussière du chemin*, les essayistes figurant dans la collection sont surtout des collaborateurs de la revue *Liberté* : outre Ricard lui-même, Gilles Archambault, André Belleau, Jacques Godbout, Jean Larose et Pierre Vadeboncoeur, mais aussi les critiques André Brochu et Pierre Nepveu, ainsi que les chroniqueurs politiques Lise Bissonnette, Lysiane Gagnon et Jean-Paul L'Allier.

La Poussière du chemin est le deuxième volume de ce que l'auteur désignera plus tard comme une « trilogie[15] », unissant ce livre à *Chemin faisant* (1975) et *Chemins perdus, chemins trouvés* (2012). Ce recueil n'a jamais été réédité jusqu'à présent. Il se compose de textes ayant pour la plupart déjà été publiés

13. Soulignons notamment l'étude de Claude Lévesque, « L'appel désordonné du lointain. Lecture d'*Agonie* de Jacques Brault », dans *Le Proche et le lointain*, Montréal, VLB éditeur, 1994, p. 11-78, ainsi qu'un regroupement, par Robert Dion, d'études déjà parues et inédites, dans *Cahiers d'*Agonie. *Essais sur un récit de Jacques Brault*, Québec, Nuit blanche éditeur, coll. « Cahiers du Centre de recherche en littérature québécoise », 1997.

14. *Agonie*, traduction d'Ernst van Altena, Amsterdam, Thoth, 1986 ; *Death-Watch*, traduction de David Lobdell, Toronto, House of Anansi Press, 1987 ; *Agonia*, traduction de Frederica di Lella et Maria Laura Vanorio et postface de Marina Zito, Napoli, Libreria Dante & Descartes, 2005.

15. « Après *Chemin faisant* (1975) et *La Poussière du chemin* (1989), voici le dernier volume de ce qu'on peut considérer comme une trilogie où j'aurai regroupé des essais concernant surtout la littérature, celle que j'ai aimée au point d'apprendre à la pratiquer puis à l'enseigner », Jacques Brault, *Chemins perdus, chemins trouvés*, Montréal, Boréal, « Papiers collés », 2012, p. [9].

dans des revues ou dans des ouvrages collectifs, ainsi que de méditations sur l'art lues à la radio de Radio-Canada et d'une préface. Les essais réunis dans ce recueil datent de la période allant de 1970 à 1987. L'auteur précise en fin de volume : « Environ la moitié de ces textes ont d'abord paru dans la revue *Liberté*. Les autres ont été publiés (sauf deux, demeurés inédits) dans divers périodiques ou dans des recueils collectifs. Les corrections apportées à la version initiale des textes restent assez légères dans l'ensemble ».

Voici les premiers lieux de parution des textes :

« Lettre à des amis inconnus » : paru en allemand sous le titre « Ein Brief an unbekannte Freunde », dans *OKanada*, Berlin, Akademie der Künste, 1983, p. 9-12.

« Existons-nous ? » : paru sous le titre « Lettre à quelques-uns », *Liberté*, vol. 16, n°s 5-6, 1974, p. 56-61.

« Drôle de métier » : paru sous le titre « Second métier ?... Non, écrire n'est pas un métier », dans *Le Jour*, 28 septembre 1974, p. 23.

« Juste avant 1984 », *Liberté*, vol. 25, n° 3, 1983, p. 82-85.

« Sur le bout de la langue », *Liberté*, vol. 19, n°s 4-5, 1977, p. 130-134.

« Mûrir et mourir », dans Barbara Belyea et Estelle Dansereau (éd.), *Driving Home. A Dialogue Between Writers and Readers*, Waterloo, Wilfrid Laurier University Press, 1984, p. 89-96.

« Congé », *Liberté*, vol. 22, n° 6, 1980, p. 50-54. [Allocution prononcée lors de la remise du prix Duvernay.]

« Mesure de Cioran », *Liberté*, vol. 29, n° 2, 1987, p. 22-23.

« Le double de la signature », *Liberté*, vol. 17, n°s 1-2, 1975, p. 12-16.

« Dérives », *Écrits du Canada français*, n° 47, 1983, p. 147-155.

« Figures en ruines » : paru sous le titre « Lucentini : ruines avec figures », dans *Liberté*, vol. 28, n° 5, 1986, p. 23-26.

« Il n'y a plus d'îles » : paru sous le titre « Qu'est-ce qu'un bateau, s'il n'y a plus d'îles ? », préface à Alain Pontaut, *Un bateau que Dieu sait qui avait monté et qui flottait comme il pouvait, c'est-à-dire mal*, Montréal, Léméac, 1970, p. 9-16.

« La voix minimale », *Voix et images*, vol. 13, n° 1, 1987, p. 66-69.

« Une douce violence » : paru sous le titre « Gilles Archambault : prix David 1981, hommage », dans *Lettres québécoises*, n° 24, hiver 1981-1982, p. 67.

« Une conversation dans le noir », *Liberté*, vol. 29, n° 1, 1987, p. 61-62.

« Le poète et le réel », *Liberté*, vol. 22, n° 4, 1980, p. 44-45.

« Petite suite émilienne », *Liberté*, vol. 28, n° 2, 1986, p. 76-88.

«Lumière d'en dessous» : *Gérard Tremblay, peintre et graveur*, émission radiophonique, Radio-Canada, 1980. Repris sous le titre «Signes d'une arrière-nuit», *Liberté*, vol. 24, n° 1, 1982, p. 54-58.

«Dessiner la couleur» : Paul-V. Beaulieu, peintre et graveur, émission radiophonique, Radio-Canada, 1981. Repris dans Michel Beaulieu et Jacques Brault, *P. V. Beaulieu*, La Prairie, Éditions Marcel Broquet, coll. «Signatures», p. 5-8.

« Un autre état du monde » : Louis Jaque, peintre et graveur, émission radiophonique, Radio-Canada, 1981. Inédit.

«Gravé dans le silence» : *Jeannine Leroux-Guillaume, peintre et graveur*, émission radiophonique, Radio-Canada, 1981. Inédit.

«Carnet d'un apprenti», *Liberté*, vol. 21, n° 2, 1979, p. 32-41.

«Sur la langue des poètes : Villon et Miron», *Liberté*, vol. 20, n° 1, 1978, p. 23-44.

«Le secret des troubadours» : paru sous le titre «Le secret d'amour dans la lyrique courtoise», dans Bruno Roy (dir.), *L'Érotisme au Moyen Âge*, études présentées au troisième colloque de l'Institut d'études médiévales, Montréal, L'Aurore, 1977, p. 23-33.

«Remarques sur la traduction de la poésie», *Ellipse*, n° 21, 1977, p. 10-35.

«Sagesse de la poésie», dans Thomas De Koninck et Lucien Morin (dir.), *Urgence de la philosophie*, actes du colloque du cinquantenaire de la Faculté de philosophie de l'Université Laval, Québec, Presses de l'Université Laval, 1986, p. 348-356.

«L'écriture subtile», *Études françaises*, vol. 18, n° 3, 1982, p. 9-20.

TABLE DES MATIÈRES

POÈMES DES QUATRE CÔTÉS

TROIS FOIS PASSERA
précédé de JOUR ET NUIT

MOMENTS FRAGILES

LES ÉDITEURS DES LIVRES DE JACQUES BRAULT

Poèmes des quatre côtés
Ce livre n'a été publié qu'une fois, aux Éditions du Noroît en 1975.

Trois fois passera, précédé de *Jour et nuit*
Ce livre n'a été publié qu'une fois, aux Éditions du Noroît en 1981.

Moments fragiles
L'édition la plus récente est parue aux Éditions du Noroît en 2021.

Agonie
L'édition la plus récente est parue aux Éditions du Boréal en 1993.

La Poussière du chemin
Ce livre n'a été publié qu'une fois, aux Éditions du Boréal en 1989.

Achevé d'imprimer
sur les presses de l'imprimerie Gauvin,
Gatineau, Québec, Canada